**Para ler como um escritor**

Francine Prose

# Para ler como um escritor
## Um guia para quem gosta de livros e para quem quer escrevê-los

Tradução:
MARIA LUIZA X. DE A. BORGES

*14ª reimpressão*

*Este livro é dedicado a meus professores:*
*Monroe Engel, Alberta Magzanian e Phil Schwartz.*

Copyright © 2006 by Francine Prose

Tradução autorizada da primeira edição norte-americana, publicada em 2006 por HarperCollins Publishers, de Nova York, EUA

*Grafia atualizada segundo o Acordo Ortográfico da Língua Portuguesa de 1990, que entrou em vigor no Brasil em 2009.*

*Título original:*
Reading Like a Writer (A Guide for People Who Love Books and for Those Who Want to Write Them)

*Capa*
Miriam Lerner

CIP-Brasil. Catalogação na fonte
Sindicato Nacional dos Editores de Livros, RJ

P959p  Prose, Francine, 1947-
Para ler como um escritor: um guia para quem gosta de livros e para quem quer escrevê-los / Francine Prose; tradução Maria Luisa X. de A. Borges. — 1ª ed. — Rio de Janeiro: Zahar, 2008.

Tradução de: Reading Like A Writer: A Guide for People Who Love Books and for Those Who Want to Write Them.
ISBN 978-85-378-0061-4

1. Prose, Francine, 1947- — Livros e leitura. 2. Língua inglesa — Retórica. 3. Criatividade na escrita. 4. Escritores — Livros e leitura. I. Título.

08-0431

CDD: 808.02
CDU: 808.01

Todos os direitos desta edição reservados à
EDITORA SCHWARCZ S.A.
Praça Floriano, 19, sala 3001 — Cinelândia
20031-050 — Rio de Janeiro — RJ
Telefone: (21) 3993-7510
www.companhiadasletras.com.br
www.blogdacompanhia.com.br
facebook.com/editorazahar
instagram.com/editorazahar
twitter.com/editorazahar

# SUMÁRIO

*Apresentação*, por Italo Moriconi, 7

1. Leitura atenta, 13
2. Palavras, 25
3. Frases, 45
4. Parágrafos, 71
5. Narração, 92
6. Personagem, 115
7. Diálogo, 145
8. Detalhes, 192
9. Gesto, 206
10. Aprender com Tchekhov, 228
11. Ler em busca de coragem, 243

*Livros para ler imediatamente*, 262
*Posfácio à moda da casa, por Italo Moriconi*, 266
*Livros brasileiros para ler imediatamente*, 304
*Agradecimentos*, 307
*Ler e escrever, uma conversa com Francine Prose*, 308

# APRESENTAÇÃO

*Para ler como um escritor* proporciona uma espécie de viagem visceral por obras-primas da literatura. Tem tudo de manual, de guia, de livro-texto especificamente orientado para quem está se colocando na posição de escritor aprendiz ou iniciante, assim como para quem deseja perceber a literatura com os olhos livres do escritor e não com as lentes grossas do intelectual ou do ideólogo acadêmico. Seu modo visceral de ser conduz o leitor pelas entranhas do texto de prosa ficcional sem apelar para categorias macro de compreensão, sem camisas de força apriorísticas. Aqui, a indução prevalece sobre a dedução. Literatura não como ciência, mas como exercício de sensibilidade. O método é o *"close reading"*, a leitura atenta, a leitura densa, a leitura linha a linha, cuja meta é evidenciar como grandes escritores do passado e do presente obtiveram e continuam a obter resultados literários apreciáveis e diversificados através desse ou daquele jeito de fazer.

A lei maior de Francine Prose é: aprendemos através de exemplos. Não para imitá-los (isso também, um pouco), mas para refletir intensamente sobre eles. Como tratar a frase? Como e por que quebrar um parágrafo? Como avaliar o impacto de uma palavra? Como apresentar uma personagem ao leitor? São problemas práticos desse tipo que Prose aborda, sem estabelecer fórmulas, apenas mostrando, indicando, orientando o leitor por um caminho cujo fim ela mesma não conhece, já que, como demonstra repetidas vezes, não há regras imutáveis para a boa literatura. Cada escritor institui suas próprias regras de criação. O leitor praticante da leitura atenta tirará parte de seu prazer do reconhecimento dessas marcas individuais que dão vida a cada bom texto literário.

O livro de Francine Prose chega ao Brasil num momento bastante adequado, como veremos adiante. Mas por isso mesmo, na tentativa de estabelecer contrastes esclarecedores, cabe assinalar que ele se insere em certa tradição anglo-saxônica de textos sobre literatura cujo pleno sentido só pode ser apreendido quando observamos como funcionam as coisas literárias naquela cultura. Dois fatores saltam aos olhos. Em primeiro lugar, o tamanho e o nível de profissionalização do mercado de ficção nos Estados Unidos e na Inglaterra. Em segundo lugar, o fato de que, nesses países, particularmente no primeiro, escrever é algo que se aprende, sim, na escola. Tal como existem as escolas de música, de teatro, de artes plásticas, existem nas universidades norte-americanas os cursos de mestrado (MFA – Master of Fine Arts) em criação literária.

O livro de Francine Prose é feito à imagem e semelhança desses cursos, destinando-se muito especialmente a essa clientela. Porém, por ser a literatura matéria de interesse universal, não se limita a ela. Qualquer cidadão interessado pode pegar este livro da prateleira e aproveitar dele tanto por puro prazer quanto como instrumento de estudo individual. Um dos aspectos sedutores de *Para ler como um escritor* é ser escrito a partir da experiência pessoal da autora como escritora e como professora de criação literária. Em consequência, a moldura do livro combina o ensaístico ao memorialístico.

A estrutura anglo-saxônica dos mestrados em criação literária oferece um desafogo ao estudante que quer estudar literatura por motivos práticos: seja porque simplesmente ama ler romances, contos, biografias, poesia e ensaios, seja porque seu interesse é tornar-se escritor ou aperfeiçoar-se como tal. Diferente do que ocorre nos doutorados propriamente acadêmicos de teoria da literatura, literatura comparada ou literaturas nacionais (norte-americana, inglesa, francesa, espanhola, alemã etc.), nos cursos de criação literária o que interessa é o texto em si, não o seu contexto histórico e muito menos sua discussão em função de temas intelectuais, provenientes das ciências humanas ou da filosofia.

Nesses cursos, a literatura interessa como arte. Arte da palavra, arte da escrita, arte da potência verbal. Eles representam a institucionalização da boa e velha oficina literária, assim como do bom e velho sarau literário. Neles, a literatura é lida para que se aprendam e desenvolvam técnicas de narração e composição e se aperfeiçoem os critérios de avaliação da qualidade artística de um texto. Além das disciplinas de leitura, as demais aulas do currículo são simplesmente oficinas de redação. Ninguém é solicitado a ter ideias geniais ou "corretas" sobre as obras estudadas, pois a crítica literária é aí exercitada como gênero a aprender, independente do conteúdo a transmitir. As palavras-chave são liberdade, flexibilidade, prazer de ler, alegria de escrever.

No Brasil, estamos passando por um momento importante de mutação e ampliação das estruturas de formação do escritor e do leitor qualificado (supõe-se que o leitor que *lê como escritor* seja um leitor qualificado). Aqui o modo mais disseminado de buscar uma formação de escritor tem sido as oficinas literárias, iniciativas que em geral passam ao largo da universidade, embora diversas universidades brasileiras ofereçam oficinas literárias como atividade de extensão extracurricular. O livro de Francine é um guia muito útil para orientar o trabalho nessas oficinas. No entanto, nosso início de século assiste à expansão dos cursos universitários regulares de criação literária, de que os casos mais notáveis são o da PUC-Rio e o da Unisinos, no Rio Grande do Sul.

Está surgindo a graduação em criação literária no Brasil. Já não era sem tempo. E já não era sem tempo principalmente porque estamos também vivendo um surto literário muito forte, já desde os anos 90 do século passado, com a explosão de sucessivas ondas geracionais tanto de prosadores quanto de poetas. Temos a geração 90, a geração 00, os circuitos literários na internet — que são hoje mais importantes como consolidadores de público leitor qualificado que o próprio circuito tradicional dos suplementos culturais e literários nos jornais impressos. Atualmente, a tendência é que o jornal impresso sirva para divulgar os *nomes* dos novos autores, que são tratados como celebridades, ao passo que o público efetivamente interessado em *ler* o que esses autores estão escrevendo já nem sequer acompanha os jornais e se informa basicamente pelos sites e blogs.

De todo modo, é evidente o potencial de sinergia entre esse novo circuito brasileiro dos cursos de graduação universitária em criação literária, o circuito tradicional da imprensa escrita e o circuito contemporâneo da web. A publicação em português do livro de Francine Prose representa valiosa contribuição ao fortalecimento dessa sinergia tripla.

Tal contribuição torna-se ainda mais interessante quando a confrontamos com alguns antecessores no seu gênero, dentre os quais se destaca, pioneiro, o clássico *Aspects of the Novel* (1927), do escritor E.M. Forster (autor de, entre outros, *Howard's End* e *A Passage to India*). E, contemporaneamente, as inúmeras obras de Harold Bloom. O livro de Francine Prose não desautoriza nenhum dos dois, mas faz as coisas de maneira diferente. Em relação a Forster, Prose efetua recortes inovadores, analisando com ênfases originais aspectos da criação do texto literário: a palavra, a frase, o parágrafo, a narração, os personagens, os diálogos, o detalhe, o gesto. Enquanto a abordagem de Forster partia de uma visão inteiriça do texto, calcada na composição do enredo e dos personagens, Prose está mais interessada em levar ao extremo a metodologia da leitura atenta ou densa ("*close reading*"), analisando as peculiaridades do *uso da linguagem* pelos autores. É a volta do *comentário* (a "*explication de texte*" dos franceses) como bom e velho método básico de leitura, solo imprescindível para todos os voos ulteriores que a experiência literária pode ensejar.

De maneira semelhante a Forster e diferente de Harold Bloom, Francine Prose aborda as obras e autores independentemente de suas distintas situações históricas e orientações estéticas. Em comum com Bloom, a profunda desconfiança em relação ao modo como a teoria da literatura acadêmica contemporânea, particularmente a norte-americana, opera a leitura de ficção. Prose não está nem aí para questões de raça, gênero e etnia, muito menos para assuntos como desconstrução, pós-modernismo ou pós-colonialismo. Mas, ao contrário de Bloom, ela não polemiza com isso, simplesmente passa ao largo. No início de sua carreira, como nos

*Apresentação*

conta no Capítulo I, largou o doutorado em letras porque optou pela prática artística e não pelo que considera ser a utilização da literatura como álibi para discussões doutrinárias por parte de gente que, em sua visão, não gosta verdadeiramente de um bom romance ou um bom conto.

O gostar de ler é um critério central na mirada de Francine Prose. E por essa via seu projeto acaba diferenciando-se ainda mais em relação ao de Bloom, adquirindo porém, por outro viés, conotação também polêmica. Polêmica é a posição de Francine Prose frente ao cânone. Polêmicas são suas escolhas de autores, ostensivamente pessoais. Não pelos autores que ela seleciona para analisar, todos consagrados (os mestres do passado e os mestres modernistas) ou no mínimo muito interessantes (os mais contemporâneos). Mas pelas exclusões. Um leitor brasileiro de literatura norte-americana há de estranhar a ausência de um Paul Auster, de uma Toni Morrison. Contudo, esse tipo de polêmica é o ônus de todo e qualquer guia de grandes obras, de toda e qualquer antologia. Trata-se do caráter idiossincrático, personalíssimo, de toda lista de "melhores". Os "melhores" são sempre os "meus preferidos".

Um autor erudito como Harold Bloom disfarça suas escolhas debaixo dos grandes esquemas interpretativos sobre o cânone, que perpassam seu discurso a despeito de toda a retórica antiteórica e antiacadêmica. Já Francine Prose assume alegremente o caráter pessoal das escolhas. Os autores que comenta são aqueles porque aqueles são os que fizeram sua cabeça como escritora e como professora de criação literária (na posição de escritora visitante) em diversas universidades. A lista de obras no final do livro, "a serem lidas imediatamente", apresenta as mesmas características. Nenhum problema aí. Como em toda lista idiossincrática, no mínimo 80 por cento dela coincide com as listas de outras pessoas que entendem do riscado. Nem tão idiossincrática assim. Todas as entradas para a literatura são válidas. O que importa é entrar. O livro de Francine Prose abre uma porta, dentre outras possíveis. Por essa porta, o leitor adentra o recinto com toda a segurança.

ITALO MORICONI

# I

## Leitura atenta

A ESCRITA CRIATIVA PODE SER ENSINADA?

É uma pergunta sensata, mas por mais vezes que me tenha sido feita, nunca sei realmente o que responder. Porque se o que as pessoas querem dizer é "pode o amor à linguagem ser ensinado?", "pode o talento para a narração de histórias ser ensinado?", então a resposta é não. Talvez seja esta a razão por que a pergunta é formulada tantas vezes num tom cético que sugere que, diferentemente da tabuada de multiplicar ou dos princípios da mecânica automobilística, a criatividade não pode ser transmitida de professor para aluno. Imagine Milton inscrevendo-se num programa de pós-graduação para obter ajuda com *Paraíso perdido*, ou Kafka suportando um seminário em que seus colegas o informam que, francamente, a passagem em que o sujeito acorda uma manhã pensando que é um inseto gigante não os convence.

O que me confunde não é a sensatez da pergunta, mas o fato de que ela está sendo feita a uma escritora que ensinou escrita, intermitentemente, por quase 20 anos. Que impressão eu daria sobre mim, meus alunos e as horas que passamos na sala de aula se dissesse que qualquer tentativa de ensinar a escrita de ficção é uma completa perda de tempo? Provavelmente teria de ir em frente e admitir que andei cometendo uma fraude criminosa.

Em vez disso, respondo relembrando minha própria e valiosíssima experiência, não como professora, mas como aluna numa das poucas oficinas de ficção que frequentei. Foi na década de 1970, durante minha breve carreira como estudante de pós-graduação em literatura inglesa medieval, quando me foi permitido o prazer de fazer um curso sobre ficção. O generoso professor ensinou-me, entre outras coisas, a editar meu trabalho. Para qualquer escritor, a capacidade de olhar uma frase e identificar o que é supérfluo, o que pode ser alterado, revisto, expandido ou — especialmente — cortado é essencial. É uma satisfação ver que a frase encolhe, encaixa-se no lugar, e por fim emerge numa forma aperfeiçoada: clara, econômica, bem definida.

Ao mesmo tempo, meus colegas proporcionavam-me meu primeiro público real. Nessa pré-história, antes que a massificação da fotocópia permitisse aos alunos distribuir manuscritos previamente, líamos nosso trabalho em voz alta. Naquele ano, eu estava começando o que viria a ser meu primeiro romance. E o que fez uma importante diferença para mim foi a atenção que sentia na sala enquanto os outros ouviam. Fui estimulada pela ânsia que tinham de ouvir mais.

Essa é a experiência que descrevo, a resposta que dou para as pessoas que me perguntam sobre o ensino de escrita criativa: uma oficina pode ser útil. Um bom professor pode lhe mostrar como editar o seu trabalho. A turma adequada pode formar a base de uma comunidade que o ajudará e sustentará.

Mas não foi nessas aulas, por mais úteis que tenham sido, que aprendi a escrever.

Como a maioria dos escritores, talvez todos, aprendi a escrever escrevendo e lendo, tomando os livros como exemplo.

Muito antes de a ideia de palestras de escritores passar pela mente de alguém, escritores aprendiam pela leitura da obra de seus predecessores. Eles estudavam métrica com Ovídio, construção de trama com Homero, comédia com Aristófanes; afiavam seu estilo absorvendo as frases claras de Montaigne e Samuel Johnson. E quem teria podido pedir melhores professores: generosos, não críticos, abençoados com sabedoria e gênio, tão infinitamente magnânimos como só os mortos podem ser?

Embora muitos escritores tenham aprendido com os mestres de uma maneira formal, metódica — Harry Crews descreveu como analisou um romance de Graham Greene para ver quantos capítulos continha, quanto tempo abrangia, como Greene lidava com ritmo, tom e ponto de vista —, a verdade é que esse tipo de educação envolve mais frequentemente uma espécie de osmose. Depois que escrevo um ensaio em que cito extensamente grandes escritores, tendo de copiar longas passagens de suas obras, noto que meu próprio trabalho se torna um pouco mais fluente, ainda que por um breve momento.

No processo de me tornar uma escritora, li e reli os autores de que mais gostava. Lia por prazer, primeiramente, mas também de maneira mais analítica, consciente do estilo, da dicção, do modo como as frases eram formadas e como a informação estava sendo transmitida, como o escritor estava estruturando uma trama, criando personagens, empregando detalhes e diálogos. E à medida que escrevia, descobri que escrever, como ler, fazia-se uma palavra por vez, um sinal de pontuação por vez. Requer o que um amigo meu chama de "pôr cada palavra em xeque": mudar um adjetivo, cortar uma frase, remover uma vírgula e pôr a vírgula de volta.

Leio minuciosamente, palavra por palavra, frase por frase, ponderando cada aparentemente mínima decisão tomada pelo escritor. E embora seja impossível recordar todas as fontes de inspiração e instrução, posso lembrar os romances e contos que me pareceram revelações: poços de beleza e prazer que eram também livros didáticos, aulas particulares da arte da ficção.

Este livro pretende ser em parte uma resposta a essa pergunta inevitável sobre como os escritores aprendem a fazer algo que não pode ser ensinado. O que os escritores sabem é que, em última análise, aprendemos a escrever com a prática, o trabalho árduo, a repetição de tentativas e erros, o sucesso e o fracasso e com os livros que admiramos. Assim, o livro que se segue representa um esforço para recordar minha própria educação como romancista e ajudar o leitor apaixonado e aquele que deseja ser escritor a compreender como um escritor lê.

Quando eu estava no fim do ginásio, nosso professor de inglês pediu que fizéssemos um trabalho sobre o tema da cegueira em *Édipo rei* e *Rei Lear*. Deveríamos examinar atentamente as duas tragédias e assinalar cada referência a olhos, luz, escuridão e visão, e depois extrair alguma conclusão em que basearíamos nosso ensaio final.

A tarefa pareceu tão enfadonha, tão mecânica... Tínhamos a impressão de estar muito acima daquilo. Sem aquele exercício entediante, demorado, todos nós sabíamos que a cegueira desempenhava um papel crucial em ambos os dramas.

Ainda assim, gostávamos do nosso professor de inglês, queríamos agradá-lo. E procurar cada palavra relevante acabou tendo um divertido aspecto de caça ao tesouro, um trabalho de detetive emocionante, como em *Onde está Wally?*. Assim que começávamos a procurar "olhos", passávamos a encontrá-los em toda parte, dardejando para nós, piscando em cada página.

Muito antes que Édipo e Gloucester ficassem cegos, a linguagem da visão e de seu oposto nos preparava, consciente ou inconscientemente, para aquelas mutilações violentas. Convidava-nos a considerar o que significava ser clarividente ou obtuso, de visão acanhada ou presciente, a prestar atenção aos sinais e advertências, a ver ou negar o que estava bem diante dos nossos olhos. Tirésias, Édipo, Goneril, Kent — todos eles poderiam ser definidos pela sinceridade ou falsidade com que refletiam ou discorriam sobre o tema da cegueira metafórica ou literal.

Foi divertido acompanhar esses padrões e fazer tais conexões. Era como decifrar um código que o dramaturgo inserira no texto, um enigma que só existia para que eu o decifrasse. Tive a impressão de estar envolvida numa comunicação íntima com o escritor, como se os fantasmas de Sófocles e Shakespeare tivessem esperado pacientemente todos aqueles séculos até que uma menina livresca de 16 anos aparecesse e os descobrisse.

Eu acreditava que estava aprendendo a ler de uma maneira inteiramente nova. Mas isso só era verdade em parte. Porque, de fato, estava simplesmente reaprendendo a ler da velha maneira como havia aprendido, e que já esquecera.

Todos nós começamos como leitores atentos. Mesmo antes de aprendermos a ler, o processo de ouvir leituras em voz alta significa que assimilamos uma palavra depois da outra, uma frase de cada vez, que prestamos atenção ao que quer que cada palavra ou frase esteja transmitindo. É palavra por palavra que aprendemos a ouvir e depois a ler, o que parece adequado, porque, afinal, foi assim que os livros que lemos foram escritos.

Quanto mais lemos, mais rapidamente somos capazes de executar o truque mágico de ver como as letras foram combinadas em palavras dotadas de sentido. Quanto mais lemos, mais compreendemos, mais aptos nos tornamos a descobrir novas maneiras de ler, cada uma ajustada à razão que nos levou a ler um livro particular.

De início, a vibração de nossa habilidade recém-adquirida é tudo que pedimos ou esperamos de Dick e Jane.* Logo, porém, começamos a perguntar o que mais todas aquelas marcas na página podem nos dar. Começamos a querer informação, entretenimento, invenção, até verdade e beleza. Concentramo-nos, lemos por alto, saltamos palavras, pomos o livro de lado e devaneamos, recomeçamos e relemos. Terminamos um livro e voltamos a ele anos depois para ver o que nos pode ter escapado, ou as maneiras como o tempo e a idade afetaram nossa compreensão.

Quando criança, eu me sentia atraída pelas obras dos grandes autores infantis escapistas. Gostava de trocar meu mundo familiar pela Londres das quatro crianças cuja babá descia sobre suas vidas usando o guarda-chuva como paraquedas, transformando em aventura má-

---

* Personagens principais dos livros de Zerna Sharp, usados, da década de 1930 à de 1970, para ensinar crianças a ler. (N.T.)

gica a mais rotineira saída para compras. Teria seguido com prazer o Coelho Branco por sua toca e tomado chá com o Chapeleiro Louco. Gostava de romances em que crianças transpunham portais — um portão de jardim, um guarda-roupa — e mergulhavam num universo alternativo.

As crianças gostam da imaginação, com suas possibilidades caleidoscópicas e seu protesto contra a maneira como estamos sempre a lhes dizer exatamente o que é verdadeiro e o que é falso, o que é real e o que é ilusão. Talvez meu gosto pela leitura tivesse algo a ver com as limitações que descobria a cada dia: as paredes do tempo e do espaço, da ciência e da probabilidade, para não falar de todas as mensagens que captava da cultura. Gostava de romances com heroínas corajosas, como Pippi Meialonga, a austera Jane Eyre e as filhas de *Mulherzinhas*, meninas cuja engenhosidade e inteligência não as excluíam automaticamente dos prazeres da atenção masculina.

Cada palavra desses romances era um tijolo amarelo na estrada para Oz. Havia capítulos que eu lia e relia, de modo a repetir a sensação segura, extracorpórea, de estar *num outro lugar*. Eu lia de maneira compulsiva, constante. Numas férias com a família, meu pai me suplicou que eu fechasse o livro para olhar o Grand Canyon. Pegava pilhas de livros emprestados na biblioteca pública: romances, biografias, história, qualquer coisa que parecesse mesmo remotamente atraente.

Com a pré-adolescência veio um desejo mais premente de fuga. Eu lia de maneira mais ampla, mais indiscriminada, e interessada principalmente no quanto um livro podia me afastar da minha vida e em quanto tempo podia me manter lá: *E o vento levou...*, Pearl Buck, Edna Ferber, grossos best-sellers de James Michener, com uma pitada de história para amenizar as tórridas cenas de amor entre as jovens havaianas e os missionários, as gueixas e os pracinhas. Eu apreciava esses livros também pelos fragmentos de informação, muitas vezes enganosa, que forneciam sobre sexo naquela era inocente, a década de 1950. Virava as páginas tão rapidamente como podia. Ler era como comer sozinha, com aquele mesmo elemento de voracidade.

Tive a sorte de ter bons professores, e ter amigos que também eram leitores. Os livros que eu lia tornaram-se mais desafiadores, mais bem escritos, mais substanciais: Steinbeck, Camus, Hemingway, Fitzgerald, Twain, Salinger, Anne Frank. Pequenos beatniks, meus amigos e eu éramos fãs apaixonados de Jack Kerouac, Allen Ginsberg, Lawrence Ferlinghetti. Líamos Truman Capote, Carson McCullers e os clássicos proto-hippies de Hermann Hesse, Carlos Castaneda: *Mary Poppins* para gente que pensava ter superado a babá voadora. Eu devia perceber vagamente o poder da linguagem, mas só de maneira obscura, e apenas na medida em que isso se aplicava a qualquer efeito que o livro tivesse sobre mim.

E então tudo isso mudou com cada marca que fiz nas páginas de *Rei Lear* e *Édipo rei*. Ainda tenho o meu velho exemplar de Sófocles, profusamente sublinhado, coberto com doces e embaraçosas notas pessoais ("ironia?" "reconhecimento do destino?") escritas em minha caprichada e comovente letra redonda de escolar. Como ver uma fotografia de nós mesmos quando crianças, encontrar uma caligrafia que sabemos ter sido nossa outrora, mas que agora parece apenas vagamente familiar, pode inspirar uma confrontação com o mistério do tempo.

O foco na linguagem revelou-se uma habilidade prática, útil, da mesma maneira que a leitura de partituras à primeira vista pode vir a calhar para um músico. Meu professor de inglês do ginásio havia se formado recentemente numa faculdade onde seus próprios professores ensinavam o chamado New Criticism, uma escola de pensamento que privilegiava o que estava na página, com apenas breves referências à biografia do escritor ou ao período em que o texto foi escrito. Felizmente para mim, essa abordagem à literatura ainda estava em voga quando me diplomei e fui para a faculdade. Na minha universidade, havia um famoso professor e crítico cuja crença na leitura atenta (*"close reading"*) se difundia e influenciava todo o programa da área de humanas. Na aula de francês, passávamos uma hora todas as tardes de sexta-feira tentando avançar, pouco a pouco, de *A canção de Rolando* a Sartre, parágrafo por parágrafo, concentrando-nos em pequenas seções para o que era chamado de "*explication de texte*".

Havia, é claro, muitas ocasiões em que eu tinha de ler o mais superficialmente que podia para atravessar aqueles cursos panorâmicos que nos davam duas semanas para terminar *Dom Quixote*, dez dias para *Guerra e paz*, cursos destinados a produzir formandos que pudessem dizer que haviam lido os clássicos. Mas nessa época eu sabia o bastante para lamentar ler aqueles livros daquela maneira. E prometia a mim mesma que os revisitaria assim que pudesse lhes dedicar o tempo e a atenção que mereciam.

A única vez que minha paixão pela leitura conduziu-me na direção errada foi quando eu a deixei convencer-me a cursar a pós-graduação. Ali, logo me dei conta de que meu amor pelos livros não era partilhado por muitos de meus colegas e professores. Tive dificuldade em compreender do que eles gostavam, exatamente, e isso me dava uma aflição que mais tarde pareceria uma advertência sobre o que ocorreria com o ensino de literatura ao longo de mais ou menos uma década depois que abandonei meu programa de Ph.D. Foi a época em que a academia literária se dividiu em campos incompatíveis de desconstrucionistas, marxistas, feministas e assim por diante, todos batalhando pelo direito de dizer aos estudantes que eles estavam lendo "textos" em que ideias e política suplantavam o que o escritor realmente havia escrito.

Deixei a escola de pós-graduação e tornei-me escritora. Escrevi meu primeiro romance na Índia, em Bombaim, onde eu lia tão onivoramente quanto na infância, relendo os clássicos que tomava emprestados da antiquada, mofada e bela biblioteca universitária que parecia não ter adquirido nada escrito depois de 1920. Temendo ficar sem livros para ler, decidi diminuir minha velocidade lendo Proust em francês.

Ler uma obra-prima numa língua para a qual você precisa de um dicionário é em si mesmo um curso de leitura palavra por palavra. E, à medida que eu deslindava as magníficas e labirínticas frases, descobria como ler um livro pode nos fazer querer escrever um.

Uma obra de arte pode nos levar a pensar sobre algum problema estético ou filosófico, pode sugerir algum novo método, alguma nova abordagem à ficção. Mas a relação entre leitura e escrita é raramente tão precisa, e de fato meu primeiro romance dificilmente poderia ter sido menos proustiano.

Com mais frequência, a conexão tem a ver com os misteriosos estímulos, sejam eles quais forem, que nos levam a querer escrever. É como ver alguém dançando e depois, secretamente, em nosso quarto, tentar alguns passos. Muitas vezes penso que aprender a escrever através da leitura é algo parecido com o modo como comecei a ler. Eu tinha alguns livros ilustrados que sabia de cor e fingia que podia ler, como uma espécie de proeza que encenava repetidamente para os meus pais, que também estavam fingindo — no caso deles, que se divertiam. Nunca soube exatamente quando cruzei a linha do fingimento para a capacidade real de ler, mas foi assim que aconteceu.

Não muito tempo atrás, uma amiga me contou que seus alunos haviam se queixado de que a leitura de obras-primas os fazia sentirem-se burros. Mas sempre achei que quanto melhor é o livro que estou lendo, mais inteligente me sinto, ou, pelo menos, mais capaz de imaginar que poderia, algum dia, *me tornar* mais inteligente. Já ouvi também colegas escritores dizerem que não conseguem ler enquanto estão trabalhando num livro próprio, por medo de que Tolstoi ou Shakespeare os influenciem. Sempre tive a *esperança* de que eles me influenciassem, e me pergunto se teria aceitado de maneira tão feliz ser uma escritora se isso tivesse significado que não poderia ler durante os anos que podemos levar para completar um romance.

Para falar a verdade, há escritores que nos paralisam, fazendo-nos ver nosso próprio trabalho na menos lisonjeira das luzes. Cada um de nós encontrará um arauto diferente do fracasso pessoal, algum gênio inocente escolhido por nós por razões que têm a ver com o que sentimos como nossas próprias inadequações. O único remédio que encontrei para isso é ler outro autor cuja obra seja inteiramente diferente da do primeiro, embora não necessariamente mais parecida com a nossa — uma diferença que nos lembrará quantos cômodos há na casa da arte.

Depois que meus romances começaram a ser publicados, comecei a lecionar, assumindo uma sucessão de empregos como escritora visitante numa série de faculdades e universidades. Em geral, dava uma oficina de escrita criativa por semestre, além de um curso de literatura intitulado "O conto moderno" ou algo parecido — uma disciplina destinada a alunos de graduação que não pretendiam se especializar em literatura ou fazer pós-graduação, e assim não poderiam ser prejudicados por minha incapacidade de lecionar teoria literária. Alternadamente, eu conduzia um seminário de leitura para alunos do mestrado em belas-artes que desejavam ser escritores e não acadêmicos, o que significava que não fazia mal desperdiçarmos nosso tempo conversando sobre livros e não sobre política ou ideias.

Eu gostava de dar aulas e da oportunidade de atuar como uma espécie de chefe de torcida para a literatura. Gostava dos meus alunos, que eram muitas vezes tão ávidos, inteligentes e entusiásticos que levei anos para perceber quanta dificuldade tinham para ler um conto bastante simples. Quase simultaneamente, fiquei impressionada com a pouca atenção que lhes haviam ensinado a prestar à linguagem, às palavras e frases que um escritor de fato usara. Em vez disso, haviam sido estimulados a formar opiniões fortes, críticas e, com frequência, negativas sobre gênios lidos com deleite durante séculos antes de nascerem. Haviam sido instruídos a acusar ou defender esses autores, como num tribunal, com alegações relacionadas às suas origens, seus *backgrounds* raciais, culturais e de classe. Haviam sido estimulados a reescrever os clássicos em formas mais aceitáveis, que os autores poderiam ter descoberto, se ao menos partilhassem o nível de perspicácia, tolerância e consciência de seus jovens críticos.

Não admira que meus alunos achassem tão estressante ler! E possivelmente por causa dos severos julgamentos que se sentiam na obrigação de fazer sobre personagens ficcionais e seus criadores, não pareciam *gostar* de ler, o que também me deixava preocupada com eles e sem saber por que queriam se tornar escritores. Perguntava a mim mesma como planejavam aprender a escrever, já que sempre pensara que os outros aprendiam, como eu o fizera, lendo.

Em resposta ao que me pareciam ser as necessidades de meus alunos, comecei a mudar minha maneira de ensinar. Não mais discussões gerais sobre esse personagem ou aquela virada da trama. Não mais tentativas de falar sobre a *sensação* de ler Borges ou Poe ou de descrever a experiência de navegar pelos mundos ficcionais fantásticos que criaram. Era uma pena, porque eu gostava dessas discussões amplas, durante as quais meus alunos diziam coisas de que me lembraria para sempre. Lembro que um aluno disse que ler os contos de Bruno Schulz era como ser criança de novo, esconder-se atrás da porta e escutar a conversa dos adultos às escondidas, compreendendo uma fração do que diziam e inventando o resto. Mas supus que continuaria ouvindo coisas desse tipo, mesmo se organizasse aulas em torno do método mais prosaico de começar pelo começo, demorar em cada palavra, cada expressão, cada imagem, considerando como ela realçava a história como um todo e contribuía para ela. Desse modo, os alunos e eu avançaríamos pelo texto tanto quanto possível — às vezes três ou quatro páginas, às vezes até dez — numa aula de duas horas.

Esse continua sendo o modo como prefiro ensinar, em parte porque é um método de que me beneficio quase tanto quanto os meus alunos. E há muitos contos que ensinei durante anos e com os quais aprendo mais cada vez que os leio, palavra por palavra.

Sempre pensei que um curso de "*close reading*" deveria ser um complemento, se não uma alternativa, à oficina de escrita. Embora também distribua elogios, a oficina focaliza com mais frequência o que um escritor fez de errado, o que precisa ser corrigido, cortado ou aumentado. Ao mesmo tempo, a leitura de uma obra-prima pode nos inspirar, mostrando-nos como um escritor faz algo de maneira brilhante.

Em certas ocasiões, ao dar um curso de leitura enquanto simultaneamente trabalhava num romance, comecei a perceber que, quando chegava a um impasse em meu próprio trabalho, o conto que estava ensinando naquela semana, fosse qual fosse, me ajudava de algum modo a transpor o obstáculo. Uma vez, por exemplo, eu estava lutando com uma cena de festa e por acaso estava trabalhando em aula com o conto "Os mortos", de James Joyce, que me ensinou alguma coisa sobre como orquestrar as vozes dos convidados da festa num coro a partir do qual os atores principais davam um passo à frente, cada um por sua vez, para fazer seus solos.

Em outra ocasião, estava escrevendo um conto que sabia que terminaria numa deflagração de horrível violência, e estava tendo dificuldade em fazer isso soar natural, e não forçado e melodramático. Felizmente, estava trabalhando os contos de Isaac Bábel, cuja obra explora tantas vezes a natureza, as causas e as consequências da violência. O que percebi, fazendo "*close reading*" com meus alunos, foi que frequentemente, na ficção de Bábel, um momento de violência é imediatamente precedido por uma passagem de intenso lirismo. É característico de Bábel oferecer ao leitor um encantador vislumbre da lua crescente um instante antes de o inferno se desencadear. Tentei isso — primeiro a poesia, depois o horror — e subitamente tudo ganhou coesão, o ritmo pareceu certo e o incidente com que estivera lutando pareceu, pelo menos para mim, plausível e convincente.

A leitura atenta me ajudou a perceber, como espero que faça com meus alunos, um modo de resolver algum aspecto difícil da escrita — que é quase sempre difícil. Os leitores deste livro vão notar que há autores aos quais sempre retorno: Tchekhov, Joyce, Austen, George Eliot, Kafka, Tolstoi, Flannery O'Connor, Katherine Mansfield, Nabokov, Heinrich von Kleist, Raymond Carver, Jane Bowles, James Baldwin, Alice Munro, Mavis Gallant — e a lista continua. São eles os professores a quem recorro, as autoridades que consulto, os modelos que ainda me inspiram a energia e a coragem necessárias para sentar todos os dias a uma mesa e reaprender, novamente, a escrever.

# 2

## Palavras

Quando eu era criança, tive uma professora de piano que tentava estimular seus alunos pouco inspirados com um sistema de recompensas. Memorizar uma sonatina de Clementini ou terminar um caderno de exercícios valia-nos certo número de estrelas que se somavam para o grande prêmio: um pequeno busto de gesso, não pintado, de um compositor famoso: Bach, Beethoven, Mozart.

A ideia, suponho, era que alinhássemos as estatuetas sobre o piano numa espécie de altar, ao qual ofereceríamos nossos exercícios na débil esperança de ganhar a aprovação daqueles mortos. Eu era fascinada por suas perucas empoadas e suas expressões severas — ou sonhadoras, no caso de Chopin. Eles eram como bonecas brancas, sem corpo, que eu não podia pensar em vestir.

Infelizmente para a minha professora de piano e para mim, eu não me importava muito em granjear as boas opiniões dos compositores mortos, talvez por já saber que nunca o conseguiria.

Eu tinha meu próprio panteão privado, composto não por compositores, mas por escritores: P.L. Travers, Astrid Lindgren, E. Nesbit, os ídolos de minha infância. Era pela aprovação, pela companhia deles que eu ansiava enquanto flutuavam acima de mim, dando-me alguma coisa em que pensar durante aquelas enfadonhas sessões de exercícios ao piano. Nos anos transcorridos desde então, a composição de meu panteão literário mudou. Mas não perdi a imagem de Tolstoi ou George Eliot fazendo um aceno de aprovação ou franzindo a sobrancelha diante do meu trabalho, virando o polegar para cima ou para baixo.

Ouvi outros escritores falarem sobre a sensação de escrever para um público composto parcialmente por mortos. Em suas memórias, *Hope against Hope*, Nadezhda Mandelstam descreve como seu marido, Osip, e sua amiga Anna Akhmatova, também poeta, participavam de uma espécie de comunhão sobrenatural com seus predecessores:

> M. e Akhmatova tinham ambos a assombrosa capacidade de transpor de algum modo o tempo e o espaço quando liam a obra de poetas mortos. Por sua própria natureza, essa leitura é geralmente anacrônica, mas com eles significava entrar num mundo de relações pessoais com o poeta em questão: era uma espécie de conversa com alguém que há muito se fora. Pelo modo como ele saudou seus companheiros poetas da Antiguidade no Inferno, M. suspeitava que Dante também tinha essa capacidade. Em seu artigo "On the nature of words", ele menciona a busca de Bergson por vínculos entre coisas do mesmo tipo, separadas unicamente pelo tempo — do mesmo modo, pensava ele, podemos procurar amigos e aliados através das barreiras tanto do espaço quanto do tempo. Isso provavelmente havia sido compreendido por Keats, que tinha o desejo de encontrar todos os amigos, vivos e mortos, numa taberna.
>
> Akhmatova, ao ressuscitar figuras do passado, estava sempre interessada no modo como viviam e em suas relações com os outros. Lembro como fez Shelley reviver para mim — esse foi, por assim dizer, seu primeiro experimento do gênero. Em seguida iniciou-se seu período de comunhão com Pushkin. Com a minuciosidade de um detetive ou de uma mulher ciumenta, ela deslindou tudo sobre as pessoas que o cercavam, sondando seus motivos psicológicos e virando pelo avesso, como uma luva, cada mulher para quem ele havia sorrido.

Quais são então os escritores com quem poderíamos desejar ter esse tipo de comunhão atemporal? As irmãs Brontë, Dickens, Turguêniev,

Woolf — a lista é longa o bastante para garantir leitura sólida por uma vida inteira. Podemos dar por certo que, se a obra de um escritor sobreviveu ao longo de séculos, há razões para isso, explicações que nada têm a ver com uma conspiração de acadêmicos tramando para ressuscitar um exército zumbi de homens brancos mortos. Há, é claro, a questão do gosto individual. Pode ser que nem todos os grandes escritores pareçam grandes para nós, não importa a frequência e a intensidade com que tentemos ver suas virtudes. Sei, por exemplo, que Trollope é considerado um brilhante romancista, mas nunca compreendi muito bem o que torna seus fãs tão ardorosos. Entretanto, nossos gostos mudam à medida que nós mesmos mudamos e envelhecemos, e é possível que dentro de alguns meses Trollope tenha se tornado meu novo escritor favorito.

Parte da obrigação do leitor é descobrir por que certos escritores permanecem. Isso pode exigir alguma reconexão: desfazer a conexão que nos faz pensar que devemos ter uma *opinião* sobre o livro e reconectar esse fio ao terminal, seja ele qual for, que nos permite ver a leitura como algo capaz de nos comover ou deliciar. Faremos um desserviço a nós mesmos se limitarmos nossa leitura à estrela ascendente cujo contrato de seis dígitos por dois livros parece indicar para onde nosso próprio trabalho deveria estar avançando. Não estou dizendo que você não deveria ler esses autores, alguns dos quais são excelentes e merecedores de celebridade. Só estou salientando que eles representam o ponto final da longa, gloriosa e complexa frase em que a literatura foi escrita.

Com tanta leitura à sua frente, a tentação poderia ser aumentar a velocidade. Mas na verdade é essencial desacelerar e ler cada palavra. Porque algo importante que se pode aprender lendo devagar é o fato óbvio, mas estranhamente subestimado, de que a linguagem é o meio que usamos, mais ou menos como um compositor usa notas, como um pintor usa tinta. Compreendo que isso pode parecer óbvio, mas é surpreendente a facilidade com que perdemos de vista o fato de que as palavras são a matéria-prima com que a literatura é construída.

Cada página foi antes uma página em branco, assim como cada palavra que aparece nela agora não esteve sempre ali — antes, reflete o resultado final de incontáveis deliberações, grandes e pequenas. Todos os elementos da boa escrita dependem da habilidade do escritor de escolher uma palavra em vez de outra. E o que prende e mantém nosso interesse tem tudo a ver com essas escolhas.

Uma maneira de você se obrigar a desacelerar e parar a cada palavra é perguntar-se que tipo de informação cada uma — cada escolha de palavra — transmite. Lendo com essa pergunta em mente, consideremos a riqueza de informação fornecida pelo primeiro parágrafo de "A good man is hard to find", de Flannery O'Connor.

> A avó não queria ir para a Flórida. Queria visitar alguns de seus contatos no leste do Tennessee e agarrava-se a todas as chances para fazer Bailey mudar de ideia. Bailey era o filho com que morava, seu único menino. Ele estava sentado na ponta de sua cadeira à mesa, curvado sobre a seção esportiva laranja do *Journal*. "Ora, olhe aqui, Bailey", disse ela, "veja aqui, leia isto", e parou, uma mão nas cadeiras magras e a outra sacudindo o jornal junto à cabeça calva dele. "Este sujeito aqui que chama a si próprio de O Desajustado fugiu da Penitenciária Federal e tomou o rumo da Flórida, e leia aqui o que ele diz que fez com essas pessoas. Dê só uma lida nisto. Eu não levaria meus filhos a parte alguma com um criminoso como esse tresmalhado por lá. Não ficaria em paz com a minha consciência se levasse."

A primeira frase declarativa simples dificilmente poderia ser mais direta: sujeito, verbo, infinitivo, preposição. Não há um adjetivo ou advérbio para nos distrair do fato central. Mas quanta coisa está contida nessas oito pequenas palavras!

Aqui, como nas aberturas de muitos contos e romances, somos confrontados com uma escolha importante que um escritor de ficção precisa fazer: a questão de como chamar seus personagens. Joe, Joe Smith, sr. Smith? Não, neste caso, Vovó, ou Vovó Smith (ninguém nesta história tem sobrenome), ou, digamos, Ethel, ou Ethel Smith, ou sra. Smith, ou qualquer da miríade de termos ou designações que poderiam ter estabelecido diferentes graus de distância psíquica e simpatia entre o leitor e a velha.

Chamá-la de "a avó" a reduz imediatamente a seu papel na família, tal como o fato de que sua nora nunca é chamada de outra coisa senão "a mãe das crianças". Ao mesmo tempo, o título dá a ela (como ao Desajustado) um papel arquetípico, mítico, que a eleva e impede que fiquemos íntimos demais dessa mulher cujo nome nunca chegamos a saber, ainda que o escritor esteja preparando nossos corações para se partirem no momento crítico para o qual toda a sua vida e os eventos do conto a levaram.

"A avó não queria ir para a Flórida." A primeira frase é uma negativa, que, em sua própria simplicidade, enfatiza a força com que a velha está resistindo. É um ato concentrado de vontade negativa, que viremos a compreender em toda a sua trágica insensatez — isto é, o absurdo de tentar exercer a própria vontade quando o fado ou o destino (ou, como O'Connor alegaria, Deus) têm outros planos para nós. E, finalmente, a austeridade terra-a-terra da construção da frase confere-lhe um tipo de autoridade que — como a primeira frase de *Moby Dick*, "Chame-me Ishmael" — nos faz sentir que o autor está no controle, uma autoridade que nos arrasta para diante na história.

A primeira parte da segunda frase — "Queria visitar alguns de seus contatos no leste do Tennessee" — nos situa na geografia, isto é, no sul dos Estados Unidos. E essa única palavra, *contatos* (em contraposição a *parentes*, *familiares* ou *gente*), revela a consciência que a avó tem de sua própria fidalguia decaída, de ter perdido sua posição social, uma autoimagem um tanto enganosa que, como as ilusões de muitos outros personagens de O'Connor, contribuirá para a sua ruína.

A segunda metade da frase — "agarrava-se a todas as chances para fazer Bailey mudar de ideia" — agarra nossa própria atenção com mais força do que o faria se O'Connor tivesse escrito, digamos, "*aproveitando* todas as chances". O verbo revela de maneira tranquila, mas sucinta, tanto a veemência da avó quanto a passividade de Bailey, "o filho com que morava, seu único menino", duas expressões que transmitem a situação doméstica dos dois, bem como a dominância que infantiliza o filho e a ternura simultânea que a avó sente por ele. Essa palavra *menino* assumirá uma ressonância trágica mais tarde. "Menino Bailey!", a velha gritará depois que seu filho for morto pelo Desajustado, que já está prestes a fazer sua aparição no jornal que a avó está "sacudindo" junto à cabeça calva de seu garoto. Nesse meio tempo, o paradoxo de um menino calvo, presumivelmente de meia-idade, leva-nos a tirar certas conclusões precisas sobre a constelação familiar.

O Desajustado está "tresmalhado"* — aqui encontramos uma dessas palavras com que O'Connor transmite o ritmo e o sabor de um dialeto local, sem nos sujeitar às irritantes mudanças ortográficas, omissões dos plurais (os minino, os ômi) e à má gramática com que outros autores tentam transcrever a fala regional. As frases finais do parágrafo — "Eu não levaria meus filhos a parte alguma com um criminoso como esse tresmalhado por lá. Não ficaria em paz com a minha consciência se levasse" — sintetizam a qualidade cômica e enlouquecedora das manipulações da avó. Ela usará *qualquer coisa*, mesmo um encontro imaginário com um criminoso foragido, para desviar as férias da família da Flórida para o leste do Tennessee. E sua fantasia aparentemente improvável de encontrar o Desajustado pode nos levar a refletir sobre o egocentrismo e o narcisismo peculiares das pessoas que estão constantemente convencidas de que, por minúsculas que sejam as probabilidades, a bala perdida irá de algum modo encontrá-las. Ao mesmo tempo, novamente por conta da escolha de palavras, a frase final já está aludindo àquelas questões de consciência, moralidade, o espírito e a alma que se revelarão o cerne do conto de O'Connor.

Dado o tamanho do país, pensamos, não é possível que eles topem com o criminoso acerca do qual a avó os advertiu. Podemos lembrar, contudo, a observação de Tchekhov de que o revólver que vemos no palco numa cena inicial provavelmente terá sido detonado antes do fim da peça. Que *vai* acontecer então? Essa curta passagem já nos introduziu

---

* "Aloose", no original em inglês. (N.T.)

num mundo que é realístico, mas que ao mesmo tempo está além do alcance da lógica comum, e numa narrativa que acompanharemos, a partir desta introdução, tão inexoravelmente quanto a avó está fadada a encontrar um destino que (suspeitamos) envolverá o Desajustado. Reduzida e editada, extremamente concentrada, um modelo de compressão do qual seria difícil suprimir uma palavra, essa única passagem alcança tudo isto, ou mais, já que haverá sutilezas e complexidades adicionais óbvias apenas para cada leitor individual.

Apenas passar os olhos não basta se desejamos extrair uma fração, como a acima, do que as palavras de um escritor podem nos ensinar sobre como usar a linguagem. E ler rapidamente — voltado para a trama, para as ideias, e até para as verdades psicológicas que uma história revela — pode ser um empecilho quando as revelações cruciais estão nos espaços *entre* as palavras, no que foi excluído. Esse é o caso da abertura de "As filhas do falecido coronel", de Katherine Mansfield:

> A semana seguinte foi uma das mais atarefadas de suas vidas. Mesmo quando elas iam para a cama, eram apenas seus corpos que se deitavam e repousavam; suas mentes continuavam, resolvendo as coisas, reconsiderando-as, discutindo-as, duvidando, decidindo, tentando se lembrar onde...

Novamente, a história começa com uma simples frase declarativa que estabelece um sentido de competência e controle: uma história está prestes a ser contada por alguém que sabe o que está fazendo. Mas se a lermos rapidamente, podemos não notar o fato de que não sabemos a que se refere a palavra *seguinte*. A semana seguinte... a quê? Nossas heroínas — duas irmãs que ainda não conhecemos e que não foram nomeadas para nós (Josephine e Constantia) nem mencionadas de qualquer maneira exceto como *elas* — não podem fornecer as palavras necessárias, *a semana seguinte ao funeral de seu pai*, porque ainda não foram capazes de se convencer de que esse evento grave e aterrorizante realmente ocorreu. Elas simplesmente não conseguem pôr na cabeça que seu temido e tirânico pai, o coronel, tenha morrido e não esteja mais ditando exatamente o que deviam fazer, sentir e pensar a cada momento de cada dia.

Ao omitir a que se refere a palavra *seguinte* já na primeira frase, Katherine Mansfield estabelece as regras ou a falta de regras que permite ao conto adotar um ponto de vista distanciado na terceira pessoa juntamente com uma fluidez que torna possível penetrar os recessos empoeirados, peculiares das psiques das duas irmãs. A segunda e última frase desse parágrafo é toda de gerúndios — pensando, duvidando, decidindo, tentando lembrar — que descrevem pensamento e não ação, até que a frase se esgota e desaparece aos poucos numa elipse que prefigura o beco sem saída a que as tentativas das irmãs de refletir sobre as coisas finalmente chega.

Essas duas frases sóbrias já nos introduziram no reino paradoxalmente rico e claustrofóbico (tanto fora quanto dentro das irmãs) em que a história se passa. Elas nos permitem ver o mundo delas de uma perspectiva ao mesmo tempo tão objetiva e tão estreitamente identificada com essas mulheres infantis que tudo acerca de suas ações (dar risadinhas, contorcer-se em suas camas, afligir-se com o pequeno camundongo que corre pelo quarto) nos faz pensar que *devem* ser crianças, até que, quase na quinta página do conto, a criada, Kate, entra na sala de jantar e — em apenas duas palavras — a história nos ofusca com um áspero clarão que revela a idade das "velhas solteironas": "E a jovem e orgulhosa Kate, a princesa encantada, entrou para ver o que as velhas solteironas queriam agora. Passou a mão em seus pratos de arremedo disto ou daquilo e pôs ruidosamente na mesa um aterrorizado manjar branco."

(Note-se, também, a maneira engenhosa e econômica como "aterrorizado manjar branco" reflete o estado mental das "velhas solteironas" no tremor do pudim gelatinoso.)

Mansfield é um desses estilistas cuja obra podemos abrir em qualquer lugar para descobrir alguma escolha de palavra inspirada. Aqui, as irmãs ouvem um realejo lá fora na rua e, pela primeira vez, dão-se conta de que não precisam pagar o tocador para ir embora antes que a música irrite o pai. "Um perfeito repuxo de notas borbulhantes jorrou do realejo, notas redondas e luminosas, displicentemente espalhadas." E como são precisas e inventivas as palavras com que as mulheres reagem à enfermeira do pai, que residia na casa e continuou lá depois da morte dele. As maneiras à mesa da enfermeira Andrews alarmam e enfurecem as irmãs, que de repente não têm a menor ideia de como, economicamente, devem sobreviver sem o pai.

> A enfermeira Andrews era simplesmente terrível com a manteiga. Realmente não podiam deixar de sentir que com a manteiga, pelo menos, ela tirava proveito de sua generosidade. E tinha aquele hábito enlouquecedor de pedir só mais uma pontinha de pão para terminar o que restava no prato, e depois, no último bocado, distraidamente — claro que não era distraidamente —, servir-se de novo. Josephine ficava muito vermelha quando isso acontecia, e pregava seus olhinhos redondos na toalha, como se visse um minúsculo e estranho inseto rastejando através da sua trama.

Novamente, é uma questão de palavra por palavra — desta vez, de adjetivos e advérbios. Embora permaneçamos na terceira pessoa, o *simplesmente terrível* e o *enlouquecedor* são palavras das irmãs. Seria difícil não perceber a raiva e o desespero gerados por aquele "só mais uma pontinha de pão", aquele "distraidamente — claro que não era distraidamente". E podemos ver com absoluta nitidez o olhar de horror, concentração e repugnância reprimida no rosto de Josephine quando ela "prega seus olhinhos redondos" no "minúsculo e estranho inseto" que imagina rastejando através da trama da toalha de mesa. De passagem, *trama* nos informa que a toalha é de renda.

Vale a pena ler "As filhas do falecido coronel" em diferentes pontos de nossas vidas. Durante anos, supus que compreendia o conto. Acreditava que a incapacidade das irmãs de relacionar aquele *seguinte* com alguma coisa, de compreender a partida misteriosa do pai, tinha a ver com suas naturezas excêntricas, com sua incapacidade (ou recusa) infantil de encarar as complexidades da vida adulta. Mas calhou de eu o reler não muito tempo depois de uma morte em minha própria família, e pela primeira vez compreendi que a perplexidade das irmãs não é tão diferente do espanto e atordoamento que todos nós sentimos (por mais "adultos" ou sofisticados que nos imaginemos) em face do término chocante, da ausência, do mistério da morte.

Seus temas, seus personagens e suas abordagens à ficção dificilmente poderiam parecer mais diferentes, mas Flannery O'Connor e Katherine Mansfield partilham certo aspecto pirotécnico, lançando mão de metáforas, símiles e fraseados argutos que são o equivalente literário de uma queima de fogos de artifício. Mas há também escritores cujo vocabulário e cuja abordagem à linguagem são despojados, secos, até espartanos.

Alice Munro escreve com a simplicidade e beleza de uma caixinha de guardados. Tudo em seu estilo destina-se a não atrair *nenhuma* atenção, a nos fazer *não* reparar. Mas se lemos o seu trabalho atentamente, cada palavra nos desafia a pensar numa maneira mais direta, menos exagerada ou ostentosa de dizer o que ela está dizendo.

Seu estilo é aparentemente tão fácil que apresenta outro tipo de desafio: o de imaginar os rascunhos e revisões, os cálculos requeridos para chegar a algo aparentemente tão impensado. Não se trata de escrita espontânea, automática, mas, novamente, do produto final de numerosas decisões, de palavras experimentadas, postas à prova, eliminadas, substituídas por outras melhores — até, como na abertura de "Dulse", termos uma descrição compacta, completa e penosamente sincera das complexidades de toda a vida de uma mulher, suas circunstâncias amorosas e profissionais, seu estado psicológico, bem como o ponto em que ela se situa ao longo do *continuum* do início ao fim da vida.

> No fim do verão Lydia tomou um barco para uma ilha ao largo da costa sul de New Brunswick, onde pernoitaria. Sobravam-lhe apenas alguns dias antes que tivesse de estar de volta a Ontário. Trabalhava como editora-assistente numa casa editorial em Toronto. Era tam-

bém poeta, mas não mencionava isso a menos que fosse algo que as pessoas já soubessem. Nos últimos dezoito meses, vivera com um homem em Kingston. Até onde sabia, isso estava terminado.

Havia percebido alguma coisa sobre si mesma nessa viagem às Províncias Marítimas. Era que as pessoas não estavam mais tão interessadas em conhecê-la. Não que tivesse gerado tanto alvoroço antes, mas houvera alguma coisa com que podia contar. Tinha quarenta e cinco anos e estava divorciada havia nove. Seus dois filhos haviam começado suas próprias vidas, embora ainda houvesse recuos e confusões. Ela não tinha ficado mais gorda ou mais magra, sua aparência não se deteriorara de nenhuma maneira alarmante, no entanto havia deixado de ser um tipo de mulher e se tornado outro, e percebera isso nessa viagem.

Observe a intimidade relativa que resulta da escolha da escritora de chamar nossa heroína pelo primeiro nome, as rápidas e hábeis pinceladas — numa linguagem quase tão simples quanto a de jornal — com que as questões essenciais (quem, o que e onde, mas não o porquê) são tratadas. Lydia tem recursos para tomar um barco em algum lugar apenas para um pernoite, mas não ócio nem liberdade suficientes para estender suas férias além dos poucos dias que lhe restam. Sabemos não somente de seu trabalho como editora, mas também de suas férias, e do fato de que as pessoas à sua volta podem saber, ou não, que ela é também uma poeta. Numa frase, somos informados sobre sua vida sentimental e a resignação não dramática ("Até onde sabia, isso estava terminado") com que nossa heroína rememora os dezoito meses vividos com um amante em quem opta por pensar não pelo nome, mas apenas como "um homem em Kingston".

Descobrimos sua idade, seu estado civil; ela tem dois filhos. Quanta verbosidade poderia ter sido desperdiçada no resumo dos "recuos e confusões" periódicos que obstruíram os filhos crescidos de Lydia em seu progresso rumo à maturidade. E como a última parte da passagem teria sido menos convincente e comovente se Munro tivesse escolhido expressar a avaliação da heroína em relação a seu efeito misteriosamente alterado sobre os outros ("as pessoas não estavam mais tão interessadas em conhecê-la") em palavras mais emocionais, mais intensas, mais pesadamente carregadas de autocomiseração, pesar ou desapontamento.

Finalmente, a passagem contradiz uma forma de mau conselho muitas vezes dados a jovens escritores — a saber, que o papel do autor é mostrar, não contar. Nem é preciso dizer que muitos grandes romancistas combinam exposição dramática com longas seções de pura narrativa autoral, que é, suponho, o que se quer dizer com contar. E a advertência contra o contar leva a uma confusão que faz escritores novatos pensarem que tudo deve ser dramatizado — não nos diga que um personagem está feliz, mostre-nos como ele grita "viva!" e dá pulinhos de alegria —, quando de fato a responsabilidade de mostrar deveria ser assumida pelo uso enérgico e específico da linguagem. Há muitas ocasiões na literatura em que contar é muito mais eficaz que mostrar. Muito tempo teria sido desperdiçado se Alice Munro acreditasse que não poderia começar sua história até nos ter *mostrado* Lydia trabalhando como editora-assistente, escrevendo poesia, rompendo com seu amante, lidando com os filhos, divorciando-se, ficando mais velha, e dando todos os passos que levaram ao momento em que a história corretamente se inicia.

Richard Yates era igualmente direto, igualmente devastador e competente em fazer tudo girar e se equilibrar em torno da escolha adequada de palavras. Aqui, no parágrafo de abertura de *Revolutionary Road*, ele nos adverte de que a representação teatral amadora no primeiro capítulo do romance talvez não seja exatamente o triunfo que os Laurel Players esperam:

> Os últimos sons de seu ensaio geral deixaram os Laurel Players sem nada para fazer exceto ficar ali, silenciosos e indefesos, piscando sobre a ribalta de um auditório vazio. Mal ousavam respirar enquanto a figura baixa e solene de seu diretor emergia dos assentos nus para se juntar a eles no palco, puxava estrepitosamente uma escada de mão dos bastidores e subia até o degrau do meio para lhes dizer, com vá-

rios pigarros, que eram um grupo de pessoas do maior talento, um grupo de pessoas com quem era maravilhoso trabalhar.

Quando perguntamos a nós mesmos como sabemos tanto quanto sabemos — isto é, que a representação será provavelmente algo constrangedor —, notamos que as palavras individuais nos deram toda a informação necessária. *Os últimos sons ... silenciosos e indefesos ... piscando ... mal ousavam respirar ... assentos nus ... estrepitosamente.* Até o nome do grupo — os Laurel Players — parece banal. Trata-se de louro [*laurel*] como na *árvore*, ou como na *coroa de louros* com que os gregos homenageavam a vitória, ou de uma fusão irrefletida dos dois numa terminologia teatral rebuscada? Depois vêm os pigarros do diretor e, em diálogo indireto, o equivalente à primeira crítica negativa do grupo. O falso entusiasmo e a fanfarronada daquele "*do maior* talento" (em contraposição a meramente "talentoso"), o recuo imediato para o evasivo "maravilhoso" e a repetição de "grupo de pessoas" nos dizem, tristemente, tudo que precisamos saber sobre os dons desses atores e a probabilidade de que seus sonhos se realizem. Nesse meio tempo, somos inteirados do que o diretor não está dizendo, isto é, que sua representação foi brilhante, ou mesmo passavelmente boa.

Alguns escritores escrevem de maneira tanto meticulosa quanto descuidada, às vezes na mesma página. Em momentos de preguiça, F. Scott Fitzgerald podia recorrer a fieiras de clichês, mas no parágrafo seguinte podia dar a uma palavra familiar aquele novo viés que reinventa totalmente a linguagem. Essa reinvenção ocorre, a começar com seu uso da palavra *deferentes*, na descrição do grande hotel cor-de-rosa que abre *Suave é a noite*.

> Palmeiras deferentes refrescam-lhe a enrubescida fachada, e à sua frente estende-se uma praia curta e deslumbrante... Agora, muitos bangalôs agrupam-se nas proximidades, mas quando esta história começa só as cúpulas de uma dúzia de velhas casas de campo apodreciam como nenúfares em meio aos pinheirais que se estendiam entre Gausses Hôtel des Étrangers e Cannes, a oito quilômetros de distância.

Cada adjetivo (*enrubescida, deslumbrante*) nos impressiona como adequado. E o símile "apodreciam como nenúfares" virá a parecer cada vez mais aplicável a muito do que acontece num romance que é em parte sobre a dissolução e deterioração do amor e da beleza.

Estudantes instruídos a revisar *O grande Gatsby* à procura da improbidade do narrador, de um retrato histórico de uma era passada e de uma discussão sobre classe social e o poder do amor perdido poderiam deixar escapar o esplendor palavra por palavra da primeira vez que Nick Carraway vê Daisy e sua amiga Jordan. Cada palavra ajuda a representar um momento particular no tempo, ou fora dele, e a apreender a convergência de beleza, juventude, confiança, dinheiro e privilégio. Fitzgerald não apenas descreve, mas nos faz experimentar a sensação de estar *dentro* de uma bela sala junto ao mar.

> As janelas estavam entreabertas e cintilavam, brancas, contra a grama fresca lá fora, que parecia penetrar um pouco na casa. Uma brisa percorria a sala, soprava cortinas para dentro numa ponta e para fora na outra, como pálidas bandeiras, torcendo-as para cima rumo ao bolo de casamento glaçado do teto, e depois ondulava sobre o tapete cor de vinho, fazendo uma sombra sobre ele como o vento faz sobre o mar.
>
> O único objeto completamente estático na sala era um enorme sofá em que duas jovens flutuavam como se num balão ancorado. Estavam ambas de branco, e seus vestidos encrespavam-se e adejavam como se tivessem acabado de ser sopradas de volta após um curto voo pela casa. Devo ter passado alguns momentos ouvindo o fustigar e o estalar das cortinas e o gemido de um quadro na parede. Depois houve um estrondo quando Tom Buchanan fechou as janelas dos fundos e o vento capturado extinguiu-se na sala, e as cortinas, os tapetes e as duas jovens pousaram lentamente no assoalho.

Seria quase possível captar o sentido da passagem separando as palavras de acordo com a parte da fala que representam, os verbos (*cintilavam, encrespavam-se, pousaram*), os adjetivos e as expressões adjetivadas (as janelas e saias brancas, a grama fresca, as pálidas bandeiras das cortinas, o bolo de casamento glaçado de um teto), os substantivos (o *fustigar* e o *estalar* das cortinas, o *gemido* de um quadro, o *vento capturado*, o *estrondo* da janela fechada). Mas podemos imaginar as mesmas palavras agrupadas em combinações muito menos felizes. Há pelo menos dois lugares em que as palavras são usadas, como no caso das palmeiras deferentes, de maneiras que parecem surpreendentes, até incorretas, mas são absolutamente adequadas. Não é exatamente uma *sombra* que o vento projeta sobre o mar, ou a brisa sobre o tapete, mas sabemos o que o escritor quer dizer; não há melhor maneira de descrevê-lo. Nem há uma maneira mais vívida de criar a imagem do que a aparente improbabilidade das duas mulheres pousando de volta na terra sem jamais terem saído de seu sofá.

Esse uso ousado da palavra incorreta ocorre também na primeira frase de "Os mortos", de Joyce, em que nos é dito que Lily, a filha do zelador, está literalmente se virando pelo avesso. Sabemos que não é *literalmente*. Trata-se de um erro que a própria Lily poderia cometer, o que nos põe momentaneamente em seu ponto de vista e nos prepara para as maneiras como a história jogará com ponto de vista, com noções de verdade e inverdade, e com os modos como a classe de origem e a educação afetam o uso que fazemos da linguagem. Essas palavras "erradas" não são erros nem o produto da suposição preguiçosa do autor de que uma palavra é tão boa quanto outra. Também não são a consequência de uma tentativa insolente de forçar uma palavra quadrada no buraco redondo da frase. São antes os resultados de deliberações conscientes e cuidadosas de escritores que pensaram mil vezes antes de empregar deliberadamente mal uma palavra ou de dar a outra um novo sentido.

Alguns escritores simplesmente não podem ser compreendidos sem uma leitura atenta, não só aqueles como Faulkner, que requerem que analisemos aquelas frases maravilhosamente convolutas, ou como Joyce, que Picasso chamou de "o incompreensível que todo mundo consegue compreender", ou como Thomas Pynchon, que exige que suportemos longos trechos de narrativa em que podemos não ter absolutamente nenhuma ideia do que está acontecendo, mesmo no mais simples nível narrativo. Estou falando sobre estilistas mais enganosamente fáceis de compreender, que também vêm a ser mestres do subtexto, daquele lugar entre as linhas onde ocorre parte tão grande da ação.

Um desses escritores é Paul Bowles, cujas histórias você poderia facilmente ler mal se o fizesse pela trama, que elas têm de sobra, ou pela verdade psicológica, que é sobretudo do tipo em que preferiríamos não pensar por muito tempo, ou por tempo algum. Sempre me sinto um pouco culpada ao pedir aos estudantes para ler "A distant episode", o equivalente literário de uma bordoada na cabeça. Justifico isso para mim mesma dizendo que a história é sobre a linguagem como uma maneira de prever quando a bordoada na cabeça se aproxima, a linguagem como a essência do eu que registra o fato de que nossa cabeça está levando uma bordoada.

A história diz respeito a um linguista conhecido apenas como "o professor" que viaja para o deserto norte-africano à procura de línguas exóticas e armado com o arsenal do turista temeroso. O conteúdo das "duas pequenas maletas cheias de mapas, protetores solares e remédios" fornece um pequenino minicurso sobre a importância da leitura atenta. A ansiedade e a precaução do protagonista, toda a sua constituição psicológica, foi comunicada em cinco palavras ("mapas, protetores solares e remédios") e sem a necessidade de usar um adjetivo ou expressão descritiva. (Ele era um homem ansioso, que temia se perder, sofrer queimaduras de sol ou adoecer, e assim por diante.) Como seriam diferentes as conclusões que poderíamos tirar sobre um homem que carregasse uma mala cheia de dados, seringas e um revólver.

No final do conto, o professor terá sido capturado e mutilado pelos reguibats, uma tribo de bandidos que o transforma num palhaço mudo e o vende para um grupo de homens que são revolucionários fundamentalistas, ou têm alguma conexão com eles. Uma leitura superficial da história sugere que o infortúnio do professor é o resultado de ele estar no lugar errado na hora errada, de ter deixado a "civilização". Há alguns lugares onde simplesmente não deveríamos ir, ou ir por nossa própria conta e risco. Coisas ruins acontecem ali: as regras normais já não se aplicam. Mas uma leitura atenta revela que o professor não é inteiramente inocente, embora sua punição pareça severa demais para o seu crime.

Desde o início, o professor é serenamente observado cometendo uma série progressiva de erros culturais simultaneamente ingênuos e arrogantes. Ele escolhe o mais escuro e lúgubre dos dois quartos que lhe oferecem no hotel porque é alguns *pennies* mais barato e porque "virou nativo" e não quer ser tomado pelo turista que é — e possivelmente trapaceado. Insulta um garçom no café sugerindo que o homem poderia estar disposto a negociar com os bandidos para ajudá-lo a comprar umas caixas de úbere de camelo que sabe serem vendidas na região. E insiste nisso mesmo depois de o garçom ter deixado muito claro que se consorciar com a tribo proscrita estaria tão abaixo de sua dignidade que constituiria uma degradação pessoal. Há também um momento em que o professor deixa de oferecer um cigarro ao seu guia: uma grave quebra do decoro. Os erros de cálculo do professor resultam em sua entrega diretamente nas mãos daqueles mesmos criminosos, ou contribuem para isso. Nenhum (ou poucos) desses graves erros sociais seria aparente, a menos que nos detivéssemos a cada palavra e nos perguntássemos o que estava sendo comunicado, compreendido, mal compreendido, dito e não dito.

Ler dessa maneira exige certa dose de energia, concentração e paciência. Mas tem também suas grandes recompensas, entre as quais a emoção de nos aproximarmos, tanto quanto podemos esperar, da mão e da mente do artista. É algo semelhante ao modo como experimentamos a pintura de um mestre, um Rembrandt ou um Velásquez, contemplando-a não só de uma boa distância, mas também de muito perto, para ver as pinceladas.

Já ouvi a maneira como um escritor lê ser descrita como "ler carnivoramente". O que sempre supus que isso significa não é, como a expressão poderia parecer sugerir, ler pelo que pode ser ingerido, roubado ou tomado emprestado, mas sim pelo que pode ser admirado, absorvido e aprendido. Envolve ler por puro prazer, mas também com empenho em perceber e memorizar que autor faz que coisa particularmente bem. Digamos que você está enfrentando o desafio de povoar uma sala com um grande elenco de personagens que falam todos ao mesmo tempo. Tendo lido a cena do salão de baile de *Anna Karenina*, ou a festa desregrada que serpenteia por tantas páginas de *The Recognitions*, de William Gaddis, você tem fontes a que pode recorrer em busca não só de inspiração como de assistência técnica.

Ou vamos imaginar que você deseja escrever uma cena em que alguém está contando uma mentira, e se revela um excelente mentiroso, prevendo as dúvidas de seus ouvintes e se protegendo para o caso de alguém querer contestar sua história. A dificuldade de transpor esse tipo de momento para a página poderia dirigi-lo para "Chama celeste", de Tatiana Tolstaya. A história é ambientada numa *datcha* de verão nos arredores de Moscou nos anos pós-glasnost. Um escultor chamado Dmitri Ilitch, que passou dois anos num campo de prisioneiros soviético, calunia um infeliz inválido chamado Korobeinikov, um homem com quem Dmitri sente estar competindo pela atenção e as afeições dos outros convidados da *datcha*.

> Por acaso, eles frequentaram a mesma escola. Em turmas diferentes. Korobeinikov, é claro, esqueceu-se de Dmitri Ilitch — bem, faz quarenta anos agora, é muito natural. Mas Dmitri Ilitch não se esqueceu, não senhor, porque uma vez esse Korobeinikov lhe fez uma grande sujeira! É que em sua juventude Dmitri Ilitch costumava escrever poesia, um pecado que comete até hoje. Eram maus poemas, ele sabe disso — nada que lhe teria dado renome, apenas pequenos exercícios na bela arte das letras, você sabe, para a alma. Isso não vem ao caso. Mas acontece que quando Dmitri Ilitch teve seu pequeno contratempo legal e foi passar dois anos no campo, os manuscritos desses seus poemas imaturos foram parar nas mãos de Korobeinikov. E o sujeito os publicou sob seu próprio nome. Esta é a história. O destino, é claro,

pôs tudo nos devidos lugares: Dmitri Ilitch ficou na verdade contente por esses poemas terem aparecido no nome de outra pessoa; hoje ele teria vergonha de mostrar tamanho lixo para um cachorro; não precisa desse tipo de fama. E isso não trouxe nenhuma felicidade para Korobeinikov: ele não granjeou nem louvores nem insultos como recompensa; não ganhou nada. Korobeinikov nunca prosperou como artista, tampouco: mudou de profissão, e atualmente faz algum tipo de trabalho técnico, ao que parece. Assim são as coisas.

Até este ponto da história, o leitor pode ter alimentado certas dúvidas sobre esse escultor um tanto vago. Mas essa passagem, escrita na voz de uma terceira pessoa que é na verdade uma espécie de diálogo indireto, nos convence, exatamente como pretende convencer os ouvintes de Dmitri, de que ele está falando a verdade.

Os coloquialismos enganosamente fortuitos, ("Bem", "você sabe", "não senhor", "é natural") e o clichê conclusivo ("Assim são as coisas") dão à mentira de Dmitri uma espécie de autenticidade amigável. Sentimos que uma história contada de maneira tão espontânea e simples, parecendo vir tão diretamente do coração, deve ser autêntica. As referências autodepreciativas a seus poemas como "lixo" e "pecado", "pequenos exercícios na bela arte das letras" sugerem que Dmitri, não tendo grande interesse por seus escritos, não pode nutrir um sério rancor contra Korobeinikov por ter plagiado algo tão pouco importante. De fato, Dmitri é (como ele próprio seria o primeiro a nos dizer) uma alma grande demais, magnânima demais, generosa demais para qualquer emoção tão mesquinha como a mágoa ou o ressentimento.

Diferentemente de Korobeinikov, ele é um artista, e assim, sugere, superior ao suposto plagiário, que "faz algum tipo de trabalho técnico" (ele é na verdade um engenheiro). Mas o mais notável na passagem — realmente, o ponto em torno do qual toda a história gira — é a (também enganosa) referência serena e eufemística ao "pequeno contratempo legal" depois do qual ele "foi passar dois anos no campo", o que, é claro, é uma referência à pena que cumpriu no campo de trabalhos forçados soviético: uma cruel realidade de sua história recente que o grupo amante dos prazeres, quase histericamente hedonista, reunido na *datcha* não suporta mencionar de maneira mais direta. Mais tarde, quando a história de Dmitri se revela uma mentira, o leitor fica chocado, mas de maneira diferente dos personagens, que (novamente por causa de sua história) estão tão habituados à dissimulação, a ouvir mentiras e a ser forçados a mentir que tratam o incidente como mais uma piada, embora esta tenha consequências trágicas para o pobre Korobeinikov.

Antes que eu passe do assunto das palavras para o das frases e parágrafos, permitam-me dizer algumas palavras sobre aqueles bustos dos músicos que presidiram minha prática de piano na escola primária. Quando contei ao meu marido que estava escrevendo este ensaio, ele me informou que tínhamos uma dessas mesmas estatuetas em nossa casa. O fato é que ela havia desaparecido, sobrevivido a um número indefinido de mudanças e perdas, e emergido num quarto no andar de cima, onde continua até hoje. É parte de um arranjo, quase como um altar, no quarto de infância do nosso filho mais novo, que se tornou músico e compositor.

# 3

# Frases

Não muito tempo atrás, um jovem escritor contou-me o caso de um jantar a que fora convidado por seu bem-sucedido e dinâmico agente. O agente lhe perguntou sobre o que desejava escrever, que temas atraíam seu interesse. Ao que o jovem escritor respondeu que, para falar a verdade, o tema não era assim tão importante para ele. O que mais o preocupava, o que queria acima de tudo era escrever... frases realmente excelentes.

O agente deu um suspiro. Suas pálpebras tremeram. Passado um momento, disse: "Prometa-me que nunca, *jamais* em sua vida dirá isso para um editor americano."

Parte do que torna a história tão engraçada e tão pungente, afora a crítica gratuita aos editores americanos, pelo menos alguns dos quais ainda devem apreciar frases excelentes, é que muitos escritores poderiam de fato dizer a mesma coisa. Eles também poderiam dizer que se preocupam mais em escrever frases excelentes do que com outros aspectos, mais óbvios, de seu trabalho — por exemplo, a trama. O que os impede de dizer isso provavelmente não é o medo de arruinar suas carreiras (sem um agente sensato para aconselhá-los, a maioria dos escritores sequer entenderia quanto de autossabotagem pode haver nessa admissão), mas o fato de que falar sobre frases é conversar sobre algo muito mais significativo e pessoal do que os assuntos sobre os quais frequentemente lhes fazem perguntas, como: Tem um horário de trabalho? Usa um computador? De onde tira suas ideias?

Falar com outro escritor sobre frases é como forjar um vínculo baseado no mais íntimo e misterioso tipo de conversa profissional, mais ou menos como matemáticos poderiam criar um laço com base na admiração comum por algum teorema obscuro e elegante. Ocasionalmente, ouço escritores dizerem que há outros autores que eles leriam ainda que apenas para se maravilhar com a habilidade com que constroem o tipo de frase que nos impele a ler atentamente, decompondo-as e recompondo-as, mais ou menos como um mecânico poderia aprender sobre um motor ao desmontá-lo.

A frase bem-feita transcende tempo e gênero. Uma frase bonita é uma frase bonita, não importa quando tenha sido escrita, ou se aparece numa peça ou num artigo de revista. O que é apenas uma das muitas razões por que é prazeroso e útil ler coisas que não são do nosso próprio gênero. O escritor de ficção lírica ou do romance de fluxo de consciência mais evasivo, de forma mais livre, pode aprender prestando estreita atenção às frases do mais lógico autor do ensaio pessoal rigorosamente pensado. De fato, as frases brilhantes nos textos jornalísticos e sobre viagens de Rebecca West muitas vezes superam em brilho aquelas com que compôs seus romances. Isso pode sugerir a possibilidade de que as frases de certos escritores melhorem com a densidade e a gravidade da informação que têm para comunicar.

Estas frases caracteristicamente translúcidas da abertura de *The Birds Fall Down*, de West, introduzem dois dos principais personagens do romance, traçam os contornos de sua situação social, psicológica e doméstica e terminam com um aceno que certamente convencerá o leitor a virar a página.

Uma tarde, no início do verão deste século, quando tinha apenas dezoito anos, Laura Rowan sentou-se, bordando um lenço, nos degraus que desciam do terraço da casa do pai para os jardins de propriedade comum dos moradores de Radnage Square. Gostava de bordar. Era um passatempo solitário em que ninguém se dava ao trabalho de interferir. O terraço estivera vazio até dez minutos antes, quando seu pai saíra da casa. Ela soubera que era ele sem levantar os olhos. Ele deslocara uma cadeira por uma boa distância para uma nova posição e resmungara ao se instalar, porque o móvel não satisfazia seus elevados padrões de conforto; como depois disso mantivera um murmúrio sarcástico, ela supôs que estava lendo um livro. Ele não a podia ver. Ela estava sentada no degrau mais baixo, e estava contente por isso, já que de outro modo ele lhe teria dito para se sentar ereta ou não tão ereta. Suas críticas não eram tão insistentes quanto tendiam a ser as de outras pessoas, mas eram contínuas. Pouco tempo depois, ao ouvir o clique da janela francesa que abria para o terraço, ela pousou seu bordado e se preparou para escutar às escondidas. Fazia mais ou menos um ano que todas as pessoas na casa vinham escutando às escondidas sempre que tinham uma chance.

Contudo, mesmo essa passagem brilhante parece empalidecer um pouco em comparação com o seguinte trecho da grande obra-prima de West, *Black Lamb and Grey Falcon*, em que ela descreve os momentos que conduziram ao assassinato do arquiduque Francisco Fernando em Sarajevo:

Princip ouviu o barulho da bomba de Chabrinovitch e pensou que o trabalho fora feito, assim ficou quieto. Quando o carro passou e ele viu que o grupo real ainda estava vivo, ficou aturdido de espanto e caminhou até um bar, onde se sentou, tomou uma xícara de café e se recompôs. Granezh também fora enganado pela explosão e deixara sua oportunidade passar. Francisco Fernando teria partido de Sarajevo incólume não fosse pelas ações de seu staff, que por asneira após asneira fez com que seu carro desacelerasse e que ele fosse apresentado como um alvo estacionário em frente a Princip, o único conspirador de deliberação real e madura, que havia terminado o seu café e andava de volta pelas ruas, horrorizado com aquele fracasso seu e dos amigos, que exporia o país a terrível punição sem ter infligido nenhuma perda à autoridade. Por fim as balas haviam sido persuadidas a se lançar do relutante revólver para os corpos das vítimas ansiosas.

A esta altura você talvez esteja perguntando: que *é* uma frase bonita? A resposta é que a beleza, numa frase, é em última análise tão difícil de quantificar ou descrever como a beleza numa pintura ou num rosto humano. Uma explicação mais precisa poderia talvez ser algo como a conhecida definição de poesia de Emily Dickinson: "Se sinto fisicamente como se o topo da minha cabeça tivesse sido retirado, sei que é poesia." Percebo que essa não é uma definição tão precisa quanto o aspirante a escritor de belas frases poderia desejar. Mas talvez seja de algum consolo eu dizer que, se você está ao menos pensando nesses termos — isto é, se está ao menos considerando o que poderia constituir frases fortes, vigorosas, enérgicas e claras —, já está muito além de onde quer que estivesse antes de tomar consciência da frase como algo merecedor de nosso profundo respeito e enlevada atenção.

Entre os muitos autores cujos nomes afloram neste contexto estão — para escolher três amplamente separados não só pelos séculos como também por gênero, sexo, *background* e temperamento — Samuel Johnson, Virginia Woolf e Philip Roth. Aqui está a frase que inicia a breve biografia de Samuel Johnson, *The Life of Savage*:

> Tem sido observado em todas as eras que as vantagens da natureza ou da fortuna contribuíram muito pouco para a promoção da felicidade; e que aqueles a quem o esplendor de sua condição social, ou a extensão de sua capacidade, situou nos ápices da vida humana muitas vezes não deram nenhuma ocasião justa para a inveja entre os que os contemplam a partir de uma posição inferior; quer seja porque a superioridade manifesta incita grandes projetos, e grandes projetos são naturalmente propensos a malogros fatais; ou porque o quinhão geral da humanidade é o sofrimento, e os infortúnios daqueles cuja eminência atraiu sobre eles uma atenção universal foram mais cuida-

dosamente registrados, porque mais geralmente observados, e foram na realidade apenas mais evidentes que outros, não mais frequentes ou mais severos.

A qualidade que essa frase tem em comum com todas as boas frases é primeiro e mais obviamente a clareza. Entre sua primeira letra maiúscula e seu ponto final há 130 palavras, sete vírgulas e três ponto-e-vírgulas; no entanto, o leitor médio, ou pelo menos o leitor que tem a paciência de ler e considerar cada palavra, não terá nenhuma dificuldade em compreender o que o dr. Johnson está dizendo.

Apesar de seu comprimento, a frase é econômica. Remover mesmo uma só palavra a tornaria menos clara e menos completa, à medida que Johnson toma uma observação tão comum que se tornou clichê (dinheiro e fama por si sós não nos trazem felicidade) e a vira e revira, considerando as explicações possíveis, as razões por que essa percepção pode ser verdadeira ou meramente *parecer* verdadeira. A frase combina uma espécie de autoridade magistral com um humor quase extemporâneo, em parte por causa da sem-cerimônia com que lança vastas generalizações filosóficas ("grandes projetos são naturalmente propensos a malogros fatais", "o quinhão geral da humanidade é o sofrimento") comprimidas em orações subordinadas, como se a verdade dessas afirmações fosse tão óbvia tanto para o escritor quanto para o leitor que não houvesse nenhuma necessidade de fazer uma pausa sobre esses pronunciamentos, muito menos de lhes dedicar frases especiais.

Possivelmente a principal razão por que a frase nos encanta tanto é que lê-la é participar do próprio processo de pensamento — as sucessivas ressalvas e considerações — de uma mente vivaz em ação, ou de todo modo de uma mente tão vivaz quanto a do dr. Johnson. Finalmente — e não há nenhuma maneira de perceber isso a não ser lendo a frase em voz alta, ou ao menos, como sua professora do primeiro ano o advertiu a não fazer, pronunciando-a em silêncio, palavra por palavra, em sua mente —, a cadência e o ritmo da frase (um assunto a que retornarei depois) são tão compassados e agradáveis como os da poesia ou da música.

É necessário citar uma passagem mais longa de Philip Roth, já que parte do que suas frases têm de tão extraordinário é o quanto são enérgicas e variadas, como diferem em comprimento, em tom, em diapasão, como mudam de maneira rápida e fluente do explanatório para o encantatório, do inquisitivo para o retórico para o narrativo. Este parágrafo de *Pastoral americana* sintetiza a reflexão que está no centro do livro. É a questão de como um homem como Seymour "Sueco" Levov pôde fazer tudo em seu poder para assegurar que o sonho americano, "a ardentemente desejada pastoral americana", se tornasse uma realidade para ele mesmo e sua família — e no fim encontrar-se numa infernal "contrapastoral ... a selvageria nativa americana":

> O antigo toma-lá-dá-cá intergerações que vigorava no interior do país nos velhos tempos, quando todo o mundo sabia o seu papel e levava as regras à risca, o vaivém da aculturação sob o qual todos nós crescemos aqui, a luta ritual pós-imigração para alcançar o sucesso se tornando algo patológico justamente no castelo do cavalheiro rural, o nosso extraordinário Sueco. Um cara talhado certinho, como uma pilha de cartas de baralho, para que as coisas se desenrolassem de forma totalmente diferente. Nem de longe preparado para aquilo que iria se abater sobre ele. Como poderia, com toda a sua bem calibrada bondade, ter imaginado que os riscos de viver de forma obediente eram tão elevados? A obediência está contida na ideia de baixar os riscos. Uma esposa linda. Uma casa linda. Cuida dos negócios como um brinco... É assim que vivem os bem-sucedidos. São bons cidadãos. Sentem-se afortunados. Sentem-se gratos. Deus está sorrindo lá de cima para eles. Existem problemas, eles dão um jeito. E de repente tudo muda e fica impossível. Nada está sorrindo lá de cima para ninguém. E quem é que pode dar um jeito nisso? Ali estava alguém despreparado para o caso de a vida ser infeliz, muito menos para o impossível. Mas quem é que está preparado para o impossível que vai acontecer? Quem é que está preparado para a tragédia e para o absurdo do sofrimento? Ninguém.

A tragédia do homem despreparado para a tragédia — esta é a tragédia do homem comum.*

Estritamente falando, essas não são todas frases completas. Fragmentos de frases estão espalhados entre as frases inteiras. O primeiro fragmento longo tem tudo menos um verbo — o único elemento que, como aprendemos na escola, é, juntamente com o sujeito, a necessidade mais básica de uma frase. Mas por que ele *precisaria* de um verbo quando tem, comprimido em 60 palavras e cinco orações, um lamento por uma velha ordem, por uma segurança e uma previsibilidade perdidas, e uma insinuação de que essa ordem desapontará "nosso extraordinário Sueco". Depois vem o início das frases e fragmentos declarativos breves e percussivos. "Um cara talhado certinho como uma pilha de cartas de baralho ... Nem de longe preparado..." Imediatamente a passagem se transforma numa espécie de chamado e réplica, uma discussão consigo mesma, uma série de perguntas e respostas, ou mais precisamente, respostas que reconhecem o fato de não *haver* respostas para as perguntas que estão sendo feitas. A cadeia de frases de poucas palavras: "São bons cidadãos. Sentem-se afortunados. Sentem-se gratos." Depois as frases paralelas: "Deus está sorrindo lá de cima para eles ... Nada está sorrindo lá de cima para ninguém."

As perguntas ficam maiores, mas exigentes e desesperadoras, mais próximas das perguntas que Jó fez a Deus. Quem está preparado para a tragédia e o absurdo do sofrimento? A pergunta é respondida: ninguém. E finalmente chegamos à bela e irrepreensivelmente sábia frase final: "A tragédia do homem despreparado para a tragédia — esta é a tragédia do homem comum." É útil ler o trecho em voz alta para obter o efeito do debate apaixonado que Roth construiu, palavra por palavra, frase por frase.

Finalmente, vamos nos voltar para uma das mais complexas e virtuosísticas frases de toda a literatura, que aparece na abertura do ensaio de Virginia Woolf "On Being Ill":

---

* Philip Roth, *Pastoral americana*, trad. Rubens Figueiredo. São Paulo, Companhia das Letras, 1998.

Considerando quão comum é a doença, quão tremenda a transformação espiritual que ela produz, quão assombrosos, quando as luzes da saúde baixam, os países ignotos que são então expostos, que ermos e desertos da alma um ligeiro ataque de gripe põe à vista, que precipícios e gramados salpicados de flores brilhantes uma pequena elevação da temperatura revela, que antigos e empedernidos carvalhos são desarraigados em nós pelo ato da enfermidade, como descemos ao poço da morte e sentimos as águas da aniquilação pouco acima de nossas cabeças e despertamos pensando nos encontrar na presença dos anjos e dos harpistas quando temos um dente extraído e chegamos à superfície na cadeira do dentista e confundimos seu "Enxágue a boca... Enxágue a boca" com a saudação de Deus curvando-se do piso do Céu para nos dar as boas-vindas – quando pensamos nisso, como somos tão frequentemente forçados a fazer, torna-se realmente estranho que a doença não tenha tomado o seu lugar ao lado do amor, da batalha e do ciúme entre os temas principais da literatura.

O maravilhoso, é claro, não é como a frase é comprida – 173 palavras! –, mas quão perfeitamente compreensível, graciosa, espirituosa, inteligente e agradável é sua leitura. Não é o gigantismo da frase, mas sim sua inteligibilidade que a torna tão digna de ser estudada e decomposta em suas partes componentes. Ela nos faz desejar que os estudantes ainda fossem ensinados a diagramar frases, a mapeá-las em gráficos instantaneamente visíveis e compreensíveis que tornam não somente fácil mas necessário explicar cada palavra e não perder de vista que expressão está modificando que substantivo, que oração se segue a que antecedente. Como escreveu Gertrude Stein: "Realmente não conheço nada que tenha jamais sido mais palpitante que diagramar frases. Gosto da sensação, da sensação duradoura das frases à medida que elas se diagramam."

Entre as perguntas que os escritores precisam fazer a si mesmos no processo de revisão – É esta a melhor palavra que posso encontrar? Meu sentido está claro? Pode uma palavra ou expressão ser cortada sem sacrificar nada de essencial? –, talvez a mais importante seja: Isto é gramatical? O estranho é como muitos escritores iniciantes parecem pensar que a gramática é irrelevante, ou que eles estão de algum modo além ou acima dessa matéria, mais apropriada para um estudante primário que para o futuro autor de grande literatura. Ou possivelmente temem ser distraídos de seu foco na arte caso se permitam desviar pelas exigências tediosas do uso da língua. Mas a verdade é que a gramática é sempre interessante, sempre útil. Dominar a lógica da gramática contribui — de uma maneira misteriosa que novamente evoca algum processo de osmose — para a lógica do pensamento.

Um amigo romancista compara as regras da gramática, da pontuação e do uso a uma espécie de etiqueta antiquada. Diz que escrever é um pouco como convidar alguém à sua casa. O escritor é o anfitrião, o leitor, o convidado, e você, o escritor, segue a etiqueta porque deseja que seus convidados se sintam mais à vontade, especialmente se planeja lhes servir algo que talvez não esperem.

Para ajuda com essa etiqueta especializada, eu recomendo um manual de gramática. Sempre descubro alguma coisa nova, decido uma questão que estava me confundindo ou aprendo uma regra de uso que andei fingindo saber — fingimento que resultou em incoerência e erros do tipo que rezo para que algum santo copidesque tenha resolvido.

O crucial, ao procurar um livro de gramática adequado, é encontrar um cujos autores sejam atentos ao modo como a língua evolui e se modifica, e mostrem discernimento acerca de quando podemos adotar ou nos render a neologismos e novos usos. É também essencial encontrar um manual com uma interpretação flexível de todo o conceito de estilo, para que você não seja aconselhado a jamais escrever o tipo de fragmento de frase que anima a passagem de Philip Roth. É por isso, acredito, que é necessário manter o conceito de clareza como um ideal ainda mais elevado que o de correção gramatical, e é por isso que é essencial ler frases excelentes — isto é, as frases de escritores de frases excelentes — juntamente com seu manual de estilo.

Uma diferença essencial e significativa entre aprender com um manual e aprender com a literatura é que todo livro de conselhos práticos irá, quase por definição, lhe dizer *como não* escrever. Desse modo, manuais de estilo são um pouco como oficinas de escrita, e têm a mesma desvantagem — uma pedagogia que envolve advertências sobre o que pode estar quebrado e orientação sobre como consertá-lo — em contraposição a aprender com a literatura, que ensina pelo modelo positivo.

Podemos agradecer à sorte por ninguém ter dito a Virginia Woolf que uma frase tão comprida como essa com que ela inicia "On Being Ill" poderia ficar irremediavelmente canhestra ou obscura. Porque à medida que sua frase avança, tudo segue numa progressão ordenada a partir do gerúndio "considerando" e da introdução de "doença" como o substantivo que pode ser subsequentemente evocado pelo pronome "ela". Fazendo uma pausa para respirar a cada vírgula, encontramo-nos em meio a uma série de orações subordinadas que se quebram como ondas, orações que aumentam de comprimento, complexidade e intensidade à medida que os aspectos da doença que somos convidados a considerar tornam-se mais elaborados e imaginativos, levando-nos de países ignotos a desertos e gramados floridos e fazendo-nos mergulhar no abismo de que somos alçados pela voz do dentista que confundimos com Deus a nos dar as boas-vindas ao Céu. Até que finalmente tudo isso se reúne numa única palavra, *nisso*: "quando pensamos nisso". Seguido por uma sugestão zombeteira de que nós mesmos poderíamos pensar muitas vezes na facilidade com que o dentista pode ser confundido com um mensageiro celeste — como de fato não fazemos, pelo menos não *eu*. E somente então essa gloriosa frase chega ao ponto principal: a estranheza do fato de que a doença não seja mais comumente tratada na literatura.

Mais uma vez, vale a pena mencionar que a composição de uma frase como esta — ou, de fato, de qualquer frase — é o resultado final de muitas decisões diminutas, e que um tipo diferente de escritor poderia ter decidido expressar a mesma ideia em cerca de uma dúzia de palavras que poderiam tê-la transmitido de maneira igualmente compreensível, mas nem de longe tão encantadora ou tão inteligente. E a leitura dessa outra frase não seria nem de longe tão divertida. Outro autor poderia ter dito, simplesmente: "Considerando a frequência com que as pessoas adoecem, é estranho que os escritores não escrevam mais sobre a doença."

Essa frase, porém, teria sido uma introdução ao ensaio muito menos reveladora e confiável. Porque não é apenas o conteúdo — o sentido — da frase que nos prepara para o que está por vir. O que nos está reservado não é um exame direto, uma análise estatística glorificada da inexplicável infrequência da doença como tema literário, mas uma oportunidade para observar a mente de Woolf saltando de assunto em assunto de maneira simultaneamente lógica e imaginativa, transpondo pontes diáfanas que nunca parecem *non sequiturs*, mas sim pedras que permitem saltar de um claro fluxo de pensamento para outro, de uma observação interessante para a seguinte.

Ao final do ensaio de 25 páginas, ponto em que Woolf terá chegado a seu *verdadeiro* tema, que é a coragem necessária para continuar vivendo na presença e em face da perda e da morte, ela terá tocado em várias dúzias de tópicos que incluem leitura, linguagem, fé, solidão, ciência, Shakespeare, o reino animal, insanidade, suicídio e uma breve biografia da terceira marquesa de Waterford. Em apenas poucas palavras, o ensaio salta de uma discussão sobre como nos é difícil imaginar o céu para um tipo muito diferente de dificuldade, ler *Declínio e queda do Império Romano* quando não nos sentimos muito bem. E assim, quando você chega ao fim do texto, terá compreendido que uma frase que pode ter parecido envolver alguma espécie de exibição foi na verdade uma introdução admiravelmente certeira à cintilante inteligência e à profunda seriedade de tudo o que se seguiu.

Apenas para demonstrar que esse tipo de frase — a frase complexa, introdutória, que não somente estabelece o tom, mas também sintetiza algo de essencial sobre o resto da obra — pode existir tanto no ensaio especulativo quanto na ficção, vamos dar uma olhada na abertura do conto "O terremoto no Chile", de Heinrich von Kleist:

> Em Santiago, a capital do reino do Chile, no exato momento do grande terremoto de 1647 em que muitos milhares de vidas se perde-

ram, um jovem espanhol chamado Jéronimo Rugera, que havia sido preso sob uma acusação criminal, estava de pé contra um pilar da prisão, prestes a se enforcar.

É uma frase tão cheia de bravata e audácia brincalhona que é o equivalente literário de uma aposta gigantesca no início de um jogo de pôquer. Como podemos não nos deter para descobrir o que ele tem na mão? Que acontecerá durante o terremoto, que, como já sabemos, envolveu uma catastrófica perda de vidas? Que "acusação criminal" fez o jovem espanhol ser trancafiado? E por que ele estava prestes a se enforcar? Nesse ínterim, não podemos deixar de notar, de passagem, como isso é estranho: a ideia de um suicídio ocorrendo no "exato momento" do desastre e da morte em massa.

Em toda a obra de Kleist, há frases — particularmente frases iniciais — que nos surpreendem com quanta história contam num pequeno número de expressões breves. Diz-se que Kafka, ele próprio um mestre das linhas de abertura ("Alguém deve ter traído Joseph K., pois, numa bela manhã, ele foi preso sem ter feito nada de errado", ou "Nestas últimas décadas o interesse pelo jejum profissional diminuiu acentuadamente"), aprendeu a escrever frases iniciais lendo as de Kleist.

É uma boa ideia ter uma seção especial de sua estante (talvez aquela mais próxima de sua mesa) para livros de escritores que obviamente trabalharam as suas frases, revendo-as e polindo-as para transformá-las nas joias que continuam a nos deslumbrar. Essas são obras a que você pode recorrer sempre que sentir o seu próprio estilo se tornando um pouco frouxo, preguiçoso ou vago. Você pode abrir esses livros em qualquer ponto e ler uma frase que o impelirá a trabalhar mais, a tentar com mais afinco, a retornar àquele ponto difícil e retrabalhar aquela frase imprecisa ou desajeitada até que ela seja algo de que você possa se orgulhar, e não algo que espera que o leitor não note.

Nessa parte de minha estante — a biblioteca das frases inspiradoras — estão, entre outros, os livros de Stanley Elkin. Para provar meu argumento, abri *Searches and Seizures* ao acaso e descobri esta passagem em *The making of Ashenden*, um curto romance sobre o caso de amor arrebatado e altamente inadequado entre um homem rico e um urso:

> Durante toda a minha vida adulta fui um hóspede nas casas de outras pessoas, seguindo o sol e as estações como uma ave migratória, um instinto em mim, a astuta sensibilidade do homem rico para o momento propício, um senso de ostra-em-mês-com-r operando ali onde se sabe sem referência a nada de exterior o momento de pôr na mala a raquete de tênis, de levar o binóculo alemão para observar as aves de um amigo, o telescópio para contemplar suas estrelas, o traje de mergulho para nadar sob suas águas quando os peixes exóticos estão migrando. Não está no *Times* quando o smoking preto sai de cena e entra o branco; é algo mais seguro, mais sutil, o delicado sistema de orientação dos privilegiados, minha astronomia de playboy.

Comprimida numa única frase está todo um estilo de vida, um estrato de nosso sistema de classes e castas, uma chave para o caráter do narrador, uma janela sobre sua existência, juntamente com toda sorte de pequenas graças extras lançadas — por exemplo, a satisfação de descobrir o sentido de "senso de ostra-em-mês-com-r" ou "minha astronomia de playboy". A frase nos dá um sentido bastante preciso da confiança do narrador, sua presunção, seu senso de merecimento — aspectos de seu caráter que serão degradados por sua inesperada e irresistível atração sexual pelo urso. Mais uma vez, é útil imaginar as enfadonhas expressões sumárias com que um autor menos hábil poderia ter transmitido a mesma informação.

Suspeito que muitos fãs de Raymond Chandler sentem-se mais atraídos por suas frases, aqueles espantos vivazes e ostensivamente excessivos de prosa de valentão, do que por suas tramas detetivescas, que podem ser um pouco difíceis de acompanhar e desaparecem de nossas mentes mais rápido que as frases pelas quais nos lembramos de Philip Marlowe. A afeição que sentimos pelo detetive de Chandler tem mais a ver com o modo como ele usa a linguagem do que como soluciona um assassinato ou dispara um revólver. É quase impossível resistir ao apelo de frases como estas, de *O sono eterno*:

> Não houve nenhum medo no grito. Ele tinha um som de choque semiprazeroso, uma nota de embriaguez, uma sugestão de pura idiotia. Foi um som desagradável. Fez-me pensar em homens de branco, janelas gradeadas e catres estreitos e duros com correias de couro para os punhos e tornozelos presas a eles. O esconderijo de Geiger estava de novo em perfeito silêncio quando cheguei ao vão na sebe e contornei furtivamente o ângulo que mascarava a porta da frente. Havia um anel de ferro numa boca de leão como aldrava. Estiquei o braço para ele, segurei-o. Nesse exato instante, como se alguém estivesse esperando a deixa, três tiros ressoaram na casa. Houve um som que poderia ter sido de um longo e estridente suspiro. Depois uma pancada suave e amorfa. E depois passos rápidos na casa — indo embora.

Talvez eu esteja tendendo a frases, como as de Woolf ou de Kleist, que se assemelham a borboletas voando de flor em flor, ou àqueles golpes rápidos no queixo como as de Chandler, frases como uma cotovelada nas costelas, ou às frases de fogo contínuo de Stanley Elkin ou Philip Roth. Mas há também frases maravilhosas que são o caminho mais rápido, simples e claro do ponto A para o ponto B.

É praticamente impossível falar sobre linguagem literária direta e frase simples (ou palavra composta sem adornos) sem mencionar Hemingway. Juntamente com Twain, Hemingway pode ser considerado parcialmente responsável por demonstrar que um vasto oceano separou a voz do romance europeu do século XIX da voz do americano médio na rua.

Lendo Hemingway, você logo descobre que suas frases não são nem simples nem afetadas daquela maneira quase autoparódica, facilmente satirizada que talvez você guarde na memória. Sua escrita é muito mais variada que aquelas passagens construídas com frases que ecoam e repetem, unidas por conjunções num ritmo melopéico a meio caminho entre fala de criança e a Bíblia do rei James. *O sol também se levanta* contém a seguinte sentença longa sobre uma tourada, exatamente o tipo de evento físico, violento, que outro escritor poderia ter descrito numa prosa mais curta, mais vigorosa. Suponho que essas cadências apreendem mais precisamente os aspectos cerimoniais do esporte sangrento, a curva descrita pela capa e assim por diante. É também uma descrição de um toureiro cuja carreira está em declínio, uma situação parcialmente transmitida pelo tom vagamente lúgubre da frase:

> Por vezes ele se voltava para sorrir com os dentes à mostra, o queixo protuberante e os lábios comprimidos, quando era chamado de algo particularmente insultuoso, e a dor que qualquer movimento produzia ia se tornando cada vez mais forte, até que finalmente seu rosto amarelo ficou cor de pergaminho, e depois que seu segundo touro estava morto e o arremesso de pão e almofadas terminara, depois que saudara o presidente com o mesmo sorriso de lobo e olhar insolente, e entregara sua espada por sobre a *barrera* para ser limpa, e a pusera de volta em seu estojo, ele atravessou para o *callejón* e se apoiou na *barrera* abaixo de nós, a cabeça nos braços, sem ver, sem ouvir nada, apenas sofrendo a sua dor.

Mais uma vez, podemos acompanhar a frase facilmente, apesar de seu comprimento, embora ela pudesse ter sido não menos rítmica e um pouco mais transparente se a expressão "quando era chamado de algo particularmente insultuoso" tivesse sido inserida mais no início da frase, depois de "por vezes", onde é seu lugar habitual em inglês.

Já no parágrafo seguinte há passagens de uma prosa mais familiar, mais "hemingwayesca": "Belmonte não estava mais relativamente bem. Não tinha mais seus grandes momentos na praça de touros. Não estava seguro de que havia grandes momentos. As coisas não eram as mesmas e agora a vida só vinha em lampejos."

Logo depois, na mesma cena, mas agora com um toureiro diferente – em ascensão –, encontramos frases do tipo pelo qual Hemingway é devidamente admirado, frases que sabem se destacar e comunicar um sentimento, um humor ou uma ação com apenas mínima distração e máxima verossimilhança. Note como ele ao mesmo tempo se atém aos fatos e — através da escolha de palavras, do ritmo e da sintaxe — apreende a sexualidade do *pas de deux* mortífero entre o *matador* e o touro.

> O touro ergueu a cauda e atacou, e Romero moveu os braços na frente do touro, rodando, os pés firmes. A capa úmida, pesada de lama, oscilou aberta e cheia como uma vela se enfuna, e Romero girou em torno de si com ela bem na frente do touro. Terminado o movimento, estavam um diante do outro novamente. Romero sorriu. O touro queria aquilo de novo, e a capa de Romero enfunou-se de novo, desta vez do outro lado. Cada vez ele deixava o touro passar tão perto que o homem, o touro e a capa que se enfunava e girava diante do touro eram uma única massa nitidamente delineada. Era tudo tão lento e tão controlado. Era como se ele estivesse embalando o touro para adormecê-lo. Ele fez quatro verônicas assim, terminou com uma meia-verônica que o deixou de costas para o touro, e veio em direção aos aplausos, a mão no quadril, a capa no braço, e o touro observando suas costas se afastarem.

À procura tanto das raízes quanto da forma final da frase carregada de conjunções, melopéica de Hemingway a que me referi antes, precisamos voltar a Gertrude Stein. "Frases, não somente palavras, mas sempre frases, foram paixão da vida inteira de Gertrude Stein", escreveu ela sobre si mesma em *A autobiografia de Alice B. Toklas*. Hemingway aprendeu muito mais com Stein do que reconhece em seu livro de memórias *Paris é uma festa*: o conselho de não escrever nada sujo (ou o que ela chamou *inaccrochable*), a ideia de que a homossexualidade masculina é repugnante, e o princípio geral de que deveríamos comprar pinturas em vez de roupas. Suas dívidas para com ela são expressas não só no conteúdo como na forma da frase em que diz: "Ela havia também descoberto as verdades sobre ritmos e o uso de palavras em repetição que eram válidas e valiosas e falava bem sobre elas."

Nesta passagem característica de *A autobiografia de Alice B. Toklas* — uma passagem, de fato, sobre Hemingway e sobre frases — podemos ver as origens do que Hemingway assimilou e adaptou para seu próprio uso. Reconhecemos os "ritmos e o uso de palavras em repetição" familiares, o coloquialismo e a linguagem que forja um amálgama de poesia, fala direta e personalidade excêntrica:

> Naquele tempo Hemingway gostava de todos os seus contemporâneos, exceto Cummings. Acusava Cummings de ter copiado tudo, não de qualquer um, mas de alguém. Gertrude Stein, que ficara muito impressionada com *The Enormous Room*, dizia que Cummings não copiava, era o herdeiro natural da tradição da Nova Inglaterra, com sua aridez e sua esterilidade, mas também com sua individualidade. Eles discordavam a esse respeito. Discordavam também com relação a Sherwood Anderson. Gertrude Stein afirmava que Sherwood Anderson tinha grande talento para usar uma frase de modo a transmitir uma emoção direta, isso estava na grande tradição americana, e que realmente, afora Sherwood, não havia ninguém na América capaz de escrever uma frase clara e apaixonada. Hemingway não acreditava nisso, não gostava do gosto de Sherwood. Gosto nada tem a ver com frases, contestava Gertrude Stein. Ela acrescentava ainda que Fitzgerald era o único dos jovens escritores que escrevia naturalmente em frases.

Como seus predecessores Sterne e Twain e seus contemporâneos Joyce e Woolf, Stein desejou, pelo menos em *A autobiografia de Alice B. Toklas*, construir frases e usar a linguagem de uma maneira que reproduzisse na página a operação da consciência, a conversa da voz interior que nos impele através do dia, a voz em que compreendemos e explicamos nossas próprias vidas para nós mesmos. Mais recentemente, Raymond Carver explorou ainda uma outra espécie de consciência — geralmente masculina, de classe trabalhadora, americana, razoavelmente observadora, defensiva, constrangida e consciente de si mesma, embora muito pouco sofisticada — e nesse processo documentou um tipo muito diferente de vida interior daquela de, digamos, Clarissa Dalloway, de Virginia Woolf.

O conto "Feathers", de Carver, fala sobre uma noite que o narrador e sua mulher, Fran, passaram na casa de um colega de trabalho, Bud, com a mulher deste, Olla, seu bebê e um pavão de estimação. A bela Fran e o nosso narrador estão felizes e apaixonados, satisfeitos por não ter filhos, não desejando nada em particular exceto estar juntos.

A noite, que Fran encara com considerável relutância, revela-se cheia de surpresas, entre as quais a espetacular feiúra do bebê de Olla e Bud, e as estranhas ideias do casal sobre o uso de souvenirs familiares como toques de decoração interior. Sobre a televisão de Bud e Olla há um molde de gesso dos dentes malformados com que Olla nasceu e cuja correção Bud providenciou. Mas a maior surpresa de todas é a visão de beatitude doméstica oferecida aos visitantes, a imagem de um lar banhado por um amor que não requer beleza física ou dinheiro, um lar em que a atmosfera de ternura, bondade e desvelo é tão palpável e tão intensa que até o pavão, ave notoriamente mal-humorada, tem uma relação brincalhona e docemente protetora com o bebê de Bud e Olla.

Aqui está como Carver descreve o efeito dessa visita numa passagem saída tão diretamente do coração do narrador que podemos dizer, apenas a partir do tom e da composição das frases, quão profundamente se emocionou nosso protagonista, normalmente fechado:

Aquela noite em casa de Bud e Olla foi especial. Eu sabia que estava sendo especial. Naquela noite eu me senti bem com relação a quase tudo em minha vida. Não via a hora de ficar sozinho com Fran para conversar com ela sobre o que estava sentindo. Fiz um pedido naquela noite. Sentado ali à mesa, fechei meus olhos por um minuto e pensei intensamente. O que desejei foi nunca esquecer aquela noite ou deixá-la escapar de algum modo. Esse foi um desejo meu que se realizou. E foi para o meu azar que isso aconteceu. Mas, é claro, naquela época eu não podia saber disso.

Repetindo duas vezes aquele *especial*, Carver consegue insuflar um novo frescor e vigor numa palavra que, nesta altura, já perdeu o sentido. Essa noite é tão importante que a palavra *noite* é repetida quatro vezes no parágrafo, embora seus prazeres já sejam neutralizados pela ligeira ameaça do "*quase tudo* em minha vida", bem como pelas emoções complexas — autocomiseração, resignação, amargura — contidas em "esse foi *um* desejo meu que se realizou" (em contraposição a, digamos, "E esse desejo se realizou"). As três últimas frases do parágrafo nos transportam para o futuro, ou, na realidade, o momento presente em que a história está sendo contada; nessa altura, a necessidade de ser cuidadoso acerca daquilo que deseja já terá se manifestado há muito tempo. Por fim, a narrativa salta de volta para o passado, para aquela noite caracterizada por tanta e tão pura concórdia que nosso narrador nunca teria podido imaginar como sua vida estava prestes a mudar, e não para melhor.

O que se segue é cerca de uma página que contém um rápido resumo dessas mudanças. Naquela mesma noite, o exemplo de Bud e Olla inspira o narrador e a mulher a começarem uma família própria, com resultados consideravelmente menos felizes, situação sintetizada no parágrafo final do conto, que começa com o narrador almoçando com Bud na fábrica em que trabalham.

> Em raras ocasiões, ele pergunta pela minha família. Quando o faz, digo-lhe que todos estão bem... A verdade é que meu garoto tem algo de traiçoeiro. Mas não falo sobre isso. Nem com a mãe dele. Especialmente com ela. De fato, ela e eu conversamos cada vez menos. Em geral, é só a tevê. Eu me lembro, porém, daquela noite. Recordo como o pavão levantava seus pés cinza e avançava devagar em volta da mesa. Depois meu amigo e sua mulher nos desejando boa-noite na varanda. Olla dando a Fran algumas penas de pavão para levar para casa. Eu me lembro de todos nós nos apertando as mãos, nos abraçando, dizendo amabilidades. No carro, Fran sentou-se bem perto de mim enquanto íamos embora. Ficou com a mão na minha perna. Foi assim que voltamos da casa do meu amigo.

As frases dificilmente poderiam ser mais simples. Mal há adjetivos, exceto para os pés cinza do pavão. E há a expressão enregelante, "algo de traiçoeiro", que é tudo que o narrador escolhe nos contar sobre o seu garoto. A encantadora Fran transformou-se na "mãe dele", "ela". "Especialmente com ela" — três palavras que transmitem um universo de ressentimento e desavença. As frases se partem em fragmentos, exatamente como o fariam na fala — pontuando as longas notas baixas das frases que começam com: "Eu me lembro..." "Recordo..." "Eu me lembro..." (Sempre ouvi dizer que dá azar ter penas de pavão em casa, e sempre tive vontade de saber se Carver tinha isso em mente quando fez Olla, ignorando a superstição e com a melhor das intenções, dar algumas a Fran.) E finalmente há três frases curtas em que o narrador recorda a felicidade perdida daquela noite, um estado de beatitude e contentamento que é tão difícil para ele evocar a essa distância que ele convence a si mesmo e a nós com um trio de afirmações que mal têm o comprimento suficiente para conter o pequeno e íntimo gesto que descrevem.

Portanto, não é apenas a longa frase alatinada cujo estudo e leitura atenta valem a pena. A sentença breve pode ser igualmente eficaz, uma vez que o que importa não é a complexidade ou a ornamentação, mas a inteligibilidade, a graça e o fato de que ela deve nos impressionar como o veículo perfeito para exprimir aquilo que pretende exprimir; a frase deveria parecer idealmente adequada para seja qual for o conto, romance ou ensaio em que efetivamente aparece.

Antes de deixarmos o assunto das frases, deveríamos dizer mais alguma coisa sobre o assunto do ritmo. O ritmo é quase tão importante em prosa quanto em poesia. Ouvi muitos escritores dizerem que prefeririam escolher a palavra ligeiramente errada que tornasse sua frase mais musical que aquela precisamente correta que a tornasse mais desajeitada e desgraciosa.

Leia o seu trabalho em voz alta, se puder, se não ficar embaraçado demais pelo som de sua própria voz ressoando quando você está sozinho numa sala. Com muita probabilidade, a frase que você dificilmente consegue pronunciar sem tropeçar precisa ser retrabalhada para se tornar mais suave e fluente. Um poeta me contou certa vez que estava lendo o rascunho de um novo poema em voz alta para si mesmo quando um ladrão penetrou em seu estúdio em Manhattan. Supondo instantaneamente que tinha entrado na casa de um louco, o ladrão deu meia-volta e correu sem levar nada e sem fazer mal ao poeta. Assim, pode ser que a leitura de seu trabalho em voz alta não só melhore a qualidade dele como salve a sua vida.

Algumas das passagens mais célebres da literatura são aquelas cujas cadências nos impressionam de maneiras que reforçam e finalmente transcendem seus conteúdos. As frases nos afetam mais ou menos como a música, de uma maneira que não pode ser explicada. O ritmo dá às palavras um poder que não pode ser reduzido a, ou descrito por, meras palavras.

A força atormentadora, fúnebre, de *The Things They Carried*, de Tim O'Brien, é criada pela repetição das palavras *necessidade, carregava* e *cada homem* e pelo ritmo estabelecido pela listagem obsessiva, primeiro de objetos, depois de nomes próprios, depois de uma qualidade de cada homem, seguida por mais objetos e pela sucessão de frases começadas com *porque*. Observe quantos personagens são criados num espaço relativamente breve pela escolha exata e significativa do que cada soldado carregava; observe o modo como o equipamento funciona como uma espécie de minibiografia, e o modo como, ao final da passagem, *necessidade* e *carregava* terão assumido um novo sentido, mais soturno. E note como cada personagem é introduzido, delineado e humanizado pelos objetos a que tem apego, não importa o quanto seja incômodo carregá-los: pêssegos em lata numa calda grossa, sabonetinhos de hotel. Com essa recitação de parafernália e detritos, O'Brien consegue sintetizar a experiência de um exército e de uma guerra particular, de uma paisagem cheia de minas e armadilhas, de noites frias e dias quentes, e de monções úmidas e campos de arroz inundados, e da possibilidade de levar um tiro, como Ted Lavender, de repente e do nada: não só no meio de uma frase como no meio de uma oração subordinada.

As coisas que carregavam eram em grande parte determinadas pela necessidade. Entre as necessidades ou quase necessidades havia abridores de lata P-38, canivetes, tabletes de trioxina azul para combustível, relógios de pulso, correntes com placa de identificação, repelente, chiclete, balas, cigarros, tabletes de sal... Henry Dobbins, que era um homem grande, carregava rações extras; ele gostava especialmente de bolo com pêssegos em lata numa calda grossa. Dave Jensen, que praticava higiene de campo, carregava uma escova de dentes, fio dental e vários sabonetinhos de hotel que tinha roubado no R&R em Sydney, na Austrália. Ted Lavender, que estava apavorado, carregou tranquilizantes até levar um tiro na cabeça junto à aldeia de Than Ke em meados de abril. Por necessidade, e porque isso era procedimento-padrão, todos carregavam capacetes de aço que pesavam mais de 2,2 quilos, incluindo o forro e a cobertura de camuflagem... A necessidade imperava. Porque a terra estava cheia de minas e armadilhas, era procedimento-padrão para cada homem carregar um colete à prova de bala com enchimento de aço, revestido de nylon, que pesava três quilos, mas que nos dias quentes parecia muito mais pesado. Porque se podia morrer tão depressa, cada homem carregava pelo menos uma grande bandagem para compressa, geralmente na faixa do capacete para fácil acesso. Porque as noites eram frias, e porque as monções eram úmidas, cada um carregava um poncho de plástico verde que podia ser usado como capa de chuva, ou para forrar o chão, ou como uma tenda improvisada. Com seu forro acolchoado, o poncho pesava quase um quilo, mas valia cada grama. Em abril, por exemplo, quando Ted Lavender levou um tiro, eles usaram o seu poncho para enrolá-lo, depois para carregá-lo pelo campo de arroz inundado e depois para erguê-lo até o helicóptero que o levou.

Entre as frases cadenciadas mais conhecidas estão as que encerram "Os mortos", de James Joyce. Leia-as em voz alta, e não preciso acrescentar muito ao que você mesmo irá descobrir com a experiência de dizê-las, e ouvi-las, uma palavra depois da outra.

Chegara a hora de partir em sua viagem para o oeste. Sim, os jornais estavam certos: a neve era geral em toda a Irlanda. Caía em todas as partes da escura planície central, nos morros sem árvores, suavemente caía sobre o pântano de Allen e, mais a oeste, caía suavemente nas escuras e amotinadas ondas do Shannon. Caía, também, sobre todas as partes do adro solitário da igreja na colina em que Michael Furey estava enterrado. Depositava-se em grossas camadas sobre as lápides e as cruzes tortas, sobre os chuços do portãozinho, nos espinheiros estéreis. Sua alma sumia suavemente ao ouvir a neve debilmente descendo através do universo e descendo debilmente, como a queda de seu último fim, sobre todos os vivos e os mortos.

Muitos dos recursos da poesia — métrica, aliteração, assonância: *sumia suavemente, debilmente descendo* — são empregados aqui, bem como as repetições das palavras *caía, descendo debilmente* e *debilmente descendo*, numa série de frases que ao mesmo tempo reúnem os temas do conto e alçam a narrativa a um nível superior.

Um uso similarmente poderoso do ritmo, neste caso para alcançar um efeito intermediário entre uma encantação, um lamento e o tipo de sermão que poderia ter sido pronunciado pelos ancestrais puritanos do narrador, aparece no fim de "Goodbye, my brother", de John Cheever. As tensões familiares que fervilharam ao longo de todo este conto sobre uma terrível reunião de família a esta altura já transbordaram e mais ou menos evaporaram. O irmão desagradável, difícil, que funciona como bode expiatório para os ressentimentos privados da família e que permite que todas as verdades escondidas e insatisfações não formuladas permaneçam defletidas e reprimidas saiu de casa mais uma vez. E o narrador, que não é ele mesmo em absoluto uma personalidade atraente, eleva-se acima daquele eu restrito e indigno de confiança para proferir estas linhas finais:

Oh, que se pode fazer com um homem assim? Que se pode fazer? Como dissuadir seu olho de procurar na multidão a face com acne, a mão doente: como ensiná-lo a reagir às inestimáveis grandezas da raça, à áspera beleza superficial da vida; como pôr seu dedo por ele nas verdades ocultas da vida ante as quais medo e horror são impotentes? O mar naquela manhã estava iridescente e escuro. Minha mulher e minha irmã nadavam — Diana e Helena — e vi suas cabeças descobertas, preto e dourado na água escura. E vi-as emergir e vi que estavam nuas, sem timidez, belas e cheias de graça, e contemplei as mulheres nuas saírem do mar.

Ficamos impressionados com a energia, a graça e a variedade das frases, para não falar do modo oratório rebuscado com que a passagem começa, com a série de perguntas (feitas a quem? ao leitor? a Deus?) sobre o que se pode fazer com "um homem assim". Elas são, é claro, perguntas retóricas. Nada pode ser feito e as indagações são uma forma literária de levantar as mãos. As perguntas variam em comprimento. A mais curta, meras quatro palavras, repete e enfatiza a primeira. A mais longa requer 49 palavras, e uma sucessão de orações subordinadas em cascata. Essa pergunta final começa com o que o pecador faz de errado — procurar as espinhas, os aleijões, as falhas na natureza e na natureza humana —, antes de passar ao que ele não faz certo: isto é, celebrar a áspera beleza superficial da vida, reconhecendo as verdades ocultas (note como até o vocabulário e a dicção mudaram, elevando-se acima do corpo mais rude da história).

E quando passamos do longo e interrogativo ao breve e declarativo, a passagem se transforma do puritano para o pagão, ou pelo menos o homérico, do sermão para a celebração das mulheres cujos nomes foram tomados das beldades da mitologia grega. Ainda assim, os ritmos ecoam debilmente aqueles da Bíblia, especificamente os primeiros versículos do Gênesis, naquela repetição de "e vi... e vi... e vi".

Tudo isso contribui não só para a beleza do término como também para sua estranheza e seu mistério, pois deixamos o conto nos perguntando como — em que medida e por quanto tempo — a experiência que o narrador descreve o transformou de um professor secundarista não particularmente compassivo ou consciente num metafísico e num poeta. As mudanças estilísticas nos tornam ainda mais agudamente cientes da alteração que sobreveio ao protagonista de Cheever, e lembramos o alívio que nós mesmos possivelmente sentimos depois de uma ocasião social difícil, depois de um hóspede embaraçoso que se foi, e o horizonte parece brevemente desanuviado. O que torna a passagem ainda mais provocativa é o fato de que é diretamente precedida por um horrível ato de violência perpetrado pelo mesmo narrador que depois se eleva a essas alturas de dicção poética.

Vale a pena também notar como essas passagens dos contos de Joyce e Cheever empregam o ritmo e a cadência para indicar ao leitor que a história está terminando. É útil considerar os paralelos com a música, o modo como, no final de uma sinfonia, o andamento torna-se mais lento e os acordes ficam mais persistentes ou dramáticos, com sugestões que reverberam e ecoam depois que os músicos param de tocar. Experimente abrir seus livros favoritos e ler os finais em voz alta. É muito provável que você se veja lendo mais devagar, e talvez mais suavemente, à medida que as próprias frases comunicam a chegada de um final grandioso ou em surdina.

Finalmente, antes de deixarmos o assunto das frases, voltemos mais uma vez a Hemingway e à passagem de suas memórias da juventude em Paris, *Paris é uma festa*, em que ele descreve seu método de trabalho — passagem que sucessivas gerações de escritores tomaram como uma forma de conselho literário implícito:

> Às vezes quando eu estava começando uma nova história e não conseguia engrená-la ... levantava-me, contemplava os tetos de Paris e pensava: "Não se preocupe. Você sempre escreveu antes e vai escrever agora. Só o que precisa fazer é escrever uma frase verdadeira. Escreva a frase mais verdadeira que sabe." Assim finalmente eu escrevia uma frase verdadeira, e depois prosseguia a partir dali. Era fácil porque havia sempre uma frase verdadeira que eu sabia, tinha visto ou tinha ouvido alguém dizer. Se eu começava a escrever de maneira rebuscada, ou como alguém que introduz ou apresenta alguma coisa, descobria que podia cortar esse ornamento, jogá-lo fora e começar com a primeira frase declarativa simples e verdadeira que tinha escrito.

Durante anos, ouvi esta passagem sobre a única frase verdadeira ser citada como uma espécie de credo. E eu assentia, não querendo admitir que, na verdade, não fazia a menor ideia do que Hemingway estava querendo dizer. Que é uma frase "verdadeira" nesse contexto — isto é, o contexto da ficção? O que torna o conselho de Hemingway tão difícil de seguir é que ele nunca explica realmente o que "verdadeira" significa.

Talvez o mais sensato seja supor que Hemingway, como inúmeros outros, estivesse simplesmente confundindo verdade com beleza. Possivelmente o que de fato tinha em mente era uma frase bonita — um conceito que, como vimos, é quase tão difícil de definir quanto o de frase verdadeira.

Seja como for, isso deveria nos encorajar. Hemingway não estava pensando apenas sobre a frase boa, bela e verdadeira, mas também usando-a como sustentação — como uma meta em que se concentrar, um modo de se manter em movimento. E embora seja óbvio que os tempos mudaram, que o que era verdadeiro na época de Hemingway pode não ser mais verdadeiro hoje, o fato é que Hemingway não só se preocupava com frases, não só dizia a seus editores que elas eram importantes para ele, como disse a seus leitores, e disse ao mundo.

O jovem aspirante a autor de frases excelentes talvez possa encontrar consolo no fato de que o interesse de Hemingway por frases não parece ter prejudicado sua carreira.

# 4

## Parágrafos

Em suas memórias *Anos de esperança*, Konstantin Paustovsky descreve uma visita ao gabinete de Isaac Bábel, ocasião em que o memorialista entreviu uma alta pilha de páginas manuscritas sobre a escrivaninha. Seria possível que o célebre mestre do conto estivesse finalmente escrevendo um romance? Não, respondeu Bábel, a massa de papel representava meramente os 22 rascunhos mais recentes de seu novo conto. A surpresa de seu amigo inspirou Bábel a fazer um longo discurso sobre a escrita em geral e a revisão em particular.

Durante essa miniconferência, Bábel tratou do assunto do parágrafo:

> A quebra em parágrafos e a pontuação devem ser feitas adequadamente, mas apenas pelo efeito sobre o leitor. Um conjunto de regras mortas não é bom. Um novo parágrafo é uma coisa maravilhosa. Ele lhe permite mudar tranquilamente de ritmo, e pode ser como um relâmpago que mostra a mesma paisagem sob um aspecto diferente.

Compreendemos intuitivamente o que Bábel quer dizer sobre mudanças rítmicas e relâmpagos. Mas ele não está nos dando muita ajuda prática com o problema mais cotidiano de como moldar um parágrafo ou onde terminar um e começar outro. Embora mais uma vez, como no caso das frases, o simples ato de *pensar* sobre "o parágrafo" já signifique um progresso, assim como ter consciência da frase como uma entidade digna de nossa atenção representa um grande passo na direção correta.

Perguntei a um amigo, um poeta que também escreve ensaios e memórias, o que ele pensava sobre o parágrafo. Ele respondeu que pensava no parágrafo como uma forma semelhante a uma forma poética, talvez um pouco como uma estrofe. Depois acrescentou algo que eu mesma já percebi. Disse que quando estava escrevendo um ensaio, chegava a um ponto em que sabia como seriam seus primeiros parágrafos. Isto é, o ponto em que o ensaio se organizava em sua mente e se encaixava, como se com uma série de cliques, mais ou menos no lugar.

Mas como, precisamente, podemos saber onde esses cliques devem ocorrer? Mais uma vez, parece mais fácil aprender por exemplos que por abstração, lendo a ficção de Bábel para ver como suas ideias sobre tempestades elétricas e ritmo operam na prática.

Consideremos os parágrafos de abertura de dois de seus contos mais famosos, juntamente com o início dos parágrafos que se seguem, e focalizemos o raciocínio cuidadoso ou o impulso inconsciente que poderia inspirar um escritor a convocar esse relâmpago.

Antes que eu vá mais longe, é preciso dizer alguma coisa sobre tradução. Quando lemos uma obra em tradução, estamos, e devemos permanecer, conscientes de que certas escolhas essenciais — sobre tom e dicção e sobre sinônimos variantes — foram feitas pelo tradutor, não pelo escritor. Nesse caso, podemos somente esperar que o tradutor tenha decidido sabiamente, e tenha tentado, na medida do possível, transmitir o que o escritor teria desejado. Bábel em inglês, é desnecessário dizer, é diferente de Bábel em russo. Assim, quando cito Bábel na tradução de Walter Morrison, estou citando algo que não é inteiramente Bábel, mas o produto de uma espécie de colaboração entre Morrison e Bábel. Obviamente, eu preferiria ter lido os contos no original. Mas a tradução de Morrison foi a primeira que li, e ainda é o que me vem à mente quando penso na obra de Isaac Bábel, assim como vim a pensar em Kleist na tradução de Martin Greenberg e em Tchekhov tal como traduzido por Constance Garnett, num estilo de que outros muitas vezes se queixam, mas que sempre me pareceu perfeitamente adequado.

Esta, portanto, é a passagem de abertura de "Travessia para a Polônia" de Bábel-Morrison:*

> O comandante da IV Divisão relatou: Novograd-Volinsk foi tomada ao raiar do dia de hoje. O estado-maior havia deixado Krapivno e o comboio com nossos equipamentos espalhava-se numa barulhenta retaguarda ao longo da estrada de Brest a Varsóvia construída por Nicolau I sobre os ossos dos camponeses.
>
> Campos floresciam à nossa volta, rubros de papoulas; uma brisa do meio-dia brincava no centeio amarelado; no horizonte, trigo sarraceno virginal crescia como o muro de um mosteiro distante... O sol laranja rolava no céu como uma cabeça cortada, e uma luz suave irradiava-se dos desfiladeiros de nuvens. Os estandartes do pôr do sol voavam sobre nossas cabeças. No frescor da tarde gotejava o cheiro do sangue de ontem, de cavalos chacinados.

E aqui está o início de "Meu primeiro ganso":

> Savitsky, comandante da VI Divisão, levantou-se quando me viu e fiquei admirado com a beleza de seu corpo de gigante. Ele se levantou, o roxo de seus calções de montaria, o carmim de seu pequeno barrete inclinado e as condecorações presas em seu peito fendendo a cabana como um estandarte fende o céu. Um cheiro de perfume e o frescor enjoativamente doce de sabonete emanavam dele. Suas pernas compridas eram como moças embainhadas até o pescoço nas lustrosas botas de montaria. Ele sorriu para mim, bateu o chicote na

---

* Neste caso, seria melhor dizer "de Bábel-Morrison-Borges", já que há a sucessiva tradução do inglês para o português. (N.T.)

mesa, e puxou para si uma ordem que o chefe do estado-maior acabara de ditar.

O que talvez nos impressione mais nesses primeiros parágrafos não é como começam e sim como terminam — com pequenos clímaxes de inquietação para os quais parecem estar nos levando. Em geral, eu sugeriria, o parágrafo pode ser compreendido como uma espécie de respiração literária, cada parágrafo sendo um prolongado — em alguns casos, muito prolongado — fôlego. Inspire no início do parágrafo, expire no fim. Inspire novamente no início do parágrafo seguinte. Mas ao introduzir algum elemento de ansiedade, os parágrafos de Bábel nos fazem tomar fôlego na frase final, de modo que ainda estamos um pouco ofegantes no meio dessa mudança rítmica, dessa modificação de perspectiva.

"Travessia para a Polônia" começa com uma narrativa direta, sem adornos; é a notícia de uma vitória (Bábel trabalhou muitos anos como jornalista). Não há adjetivos na primeira frase e somente um, *barulhenta*, aparece no parágrafo. É quase como se estivéssemos lendo um memorando, um relatório militar, até que chegamos à última expressão, "sobre os ossos dos camponeses", que, em apenas poucas palavras, nos alça do domínio da reportagem de jornal, em que não é provável que uma expressão como essa apareça, para o da ficção. Vale a pena observar como esse parágrafo seria diferente se sua frase final terminasse como na tradução mais recente de Peter Constantine: "O estado-maior está se retirando agora de Krapivno, e nosso transporte de cavalaria se estende ao longo da estrada principal que vai de Brest a Varsóvia, uma estrada construída sobre os ossos de mujiques pelo czar Nicolau I."

Em qualquer dos casos, aqueles ossos continuam a chocalhar através do parágrafo seguinte, em que a alternância entre uma descrição exuberante e lírica da natureza e referências de passagem a coisas tão asquerosas como sangue de cavalo e cabeças cortadas evoca os horrores de uma campanha militar, de viajar através de uma paisagem comum ou mesmo magnífica em que algo terrível pode acontecer a qualquer momento — como acontece no fim da história.

Algo semelhante ocorre na abertura de "Meu primeiro ganso", embora aqui as débeis notas da discórdia e da inquietação comecem já na primeira frase, com a reação do narrador ao comandante de divisão Savitsky. Seu impulso inicial é admirar a beleza do corpo de gigante do homem. Todo o parágrafo representa um instante de pasmo durante o qual nosso protagonista — que, logo ficaremos sabendo, é formado em direito pela Universidade de São Petersburgo, um intelectual, um seguidor idealista de Lênin, um escritor com um baú cheio de manuscritos — perde a consciência de tudo exceto dos trajes e do cheiro do perfume do comandante. O erotismo perverso polimorfo desse momento, que ressoará através de uma história que é em parte sobre a interconexão de camaradagem militar, sexo e violência, culmina na percepção das longas pernas do comandante "como moças embainhadas até o pescoço nas lustrosas botas de montaria".

A imagem perturbadora voltará a emergir nas últimas frases do conto, quando o narrador de óculos, cometendo um ato de violência, ganha a aceitação dos cossacos brutais com que cavalga. Finalmente, os homens adormecem num celeiro de feno: "Dormimos, todos os seis, sob um teto de madeira que deixava ver as estrelas, aquecendo-nos uns aos outros, nossas pernas entrelaçadas. Eu sonhei: e em meus sonhos vi mulheres. Mas meu coração, ensanguentado, rangia e transbordava."

O que a quebra no fim do primeiro parágrafo do conto faz é nos surpreender, juntamente com o narrador, arrancando-nos de nosso devaneio. O sorriso do comandante, o estalo de seu chicote contra a mesa e o movimento que ele faz puxando o relatório recém-ditado se combinam para romper o feitiço sonhador que deu ao parágrafo seu aspecto de encantamento congelado. O relâmpago, a mudança de ritmo põem a história em movimento. O sorriso, o chicote, o relatório militar informam que é hora de tratar de negócios, que são, aprendemos em apenas algumas palavras, os negócios de matar. O segundo parágrafo termina com as ordens contidas no relatório, expressas no que imaginamos ser a linguagem da diretiva militar: "Fazer contato com o inimigo e destruir o mesmo."

Neste ponto podemos querer retornar à citação de *Anos de esperança*, em que Bábel começa a discussão sobre o parágrafo prevenindo contra um conjunto de regras mortas, porque poderíamos aqui ser tentados a supor que os parágrafos de abertura desses seus dois contos sugerem uma espécie de regra — a saber, que o parágrafo deve avançar para algum tipo de clímax, para aquela pequena tomada de fôlego que nos leva ao parágrafo seguinte. Mas a vantagem de ler amplamente, em contraposição a tentar formular uma série de regras gerais, é que aprendemos que *não há regras gerais*, apenas exemplos individuais para ajudar a apontar uma direção que você talvez queira seguir.

Num dos livros policiais de Rex Stout, *Plot It Yourself*, Nero Wolfe é chamado para determinar se três manuscritos que figuram num caso envolvendo acusações de plágio poderiam ter sido escritos pela mesma pessoa. Sua conclusão — de que são realmente do mesmo autor — é baseada na reveladora repetição de palavras características (*asseverar*) e de expressões como "não por nada". Há também semelhanças na pontuação; o autor mostra uma preferência por ponto-e-vírgula em vez de vírgulas ou travessões. Mas o traço mais significativo, afirma o grande detetive, são os parágrafos:

> Um homem inteligente poderia conseguir disfarçar todos os elementos de seu estilo, exceto um — a paragrafação. A escolha de palavras e a sintaxe podem ser determinadas e controladas por processos racionais em plena consciência, mas a paragrafação — a decisão de dar saltos breves ou longos, e de saltar no meio de um pensamento ou ação ou concluí-los primeiro — vem do instinto, das profundezas da personalidade. Admitirei a possibilidade de que as semelhanças verbais, e até a pontuação, poderiam ser coincidência, embora seja extremamente improvável; mas não a paragrafação. Estas três histórias foram paragrafadas pela mesma pessoa.

Pouco depois, Archie Goodwin, o fiel companheiro de Wolfe, volta à sua mesa, que está coberta de papéis que precisam ser considerados.

Ele passa cerca de meia hora estudando a paragrafação dos três manuscritos em questão. Conclui que Wolfe está certo ao dizer que foram escritos pela mesma pessoa. Archie nos diz isso na segunda frase de um parágrafo muito longo, e em seguida acrescenta: "Coloquei as histórias no cofre e passei ao problema da mesa repleta de papéis." Ainda dentro do mesmo parágrafo, ele arrola os vários membros da criadagem de Wolfe e suas funções. O parágrafo termina com uma sucessão de frases que apreendem sucintamente todo o dilema de onde fazer a quebra do parágrafo, e o modo como não só a ênfase, mas o sentido implícito de uma frase pode mudar caso ela apareça no fim de um parágrafo ou no começo de outro.

... Meu status e função são os que a situação exigir, e a questão de quem decide o que a situação exige ocasionalmente cria uma atmosfera em que Wolfe e eu não nos falamos. A frase seguinte deve ser: "Mas a mesa repleta de papéis, estando no escritório, era claramente obrigação minha", e eu tenho de decidir se a ponho aqui ou se começo um novo parágrafo com ela. Veja como é sutil. Paragrafe isso você mesmo.

Fiquei contemplando as pilhas de papel...

É, como Archie diz, sutil. Se a frase sobre ser sua função cuidar da papelada for posta no fim do parágrafo anterior, parece ser uma espécie de adendo à consideração desse parágrafo sobre a responsabilidade profissional, e sobre quem decide exatamente o que uma situação requer. No início de um novo parágrafo, ela soa mais como se Archie tivesse tomado um fôlego profundo e finalmente voltado sua atenção para a pilha de papéis com que vai começar a trabalhar.

Presumivelmente, Nero Wolfe teria sido capaz de identificar Paula Fox como a autora do parágrafo seguinte, que aparece em seu romance *Desesperados*. A passagem merecidamente célebre, que está na parte inicial do romance e a partir da qual o resto da trama decorrerá, descreve a heroína alimentando um gato perdido.

O gato tinha começado a limpar os bigodes. Sophie acariciou-lhe novamente as costas, correndo os dedos até eles encontrarem a brusca curva peluda onde a cauda nascia. O dorso do gato elevou-se convulsivamente para se pressionar contra a sua mão. Ela sorriu, perguntando-se quantas vezes o gato tinha sentido um toque humano amistoso, se é que já o sentira, e ainda sorria quando o gato se ergueu sobre as patas traseiras, e mesmo quando ele a atingiu com as garras esticadas, sorriu até aquele segundo em que ele enterrou os dentes nas costas de sua mão esquerda e se pendurou em sua carne de tal modo que ela quase tombou para a frente, atordoada e horrorizada, contudo consciente o bastante da presença de Otto para sufocar o grito que lhe nasceu na garganta quando puxou bruscamente a mão daquele círculo de arame farpado. Empurrou-o com a outra mão, e enquanto o suor lhe brotava na testa, enquanto sua carne formigava e se retesava, disse: "Não, não, pare com isso!" para o gato, como se ele nada tivesse feito além de pedir comida, e no meio de sua dor e consternação ficou espantada ao ver como sua voz estava calma. Depois, de repente, as garras a soltaram e recuaram como se para dar outro golpe, mas então o gato se virou — aparentemente em pleno ar — e saltou da varanda, desaparecendo no jardim escuro embaixo.

O drama chega ao auge no centro do parágrafo, enquanto o que vem antes e depois é dedicado aos pensamentos e ações que levaram ao ferimento de Sophie, e às mudanças de consciência e ao choque com que ela reage a ele. Ao mesmo tempo, a expressividade daquela "brusca curva peluda" nos faz pensar que alguém que nunca acariciou um gato jamais poderia ter escrito algo tão evocativo. As frases na passagem são, como Jonathan Franzen observa em sua introdução à reedição do romance: "... pequenos milagres de compressão e especificidade, minúsculos romances em si mesmas... Imaginando um momento dramático como uma série de gestos físicos — prestando estreita atenção —, Fox dá lugar aqui a cada aspecto da complexidade de Sophie: sua liberalidade, sua credulidade, sua vulnerabilidade e, acima de tudo, sua consciência de pessoa casada."

As belezas do parágrafo são provavelmente óbvias, mas vale a pena fazer uma pausa para examinar a frase em que a mordida ocorre. O choque e a humilhação de Sophie são intensificados pelo fato de que o que inicia a frase e continua ao longo de toda ela é o sorriso que subsiste em seu rosto — descrito numa série de orações temporais começadas com *quando*, *e mesmo quando* e *até aquele segundo em que*. O sorriso quase se transforma num grito, que é abortado quando Sophie, mesmo no meio desse momento horripilante, lembra-se da presença do marido e se controla para não o alarmar. Ou talvez seu autocontrole se deva igualmente à relutância em revelar a própria fraqueza, tolice, culpa e desobediência. Afinal, Otto a prevenira que não alimentasse o gato.

Sua ferrenha força de vontade a levará pelos parágrafos seguintes, em que Otto lhe pergunta o que aconteceu e ela responde "Nada", uma negação por reflexo que, como a própria mordida, dará forma ao resto do livro. O que torna a passagem tão notável é como ela atinge o equilíbrio perfeito entre ação — sempre sabemos exatamente o que o gato está fazendo e o que Sophie está fazendo em resposta — e consciência, as minúsculas alterações em sua percepção e a voz interior que surge de sua automonitoração, seu conhecimento não só da própria dor como também de seu ambiente e das circunstâncias que levaram ao seu infortúnio.

O fato de o parágrafo de Fox ser construído de maneira tão diferente do de Bábel poderia nos levar a questionar nossa noção do que é um parágrafo, e a consultar os manuais de estilo em busca de ajuda sobre onde tomar aquele fôlego que a quebra do parágrafo encoraja. Lembro-me de aprender na escola que cada parágrafo deveria começar com uma frase tópica, mas a verdade é que eu nunca soube muito bem o que era uma frase tópica. E agora que li tanto mais, estou ainda menos certa. Como de costume, o manual de Strunk e White, *The Elements of Style*, é útil, apresentando a situação essencial e nos dando maneiras de pensar sobre os detalhes práticos da escrita:

> Como regra, comece cada parágrafo ou com uma frase que sugira o tópico ou com uma frase que ajude a transição ... Em narração

e descrição, o parágrafo às vezes começa com uma declaração concisa e abrangente que serve para manter unidos os detalhes que se seguem ... Mas quando esse expediente, ou qualquer expediente, é usado com demasiada frequência, torna-se um maneirismo ... Na narrativa animada, os parágrafos tendem a ser curtos e sem nenhuma semelhança com uma frase tópica, o escritor avançando precipitadamente, evento seguindo-se a evento em rápida sucessão. A quebra entre parágrafos desse tipo serve meramente ao propósito de uma pausa retórica, lançando em proeminência algum detalhe da ação.

Strunk e White concluem sua reflexão sobre o parágrafo com um parágrafo deles próprios que faz eco à advertência de Bábel contra um conjunto de regras mortas e a seu conselho de que tudo deve ser feito tendo-se em vista o efeito sobre o leitor:

> Em geral, lembre-se de que a paragrafação requer um bom olho, bem como uma mente lógica. Enormes blocos de palavras impressas parecem temíveis a leitores, que muitas vezes relutam em enfrentá-los. Assim, quebrar parágrafos longos em dois, mesmo que não seja necessário fazê-lo para o sentido, a significação ou o desenvolvimento lógico, é muitas vezes um auxílio visual. Mas lembre-se, também, de que disparar muitos parágrafos curtos em sucessão pode ser perturbador ... Moderação e um sentido de ordem deveriam ser as principais considerações na paragrafação.

Mais uma vez, é um conselho a ser levado a sério, ao mesmo tempo em que devemos ser gratos àqueles escritores que se sentiram compelidos a violar as regras ou que, por uma razão qualquer, não seguiram à risca esses conselhos sensatos. Samuel Beckett e José Saramago são apenas dois dos muitos escritores propensos a construir parágrafos extremamente longos.

O primeiro parágrafo de *Cem anos de solidão*, de Gabriel García Márquez, prolonga-se por uma página e meia e contém talvez uma dúzia de lugares que poderiam, na obra de outro escritor, parecer quebras naturais de parágrafo. De fato, todo o romance é composto de parágrafos extremamente longos, divididos — relutantemente, ao que parece — quando uma passagem de diálogo requer uma quebra na narração. Lendo García Márquez, podemos quase senti-lo lutando contra o desejo de construir um parágrafo interminável, um impulso a que sucumbiu em *O outono do patriarca*, um romance inteiro sem absolutamente nenhuma quebra de parágrafo. Lendo-o, sentimos que García Márquez pode fazer o que quiser, que nunca ousaríamos sugerir uma paragrafação mais convencional. Apesar disso, a falta de quebras contribui para uma leitura um tanto penosa. Um vizinho certa vez me contou que tivera dificuldade com o romance de García Márquez porque gosta de beber enquanto lê, e *O outono do patriarca* não lhe propiciava nenhuma oportunidade para dar um gole em sua cerveja.

Em sua maioria, os livros sobre estilo vão também precavê-lo contra o uso de parágrafos de uma só frase, e em geral estão certos, especialmente quando a frase em questão tem apenas algumas palavras. Um amigo meu diz que um parágrafo de uma frase é como um soco, e ninguém gosta de ser socado. Usado em excesso, pode ser um tique irritante, a tentativa de um escritor preguiçoso de nos forçar a prestar atenção ou de injetar energia e vida em uma narrativa, ou de inflar falsamente a importância de frases que nossos olhos poderiam saltar inteiramente se estivessem colocadas, mais discreta e modestamente, dentro de um parágrafo mais longo.

Um escritor de menos qualidade que Rex Stout poderia ter sugerido, ou empregado, uma terceira possibilidade para a frase de Archie: "Mas a mesa repleta de papéis, estando no escritório, era claramente obrigação minha." Poderia ter dado a ela seu próprio parágrafo, para lhe conferir maior realce e manter a narrativa em movimento. Exceto pelo fato de que a narrativa está fluindo muito bem sem essa ajuda desnecessária.

O parágrafo de uma só frase deveria ser usado com parcimônia, se tanto. Mas tem suas utilidades. Se um escritor vai chamar a atenção para a frase isolada, convém que ela seja digna disso. Isto é, a frase deveria ter conteúdo suficiente — ressonância suficiente — para justificar esse estratagema ligeiramente incomum para arrebatar a atenção.

Novamente, vale a pena percorrer a literatura à procura de exemplos, por mais escassos e espaçados que sejam, em que frases isoladas realmente *parecem* merecer parágrafos próprios. O início de *Orgulho e preconceito* — "É uma verdade universalmente reconhecida que um homem solteiro de posse de uma boa fortuna deve estar precisando de uma esposa" — ocupa um parágrafo inteiro, como o faz a frase seguinte:

> Por menos conhecidos que os sentimentos ou ideias de tal homem possam ser quando ele chega pela primeira vez a uma vizinhança, essa verdade está tão gravada nas mentes das famílias circundantes que ele é considerado como a legítima propriedade de uma ou outra de suas filhas.

Claramente, esses não são os parágrafos de uma só frase truncados, abruptos, um soco após outro, contra os quais poderíamos sensatamente ser prevenidos.

Em *Bartleby, o escrivão*, de Melville, quase todas as objeções e recusas de Bartleby são dadas em parágrafos separados. Seu diálogo e seu silêncio, juntamente com as deixas do narrador, são como motes e respostas numa peça de música, ou como um dueto operístico. A força e o ritmo da passagem que se segue seriam acentuadamente reduzidos se as respostas e os silêncios de Bartleby fizessem parte dos parágrafos imediatamente anteriores ou posteriores.

> Abotoei o paletó, equilibrei-me; avancei lentamente para ele, toquei-lhe o ombro e disse:
>
> "Chegou a hora; você deve ir embora daqui; lamento por você; vou lhe dar dinheiro; mas você tem de ir."
>
> "Eu preferiria não fazê-lo, respondeu ele, ainda de costas para mim."
>
> "Mas você tem de ir."

Ele continuou em silêncio.

Ora, eu tinha uma confiança sem limites na honestidade desse homem. Ele muitas vezes me devolvera moedas que eu deixara cair no chão por descuido, pois tendo a ser muito irresponsável com essas coisas. Assim, o gesto que se seguiu não deve ser considerado extraordinário.

"Bartleby, disse eu, devo-lhe doze dólares; aqui estão trinta e dois; os vinte a mais são seus. Você vai aceitar?"

E lhe estendi as notas.

Mas ele não fez nenhum movimento.

Nas mãos de um mestre, mesmo os mais curtos parágrafos podem ser enormemente poderosos, como são os dois últimos parágrafos do conto "Fat", de Raymond Carver:

É agosto.

Minha vida vai mudar. Sinto isso.

Considere o quanto essa passagem seria menos bem-sucedida se todas as três frases aparecessem no mesmo parágrafo. Como é, a seção parece quase perfeita, porque cada decisão sobre paragrafação contribui para a força da conclusão do conto.

A primeira frase-parágrafo é um fato. É agosto. O leitor não pode discutir isso. E assim o parágrafo seguinte pretende ser outra declaração igualmente direta, duas frases que — de uma maneira que não podemos "explicar", assim como não podemos resumir a "essência" da poesia ou analisar como ela nos influencia — conseguem combinar declaração e restrição, certeza e dúvida, sem jamais reconhecer que o que está sendo dito é tudo menos a expressão de uma verdade tão simples e indiscutível quanto a informação sobre o mês em que se está. Só que nós duvidamos de que a vida do narrador *vá* mesmo mudar. Como, de fato, também o faz o narrador. E finalmente, somos deixados perguntando: que mais poderia ser acrescentado a esse trecho que não fosse diminuir a força das três breves frases que enchem amplamente dois parágrafos e ressoam além deles?

Parágrafos são uma forma de ênfase. O que aparece no início e no fim do parágrafo tem (novamente, se excetuarmos passagens como aquela do final de *Desesperados*) mais peso que o que aparece no meio.

Este parágrafo de *As correções*, de Jonathan Franzen, começa com o que parece ser uma terceira pessoa onisciente, depois, no fim, dá uma guinada brusca numa direção que nos faz compreender que estivemos observando a cena através dos olhos de um personagem que está (para dizer o mínimo) estreitamente envolvido com o que observa, e cuja visão altera, ou de todo modo complica, o que estivemos vendo. Simultaneamente, a última linha transforma a simples descrição de um casal idoso e bastante frágil chegando a um aeroporto na carregada síntese de uma relação de parentesco. Por fim, a surpreendente conclusão do parágrafo — em sua sinceridade, seu caráter inesperado e sua compressão — é ela própria um chamariz que nos puxa para a narrativa.

> Lá vinham eles com pouca firmeza, descendo o longo corredor do aeroporto, Enid tentando não forçar o quadril prejudicado, Alfred empurrando o ar como se suas mãos de juntas frouxas fossem remos e batendo no carpete com os pés mal controlados, os dois carregando bolsas a tiracolo da Nordic Pleasurelines e concentrados no piso à frente, medindo a distância incerta três passos de cada vez. Para qualquer pessoa que os observasse desviando os olhos dos nova-iorquinos de cabelos escuros que passavam por eles às pressas, para qualquer pessoa que visse de relance o chapéu de palha de Alfred equilibrado no alto daquele milho de Iowa na época da colheita, ou a lã amarela das calças que se esticavam por cima do quadril deslocado de Enid, era óbvio que eram americanos do Meio-Oeste e estavam intimidados. Mas para Chip Lambert, que esperava os dois logo depois do ponto de revista da segurança, eram assassinos.[*]

---

[*] Jonathan Franzen, *As correções*, trad. Sergio Flaksman. São Paulo, Companhia das Letras, 2003.

Frequentemente, cada mudança de parágrafo representa uma ligeira mudança de ponto de vista — o relâmpago de Bábel — ou uma mudança de perspectiva que podemos conceituar, cinematograficamente, como uma mudança de ângulos de câmera. Na passagem de *O grande Gatsby* que descreve as duas belas jovens sentadas no sofá, citada no capítulo sobre palavras, a quebra do parágrafo ocorre no momento em que o olho do narrador muda de foco, da sala em geral para o sofá em particular. Muitas vezes é fácil observar isso nas páginas de abertura de um livro, como — saltando de um parágrafo para outro, de uma página para outra — a lente da narrativa faz foco em seu assunto. O primeiro parágrafo de *A prima Bette*, de Balzac, funciona, para ampliar a metáfora cinematográfica, como uma sucessão de sequências feitas por uma câmera em movimento num trilho, em que observamos um dos vilões do romance, monsieur Crevel, aproximar-se de seu destino. Nesse meio tempo, estamos recebendo uma série de insinuações sobre o que se espera que pensemos desse homem, bem como da localização física e do meio social em que a cena extremamente desagradável que abre o livro está prestes a ter lugar. E os temas principais do romance — dinheiro, especialmente dinheiro novo, status, mobilidade de classe, traição, desonestidade, idade, aparência — são todos anunciados, como frases de música que vão se combinar para formar o concerto do romance.

Como muitos dos romances provincianos de Balzac, *O vermelho e o negro*, de Stendhal, começa introduzindo o leitor à topografia da cidade antes de se concentrar em um dos seus habitantes. Abaixo estão as primeiras linhas dos primeiros seis parágrafos do livro, que ocupam aproximadamente as duas primeiras páginas da narrativa. Incluí também o quinto parágrafo inteiro, porque é um exemplo extremamente elegante de sua forma, um desses parágrafos isolados em que um escritor nos diz quase tudo que precisamos saber sobre um personagem.

1. "A pequena cidade de Verrières pode passar por uma das mais bonitas do Franche-Conté..."

2. "Ao norte, Verrières é abrigada por uma grande montanha, parte da cadeia do Jura..."
3. "Mal entramos na cidade, ficamos aturdidos pelo estrondo de uma máquina ruidosa e de terrível aparência..."
4. "Se o viajante se detém mesmo que por poucos instantes nessa grande rua de Verrières, que sobe ao longo das margens do Doub até o alto do morro, as chances são de cem contra um que verá aparecer um homem alto de ar ocupado e importante..."
5. "Ao seu aparecimento, todos os chapéus se erguem rapidamente. Seu cabelo é grisalho, ele está vestido de cinza. É cavaleiro de várias ordens, tem uma testa alta, um nariz aquilino e no conjunto não falta a seu rosto certa regularidade: acha-se mesmo, à primeira vista, que ele reúne a dignidade de seu posto de prefeito a essa espécie de encanto que ainda se pode encontrar em um homem de quarenta e oito ou cinquenta anos. Mas logo o viajante parisiense ficará chocado por um certo ar de autossatisfação e de presunção misturado a um não sei quê de limitado e pouco inventivo. Sente-se enfim que o talento desse homem se restringe a fazer com que lhe paguem exatamente o que lhe devem, e a pagar ele próprio o mais tarde possível o quanto deve."
6. "Assim é o prefeito de Verrières, M. de Renal..."

Você pode observar algo semelhante acontecer — o olho da câmera da narrativa aproximando-se para um close-up — na abertura do romance de Gary Shteyngart, *O pícaro russo*. Os três primeiros parágrafos nos introduzem à energia e à hilaridade do romance, a seu improvável herói e finalmente a seus temas — entre os quais os absurdos da experiência do imigrante, as loucuras paralelas das sociedades americana e do Leste Europeu na década de 1990 e as dificuldades da assimilação e da harmonização cultural. Essas trocas transculturais transpiram pelo "bebedouro desmilitarizado" e, de maneira mais divertida, no sanduíche do café da manhã de nosso herói:

A história de Vladimir Girshkin – em parte P.T. Barnum, em parte V.I. Lênin, o homem que iria conquistar metade da Europa (embora a metade errada) – começa como tantas outras coisas. Numa segunda-feira de manhã. Num escritório. Com a primeira xícara de café instantâneo gorgolejando na sala comum.

Sua história começa em Nova York, na esquina da Broadway com a Battery Place, a esquina mais desordenada, desolada e sem fins lucrativos do distrito financeiro de Nova York. No décimo andar, a Sociedade Emma Lazarus de Absorção de Imigrantes acolheu seus clientes com as conhecidas paredes amarelas com manchas de umidade e as hortênsias agonizantes de uma triste repartição governamental de Terceiro Mundo. Na sala de recepção, sob os gentis mas insistentes estímulos de Facilitadores da Assimilação treinados, turcos e curdos pediam uma trégua, tútsis faziam fila pacientemente atrás de hutus, sérvios tagarelavam com croatas junto ao bebedouro desmilitarizado.

Enquanto isso, na atravancada sala de trás, o funcionário novato Vladimir Girshkin – o imigrante dos imigrantes, o expatriado dos expatriados, a vítima paciente de todas as troças que o fim do século XX tinha para oferecer e um herói improvável para os nossos tempos – dava cabo do primeiro sanduíche de salame picante com abacate. Como Vladimir gostava da inexorável dureza do salame e do gorduroso recuo do tenro abacate! A proliferação desse tipo de sanduíche paradoxal, no que lhe dizia respeito, era a melhor coisa em Manhattan no verão de 1993.

Os parágrafos iniciais de outro romance de estreia, *Angels*, de Denis Johnson, também transmitem uma série de mudanças sutis – primeiro de perspectiva, depois de tempo. Mais uma vez, temos a impressão de que essas frases não poderiam ter sido paragrafadas de outra maneira, que as quebras são tão essenciais e orgânicas à narrativa como cada uma das escolhas de palavra que se espalham por ela com uma paranoia quase alucinatória que é, ao mesmo tempo, solidamente baseada na realidade exterior. O primeiro parágrafo inspeciona a paisagem, tal como ela é, quando nossa heroína olha pela janela de um ônibus Greyhound. O segundo focaliza a própria jovem, enquanto ela continua a ver o mundo à sua volta de seu ponto de vista. E o terceiro nos faz dar um salto no tempo e mergulhar em um estado quase visionário induzido pela exaustão e a ansiedade. A paragrafação realça tanto a clareza quanto a desorientação da abertura, que apreende, com desalentadora precisão, a psicologia de uma jovem mãe em grandes apuros, e que se agarra a toda percepção e estabilidade necessárias para conseguir sobreviver e cuidar de suas duas filhinhas.

> No Greyhound de Oakland todas as pessoas eram anãs, e se apertavam e empurravam para entrar no ônibus, até passando à frente das duas freiras que tinham chegado primeiro. As duas freiras sorriram docemente para Miranda e Baby Ellen e brincaram de esconde-esconde atrás dos dedos depois de se instalarem em seus assentos. Mas Jamie podia perceber que elas achavam sua maquiagem pesada demais, suas calças justas demais. Sabiam que ela estava deixando o marido e imaginavam que iria virar prostituta. Gostaria de lhes explicar tudo, mas não se pode falar com católicos. A freira mais baixa levava uma rosa brilhante entre as duas mãos.
> 
> Jamie sentou-se junto da janela olhando para fora e fumando um Kool. As pessoas ainda se apertavam à porta do ônibus, pessoas que ela esperava nunca conhecer — lutando com bagagem mutilada e sacos de papel que poderiam conter, pela maneira como os seguravam, as razões para cada ato de que se arrependiam e as justificações para suas feridas. Um negro num terno de tweed e chapéu de palha segurava um cartaz para os parentes que partiam: "O SOL SE TRANSFORMARÁ EM TREVAS E A LUA EM SANGUE." (Joel 2:31) Dadas as circunstâncias, Jamie sentiu-se próxima desse estranho.
> 
> Por volta das três da manhã os olhos de Jamie se abriram. Faróis dianteiros numa rampa de acesso obstruíram seu voo e vasculharam o ônibus, e momentaneamente, em sua exaustão, ela pensou que era

a cabeça em chamas de um homem sacudindo-se como um cometa através da escuridão adormecida daqueles viajantes, que só ela podia testemunhar. De repente Miranda estava acordada, tagarelando em seu ouvido, excitada por estar acordada depois da hora de dormir.

Mais uma vez, é uma escrita que precisamos ler palavra por palavra, parando para observar quanta informação é transmitida através de uma engenhosa maneira indireta. Embora primeiramente possamos ter de nos recuperar da esquisitice daquela primeira afirmação sobre a população de anões na rodoviária, um choque amenizado, mas só ligeiramente, quando entendemos que esses "anões" podiam ser simplesmente pessoas normais, vistas da janela do ônibus — isto é, de cima.

Três palavras, "Greyhound de Oakland", são suficientes para nos orientar, tanto geográfica quanto socioeconomicamente; estamos a uma grande distância da bacia de iates em Boca Ratón. O nome de Baby Ellen e o fato de as freiras brincarem de esconde-esconde com as crianças poupam o escritor de ter de nos dizer que *se trata* de crianças, e quando Jamie projeta suas dúvidas e medos quanto à sua autoapresentação (calças, maquiagem) e situação (deixou o marido e pode ter poucas opções de emprego afora a prostituição) sobre as freiras, vendo-se e julgando-se do ponto de vista delas, Jonhson realiza a difícil proeza de nos permitir ver a sua heroína simultaneamente a partir de dentro e de fora.

Cada detalhe — o cigarro mentolado, o preconceito contra católicos — assenta o personagem tão firmemente em uma realidade reconhecível, ainda que peculiar e alterada, que na altura do segundo parágrafo estamos dispostos a aceitar a poesia maluca de uma consciência que registra a bagagem "mutilada" e se expande para abraçar a ideia de que um saco de papel poderia conter uma vida inteira de arrependimentos, justificações e feridas. Desse ponto em diante, ruma-se diretamente para o apocalipse em que o livro mergulhará, o qual já está sendo preparado para nós com a, novamente, crível e amedrontadora citação da Bíblia, a visão de um mensageiro celeste fermentada com o humor da identificação solidária de Jamie com o estranho "dadas as circunstâncias".

E agora, caso a paisagem ainda não esteja suficientemente soturna, o terceiro parágrafo nos lança no meio da noite e nos oferece uma visão da cabeça flamejante sacudindo-se como um cometa, uma imagem surreal e lírica que ao mesmo tempo transfigura e isola, e que termina por nos tranquilizar quanto à sanidade de nosso personagem. Sua filha está tagarelando em seu ouvido. Sua filha tem uma hora de dormir.

Vamos dar uma olhada em um último parágrafo, antes de deixarmos o assunto, em parte porque ele tem alguns traços (transporte público, luzes lampejando na escuridão) em comum com a passagem de *Angels*, mas principalmente porque os dois parágrafos de abertura de "Sonny's blues", de James Baldwin, são exemplos tão maravilhosos da forma do parágrafo:

> Li sobre aquilo no jornal, no metrô, na minha ida para o trabalho. Li aquilo e não pude acreditar, e li de novo. Depois talvez tenha apenas olhado pasmo para aquilo, para o papel de jornal que soletrava o seu nome, soletrava a história. Olhei fixamente para aquilo nas luzes oscilantes do vagão do metrô, e nas caras e corpos das pessoas e na minha própria cara, presos na escuridão que rugia lá fora.
>
> Aquilo não era para ser levado a sério, fiquei dizendo para mim mesmo enquanto saía da estação do metrô para a escola secundária. E ao mesmo tempo não podia duvidar daquilo. Eu estava apavorado, apavorado por Sonny. Ele se tornou real para mim de novo. Um grande bloco de gelo formou-se em minha barriga e ficou derretendo ali devagar o dia todo, enquanto eu dava as minhas aulas de álgebra. Era um tipo especial de gelo. Estava sempre derretendo, enviando pingos de água gelada pelas minhas veias acima e abaixo, mas nunca ficava menor. Às vezes endurecia e parecia se expandir até que eu sentia que minhas tripas iam transbordar ou que eu ia sufocar ou gritar. Isso acontecia sempre num momento em que eu estava lembrando algo específico que Sonny havia dito ou feito.

Como nas passagens de Cheever e Joyce, o ritmo das frases e o parágrafo estabelecem a importância, a extrema seriedade, a poesia e (como no fim de "Goodbye, my brother") a qualidade de sermão da prosa. Mas embora os ritmos não sejam menos eclesiásticos, é um tipo diferente de sermão. É pura música gospel, toda ela girando em torno desse *aquilo* na frase de abertura, essa coisa que, como a morte do pai em "As filhas do falecido coronel", de Mansfield, é importante demais, chocante demais, pessoal demais para ser nomeada.

Esse conto mítico e essencialmente transcendente começa no metrô, o submundo, onde o narrador tem uma visão das caras e corpos dos outros passageiros e finalmente de sua própria cara, presos na escuridão. O que impressiona é quanta coisa Baldwin está fazendo ao mesmo tempo: submergindo-nos numa narrativa, iniciando os ritmos musicais que são ao mesmo tempo o método e o tema de seu conto, apresentando-nos ao narrador e estabelecendo uma série de imagens contrastantes – escuridão e luz, dentro e fora, prisão e liberdade, inclusão e exclusão – que vão reaparecer do início ao fim da história.

A mudança de parágrafo é, como o resto, magistral. Pois esse *aquilo* é subitamente iluminado pelo relâmpago que ocorre na mudança para a voz passiva; a escolha de palavras torna-se mais formal, como se o narrador estivesse procurando alguma autoridade e confirmação superiores. *Aquilo não era para ser levado a sério*, lemos, e assim o conto oscila nesse dueto do físico e do cerebral, do racional e do emocional, do lógico e do intuitivo que está prestes a se esgotar. Até que (de maneira quase imediata) somos levados ao lugar em que ficamos sabendo de Sonny, o até agora não identificado personagem (exceto por seu nome) por quem o narrador está apavorado, e que está associado àquele *aquilo*.

Lembra Bábel. Um relâmpago semelhante, uma mudança de ritmo e alteração de perspectiva semelhantes, mas dessa vez tudo isso migrou de uma aldeia russa para o metrô de Nova York. É semelhante, mas não a mesma coisa, porque, como nos disse Nero Wolfe, a paragrafação de cada escritor é tão particular, tão individual quanto a impressão digital na cena do crime, quanto aquele traço revelador de DNA.

# 5

## Narração

A ÚNICA MANEIRA PELA QUAL consegui me forçar a escrever um primeiro romance, assim como o primeiro conto que publiquei de que gostava (em contraposição ao primeiro conto que publiquei), foi escrever tanto o romance quanto o conto como histórias dentro de histórias, narrativas contadas por um personagem para outro. Escutados às escondidas pelo leitor, os contadores de histórias e suas audiências aparecem no início e no fim das obras, e ocasionalmente em toda parte, para interromper e comentar a ação.

A razão pela qual disse "me forçar" é que esse artifício me permitiu superar um dos obstáculos que o escritor novato enfrenta. Essa barreira se disfarça como a questão da voz e de quem está contando a história (deve o narrador falar na primeira ou na terceira pessoa, ser subjetivo ou onisciente?), quando de fato a verdadeira questão problemática é: quem está ouvindo? Em que ocasião a história está sendo contada, e por quê? Está o protagonista projetando essa confissão profundamente sentida sobre o ar — e, nesse caso, qual é o tom adequado a assumir quando nossa audiência é o ar?

Sempre supus que eu era a única a ter discernido que a identidade do ouvinte era um problema mais exasperante que a voz do contador da história, até que ouvi um escritor dizer que o que lhe permitira escrever um romance do ponto de vista de uma mulher de meia-idade bastante complicada fora fingir que ela estava contando a sua história para um grande amigo homem, e que ele, o escritor, era esse amigo. O que tornara a coisa toda possível, acrescentou, fora que ele teve a sorte de ter tido várias esposas, algumas filhas e uma multidão de amigas, todas as quais lhe falavam de maneira igualmente direta.

Para mim, escrever histórias encaixadas em outras não só respondia a todas essas questões perturbadoras sobre a audiência do narrador como também integrava nitidamente as respostas à própria narrativa. Eu sabia não só quem estava falando como a quem falava, onde estavam o falante e o ouvinte, e quando e por que o evento — isto é, a narração da história — estava ocorrendo. Isso me permitia passar por alto partes enfadonhas da trama, fazendo o ouvinte tornar-se impaciente e apressar o narrador, enquanto, inversamente, uma expressão de dúvida ou um pedido de clarificação podiam fazer as coisas caminharem mais devagar, permitindo-me explicar algum ponto complicado de causalidade. Ao mesmo tempo, isso me forçava a enfrentar a penosa questão de definir se o que eu estava contando era realmente uma história ou meramente, digamos, uma ruminação. Tratava-se de algo que um personagem *contaria* a outro, da maneira como as pessoas contam histórias sobre suas vidas? Iria alguém imaginar que esses eventos contados atrairiam a atenção de outro ser humano, e iria o leitor acreditar que alguém, mesmo um personagem ficcional, permaneceria concentrado e prestaria atenção o tempo todo?

Eu tinha a sorte de ter vivido tanto entre livros, e especialmente entre livros do passado. Em primeiro lugar, eu parecia não saber que ninguém escrevia mais daquela maneira. Em segundo lugar, eu de certo modo não percebia que ninguém *vivia* mais daquela maneira — isto é, em circunstâncias que estimulavam e facilitavam a narrativa de longas histórias.

Numa era em que os passageiros de viagens aéreas comparam dicas sobre como melhor evitar que seus vizinhos de assento iniciem conversas fortuitas (as máscaras! os protetores de ouvido! a revista aberta!), parece muito menos provável que um passageiro faça a outro (como acontece em "A sonata a Kreutzer") um longo e atormentado relato de como o ciúme sexual arruinou seu casamento e sua vida. Perversamente, é *mais* provável que alguém possa "partilhar" essa confissão com uma audiência nacional de tevê. Agora que qualquer pessoa que fale por mais de alguns segundos — isto é, que *nos* impeça de falar por mais de alguns segundos — é geralmente considerada uma chata, quais são as chances de que um grupo de cavalheiros se reúna ao pé do fogo para trocar histórias detalhadas de antigos casos de amor, como fazem em "Sobre o amor", de Tchekhov? Ou de que uma discussão semelhante estimule um de seus participantes a transcrever o longo relato de um homem maduro que constitui o "Primeiro amor", de Turguêniev, uma novela que assume um nível adicional de intensidade quando percebemos que a história de amor está sendo rememorada — em detalhes requintados e com profunda emoção — décadas depois de ter ocorrido.

Mas por que devia eu ter me preocupado com o modo como os outros estavam escrevendo, ou vivendo, quando tinha *O Morro dos Ventos Uivantes* como um modelo de como escrever e de como as pessoas viviam?

Para cada leitor que se lembra de Cathy e Heathcliff bracejando pelas charnecas, muitos terão esquecido que o romance é construído como uma série de bonecas russas embutidas umas dentro das outras. Do lado de fora temos o sr. Lockwood, que está alugando uma propriedade do sr. Heathcliff para uma estada temporária, e que tem tanto interesse em seu ambiente quanto costumam ter os que alugam, em vez de comprar. Depois de vários incidentes assustadores envolvendo um fantasma queixoso, um diário e a família alarmantemente anormal de seu senhorio, Lockwood convence Nelly, a empregada, a lhe contar a história do lugar e de várias gerações dos habitantes da casa.

Embora ela própria tivesse estado profundamente envolvida nos acontecimentos que tiveram lugar na propriedade, é Nelly que tem — com exceção de Lockwood e do criado Joseph, quase incapaz de falar — o menor interesse emocional na trágica história da família. Assim, ela é a testemunha mais digna de crédito dos acontecimentos que, por vezes, não são apenas dramáticos, mas verdadeiramente góticos, com todos os ornamentos sublimes e sobrenaturais da aventura amorosa gótica. Sua voz é de pura narrativa — não se intromete nem sofre inflexões, e usá-la para contar a história permite a Emily Brontë ancorar esses acontecimentos improváveis na realidade cotidiana, ou pelo menos numa realidade que pode ser encontrada no Morro dos Ventos Uivantes. Os hábitos mentais relativamente organizados de Nelly ajudam também, quando é necessário, a explicar algumas questões complicadas de genealogia e herança, e a deslizar pelos saltos no tempo que impelem a trama para diante. Engastadas na narrativa de Nelly há ainda outras camadas de história, relatos de Heathcliff e outros de acontecimentos que a própria Nelly não poderia ter testemunhado.

É difícil imaginar uma estrutura mais floreada ou artificial. Assim, o que surpreende é quanto ela parece natural, quão rapidamente nossa consciência do artifício empalidece diante da urgência da história que está sendo narrada, e quão plenamente os vários personagens emergem através dos olhos e da voz de uma mulher que é intuitiva, sensata, mas não, estritamente falando, onisciente. Lendo atentamente, podemos ver que a dicção — o inglês-padrão da era de Brontë — e os ritmos variam apenas ligeiramente quando Lockwood, Nelly e Heathcliff estão encarregados da história, ainda que suas personalidades muito diferentes (as ternas compaixões de Nelly, a impulsividade apaixonada de Heathcliff, a imprecisão egoísta de Lockwood) deem forma a cada palavra que pronunciam.

Algo semelhante ocorre em *A volta do parafuso*, outro livro de suspense psicológico cujos leitores precisam de toda a ajuda que podem obter para decidir como interpretar a narrativa central e, de fato, em que medida acreditar nela. Como *O Morro dos Ventos Uivantes*, a novela de Henry James sobre uma governanta e as duas crianças más — ou seriam inocentes? — é narrada de fora para dentro. Não é realmente encaixada em outra, pois o fim da história nunca retorna ao cenário inicial, mas em vez disso é introduzida pelo relato de uma reunião extremamente civilizada a que comparece um narrador em primeira pessoa que é logo suplantado por outro narrador em primeira pessoa, e que posteriormente desaparece da história.

Numa festa na véspera do Natal, um grupo de convidados está contando histórias de fantasma em volta de uma lareira. Um deles menciona o horror de uma aparição que assustou uma criança, e um homem chamado Douglas pergunta "Que diz você sobre *duas* crianças?" Os outros ficam intrigados, especialmente quando Douglas acrescenta que ninguém exceto ele jamais ouviu a história. "É realmente horrível demais." E assim a seção funciona não só como uma introdução à narrativa, mas como uma espécie de publicidade, um elegante chamariz que Douglas incessantemente reforça, à medida que James eleva as expectativas em relação a si mesmo (isto é, à história que deve se seguir) muito acima do que a maioria dos escritores ousaria:

"Supera tudo. Absolutamente nada que eu conheça se aproxima dela."

"Como puro terror?", lembro-me de ter perguntado.

Parece que ele disse que não era assim tão simples; que realmente não sabia como qualificá-la. Passou a mão sobre os olhos, fez uma pequena careta assustada. "Como pavoroso – medonho!"

"Ah, que delícia!", exclamou uma das mulheres.

Ele não tomou conhecimento dela; olhou para mim, mas como se, em vez de mim, estivesse vendo aquilo de que falava. "Como fealdade, horror e sofrimento sinistros em geral."

"Pois bem", disse eu, "sente-se agora mesmo e comece."

Pois bem, realmente. Cada palavra de *A volta do parafuso* precisa ser lida com atenção, porque fazê-lo é resolver (até onde alguma coisa nessa história intrigante e perturbadora pode ser resolvida) o debate que grassa há muito tempo sobre se essa é uma história de fantasma ou uma história de aberração psicológica, se as aparições são "reais" ou meras fantasias da imaginação exaltada da governanta. Dissecar a linguagem da governanta – o modo como descreve e interpreta os eventos, tira conclusões e representa seu próprio pânico e histeria crescentes – é reconhecer que a ambiguidade não é acidental, que James pretendeu escrever uma história que pudesse ser lida de duas maneiras inteiramente diferentes, ambas inteiramente apoiadas pelas evidências do texto. E foi esse mistério que a tornou tão fascinante e sedutora, convidando-nos a retornar a ela muitas vezes, como se desta vez fôssemos por fim descobrir uma leitura decisivamente conclusiva de uma obra destinada a nos impedir de chegar a qualquer tipo de conclusão final.

Pequenas pepitas de economia e síntese, histórias interpoladas — casos que um personagem conta a outro dentro do corpo de uma narrativa — mudam o ritmo dessa narrativa e iluminam um personagem que é revelado pelo conteúdo da história, pela maneira como faz seu relato, e finalmente pelo que o leitor conclui sobre o propósito a que história está destinada a servir.

Aqui está uma dessas histórias, extraída do romance *Freedomland*, de Richard Price, um caso que uma mãe conta a um repórter sobre sua filha Brenda, uma mulher que pode ou não ser culpada pela morte do filho, que segundo ela alega foi sequestrado por um ladrão de carros:

"Quando ela era pequena, ainda no jardim de infância, seu pai e eu tivemos uma briga. Pete gostava de seus drinques naquela época, e as coisas andavam realmente mal. Ele nunca foi um bêbado sórdido, nunca levantou a mão, mas era um inferno, e eu disse a ele que ia pegar as crianças e ia embora — estava farta — e ele começou a chorar, dizendo que ia se corrigir. Ele chora, eu choro. Nós dois estamos na cozinha, e Brenda entra. Ela chega, nos vê e fica com aquela expressão de sofrimento no rosto. Tínhamos um rádio lá naquela época. E a música que estava tocando era 'September song', cantada, talvez você se lembre, por Jimmy Durante. Brenda olha para nós chorando e eu digo: 'Querida, não é uma música triste? Eu e papai estamos chorando porque essa música é tão bonita e tão triste.' Assim, claro que ela começou a chorar também, então eu a peguei no colo e aquilo meio que interrompeu minha cadeia de pensamentos com Pete, de modo que não levei a coisa adiante...

"Alguns anos atrás, Pete faleceu. Brenda veio aqui. Ela me leva até a cozinha e diz: 'Mãe, tenho uma coisa para você', e me dá uma fita que gravou. Ela gosta de gravar fitas para as pessoas. Me dá uma fita, é

Jimmy Durante cantando 'September song'. Não tenho a menor ideia de como se lembrou, ou onde a encontrou, ou, melhor ainda, como conseguiu descobrir qual era o cantor. Ela tinha cinco anos de idade. Ela me dá a fita e diz: 'Mãe, se sentir falta demais do papai, talvez possa pôr isto para tocar para você.' Veja, durante todos aqueles anos ela acreditou em mim, que estávamos chorando porque..."

Tudo no parágrafo contribui para a credibilidade de quem fala, como um personagem ficcional e como um ser humano honrado: a escolha de palavras, os ritmos, as ligeiras repetições para efeito de ênfase, o modo como os tempos verbais mudam do presente para o passado e de novo para o presente. A escolha de palavras e expressões ("gostava dos seus drinques", "nunca levantou a mão", "faleceu") nos faz sentir que é assim que essa mulher realmente poderia relatar um incidente de sua vida. A linguagem, a própria história, a especificidade dos detalhes (Jimmy Durante cantando "September song") nos convencem de que essa mulher está falando a verdade. Mais importante ainda é o personagem da criança que emerge da história, a menina que vai crescer para se tornar Brenda. Ela é compassiva (chora quando vê os pais chorando), generosa (grava fitas de música para as pessoas, um presente pessoal e que demanda tempo), sincera e atenciosa; esta certamente não parece ser uma pessoa que assassinaria friamente o próprio filho e lançaria a culpa sobre um estranho. Por fim, o que é tão comovente é a ideia de uma mãe relembrando toda a infância e a vida adulta da filha a fim de encontrar o caso perfeito para demonstrar quem é a sua filha e para oferecer provas conclusivas de que Brenda não poderia ser uma criminosa. Esta é uma história que pretende ser uma defesa da inocência da filha.

Há muitas histórias interpoladas em Dostoievski, possivelmente porque seus personagens estão com tanta frequência tendo acessos — quer estejam bêbados ou sóbrios — em que revelam toda a história de suas vidas para conhecidos casuais ou perfeitos estranhos. No segundo capítulo de *Crime e castigo*, Raskolnikov entra numa taberna onde se encontra pela primeira vez com Marmeladov, que começa: "Posso me aventurar, honrado senhor, a envolvê-lo numa conversação polida?" — pedido que Raskolnikov terá primeiro razões para lamentar e depois para agradecer. A arenga inebriada, apaixonada de Marmeladov prossegue por quase dez páginas e introduz vários dos personagens principais do romance, em especial Sônia, filha de Marmeladov, uma prostituta que acabará por ajudar Raskolnikov a descobrir o caminho para a redenção.

Dostoievski era dolorosamente familiarizado com os problemas da narração, com decisões desafiantes e até erradas sobre como uma história deve ser contada. Os cadernos em que esboçou suas ideias para *Crime e castigo* não só documentam as muitas viradas da trama que nunca aparecem no livro acabado e as concepções iniciais de personagens que têm personalidades totalmente diferentes no romance final, mas também representam sua luta para encontrar a melhor maneira de contar a história. Trechos desses rascunhos iniciais do romance são escritos em primeira pessoa, como um diário, como confissões, como memórias, e como uma combinação de diário e drama. Mas finalmente ele compreendeu que, dados os problemas causados pelo fato de que seu herói deveria estar semidelirante durante porções significativas da narrativa, ele poderia manter a mesma intensidade e proximidade, evitando ao mesmo tempo as limitações técnicas da primeira pessoa, atendo-se a uma narrativa subjetiva na terceira pessoa que, em momentos críticos, se funde com a consciência do protagonista.

Embora os alunos de oficinas literárias sejam em geral instruídos — com boa razão — de que é necessário escolher um ponto de vista e ater-se a ele, isso, como qualquer "regra", pode ser evitado por qualquer escritor hábil o suficiente para fazê-lo. *Madame Bovary* começa da perspectiva de um colega do futuro marido de Emma Bovary, um narrador de que nunca mais se ouve falar. *A autobiografia de Alice B. Toklas*, de Gertrude Stein, é uma narrativa em primeira pessoa disfarçada como as memórias de outra pessoa, ao passo que *Pictures from an Institution*, de Randall Jarrell, é uma narrativa em terceira pessoa ocasionalmente interrompida por um personagem que se refere a "minha mulher e eu", mas sobre o qual sabemos muito pouco.

As páginas iniciais de *Wise Blood*, de Flannery O'Connor, mudam de perspectiva a intervalos de poucas frases: vemos o vagão de trem do ponto de vista de Hazel Motes, depois examinamos Hazel através dos olhos da mulher sentada à sua frente, depois olhamos pela janela de um ponto de vista que parece mais neutro, até onisciente. O romance *Persian Nights*, de Diane Johnson, desliza da consciência de um personagem para a de outro, de modo que uma única cena pode ser observada de várias perspectivas. O conto de Harold Brodkey, "S.L.", muda a todo instante: do tempo presente para o passado e do ponto de vista em primeira pessoa "eu" de uma criancinha para um narrador em terceira pessoa que se refere ao pequenino herói da história como "a criança" ou "Wiley", o nome da criança, embora fique claro também que esse narrador mais distanciado é a própria criança, já crescida.

A comovente conclusão de "The Ice Wagon Going Down the Street", de Mavis Gallant, troca a imparcial (ainda que astuciosa) onisciência com que a maior parte da história foi narrada e penetra na vida interior de um de seus personagens centrais, Peter Frazier. Juntamente com sua mulher, Sheilah, Peter afastou-se de uma vida pretensamente glamourosa e na realidade bastante miserável nas franjas do círculo europeu de expatriados no pós-guerra. Rendeu-se e voltou para sua Toronto natal, onde o casal está hospedado, como se no exílio, com a decididamente nada glamourosa irmã dele, Lucille. A parte final da história começa assim:

Quando, nas manhãs de domingo, conversam sobre aqueles tempos, Sheilah e Peter assumem o glamour de algo ainda por vir. É então que ele se lembra de Agnes Brusen. Nunca diz o nome dela. Sheilah não se lembraria de Agnes. Agnes é o único segredo que Peter tem para a sua mulher, o único quebra-cabeça que monta sem a ajuda dela.

Como o leitor sabe a essa altura, Agnes Brusen é uma canadense tímida e excêntrica com quem Peter partilhou brevemente um escritório quando tinha um emprego de escrevente em Genebra. Uma noite, a empertigada, reprimida e abstêmia Agnes embebedou-se numa festa, e a anfitriã pediu a Peter que a deixasse em casa. No dia seguinte, no escritório, eles partilharam um momento de comunicação tão intensa que — embora, como o conto nos diz repetidamente, "nada tenha acontecido" — o evento pareceu a Peter tão importante e transformador de sua vida como se eles tivessem tido um sério caso de amor.

Agora, anos depois, de volta ao Canadá, ele se pega pensando em Agnes, depois em seu pai, depois em Sheilah e novamente em Agnes, com vontade de saber por onde ela andaria e lembrando uma história que ela lhe contara sobre sua infância em Saskatchewan, quando se levantava de manhã bem cedo para ver a carroça de gelo descendo a rua. Imagina Agnes carregando o filho mais novo nos braços.

Depois algo de extraordinário começa a ocorrer na narrativa. Peter pensa: "A criança é Peter." A consciência de Peter começa a se deslocar, a se mover através do universo, a habitar a criança nos braços de Agnes. Ele volta brevemente a si, depois deixa novamente sua própria mente para imaginar a de Agnes, que por sua vez está pensando nele. Seus pensamentos viajam de volta a Sheilah e suas vidas amesquinhadas em Toronto.

> Ele toca a mão de Sheilah. As crianças têm sua tia agora, e ele e Sheilah têm um ao outro. Tudo está se resolvendo, de uma maneira ou de outra. Deixe Agnes possuir o início do dia. Deixe Agnes pensar que ele foi inventado para ela. Quem quer estar sozinho no universo? Não, comece pelo começo: Peter perdeu Agnes. Agnes diz para si mesma em algum lugar, Peter está perdido.

Dificilmente poderíamos chamar isso de escolher um ponto de vista e ater-se a ele, o que é mais uma prova de que qualquer conjunto de "regras" oferece apenas pautas bastante frouxas. Mesmo assim, por mais que quebre alegre e confiantemente as regras e expanda a terceira pessoa, o conto de Gallant está em "terceira pessoa". Isto é, emprega pronomes de terceira pessoa — *ele* fez isso, *ela* disse aquilo — e não a forma "eu".

Quando falamos sobre ponto de vista, em geral supomos que uma obra é escrita em primeira ou em terceira pessoa, embora na década de 1980, talvez em parte graças ao sucesso de *Bright Lights, Big City*, de Jay McInerney, tenha havido uma breve moda, que não desapareceu de todo, de escrever na segunda pessoa.

Como o parágrafo de uma única frase, a forma "você" pode muito facilmente vir a parecer um tique perturbador, especialmente quando o "você" é supostamente você-o-leitor. "Como assim, *eu*?", o leitor tem razão em indagar. Como o parágrafo de uma única frase, o ponto de vista na segunda pessoa pode também nos fazer suspeitar que o estilo está sendo usado para substituir o conteúdo. Ou talvez esteja sendo empregado por medo de que o conteúdo seja ralo ou insuficiente, razão por que a forma "você" aparece tantas vezes em contos que são na realidade conselhos amorosos, ou a expressão de condolências sobre o tema da aventura amorosa, ligeiramente disfarçados como ficção.

A verdade é que excelente ficção foi escrita em segunda pessoa, embora nesses casos o "você" seja menos provavelmente o leitor em geral, e sim alguém em particular, uma pessoa para quem a história (muitas vezes de maneira metafórica ou imaginária) está sendo contada. No romance *Fools of Fortune*, de William Trevor, os dois personagens principais alternam seções em que falam, ou escrevem, um para o outro. Essas obras estão na realidade mais próximas da forma epistolar, em que alguns dos romances mais antigos, como *Pamela*, de Samuel Richardson, foram escritos. Ocasionalmente, autores ainda empregam o artifício da carta, como faz Donald Barthelme no conto "O Sandman", em que o bilhete de um homem para o psicanalista de sua namorada, defendendo o desejo dela de encerrar a análise e em vez disso comprar um piano, expande-se numa meditação sobre psicologia, caráter e amor.

Um conto de grande virtuosismo, escrito na segunda pessoa e dirigido a um indivíduo particular, é também de Mavis Gallant. "Mlle. Dias de Corta" começa da seguinte maneira:

> Você se mudou para o meu apartamento durante o verão do ano anterior à legalização do aborto na França; isso deveria situar o caso no passado para você, cara Mlle. Dias de Corta. Você acabara de chegar

a Paris, vinda de sua cidade natal, que insistia sempre que era Marselha, e estava procurando emprego. Disse que tinha estudado técnica de representação na televisão em alguma escola provinciana (nunca ouvíramos falar da escola, embora meu filho tivesse um ou dois amigos atores) e recebido um diploma com "menção especial" por expressão vocal. O diploma não estava entre as coisas que encontramos na sua mala, depois que você desapareceu, mas meu filho se lembrou de que você o carregava na bolsa, para o caso de ter a sorte de se sentar ao lado de um diretor de elenco no ônibus.

O narrador, uma velha, está se dirigindo a uma ex-inquilina, uma atriz com quem havia perdido contato durante décadas, mas que vira por acaso recentemente na televisão, num comercial de forno. Como se vem a saber, a referência à legalização do aborto não é uma maneira casual de situar a relação no tempo, mas uma referência direta a algo que ocorreu e será lembrado no curso da história. Trata-se, ademais, de uma primeira indicação dos sentimentos conflitantes da narradora para com Mlle. Dias de Corta, por quem ela sentia simultaneamente inveja, desconfiança e condescendência (por isso a menção à "escola provinciana"), e a quem via como uma personificação dos imigrantes que contaminavam a pureza da população francesa, um preconceito subjacente à referência à "cidade natal, que *insistia sempre* que era Marselha". Ao mesmo tempo, a mulher mais velha apega-se à lembrança de uma inquilina que levou, mesmo que brevemente, um sopro de mistério, exotismo, glamour e romance para sua existência enfadonha, estreitamente circunscrita. Em consequência, o conto, que consiste em sua maior parte de uma série de censuras tenuemente veladas, termina com um convite sincero: "Não precisa telefonar para marcar. Prefiro viver na expectativa de ouvir o elevador parar no meu andar e em seguida você tocar, e ouvi-la me dizer que voltou para casa."

"We Didn't", de Stuart Dybek, é escrito na primeira pessoa do plural: o "nós" do título é o narrador e seu primeiro amor verdadeiro. Observe a maneira como, na passagem que se segue, tomada do início do conto, os ritmos, a repetição de "não fizemos", a linguagem e as imagens estabelecem um lirismo altamente poético ("a neve em que o luar deixava cair as nossas sombras"), periodicamente solapado pela referência a detalhes específicos, cotidianos — como a *kielbasa*\* —, que fornecem informação sobre o meio do narrador. O fato de que a história teve lugar nos anos 1950, circunstância que afeta fortemente o comportamento dos personagens, é habilmente estabelecido pela invocação de modelos de carro e astros de cinema (o Rambler enferrujado, o Buick Eight, Doris Day). O fato de que ocorreu no passado distante do narrador é revelado pelo detalhe do teatro "agora defunto", ao passo que a religião do "você" com quem se fala — a fé também é importante, como se revelará — é nitidamente transmitida pelo convincente detalhe da "cobra preta de contas" do rosário enrolado no espelho retrovisor. Finalmente, o erotismo exuberante é fermentado o tempo todo pelo humor: a ideia de que os amassos dos amantes estão sendo monitorados pelo olho que tudo vê de Doris Day.

> Não fizemos na luz; não fizemos no escuro. Não fizemos na grama de verão recém-cortada ou nos montes de folhas de outono ou na neve em que o luar deixava cair as nossas sombras. Não fizemos no seu quarto na cama de dossel em que você dormia, a cama em que você dormia quando criança, ou no assento de trás do Rambler enferrujado do meu pai, que cheirava à *kielbasa* e às carpas defumadas que ele entregava nos fins de semana para o açougue do meu tio Vincent. Não fizemos no Buick Eight da sua mãe, em que um rosário se enrolava no espelho retrovisor como uma cobra preta de contas com presas de prata em forma de cruz.
>
> No beco sem saída do nosso amor — uma ruela lateral de fábricas abandonadas — onde aperfeiçoei o beliscão que abre um sutiã; atrás dos lilases no Marquette Park, onde você me tocou pela primeira vez através de meu jeans, e os bicos dos seus seios, inchados contra o algodão transparente, pareciam da cor dos lilases; no balcão do hoje defunto Clark Theater, onde limpei o sal da pipoca de minhas palmas e passei-as pelas suas coxas acima e você sussurrou: "Tenho a impressão de que Doris Day está nos vigiando", não fizemos.

---

\* Salsicha polonesa defumada e condimentada. (N.T.)

Como você pode ter adivinhado a esta altura, o conto descreve uma apaixonada história de amor que inclui tudo menos o intercurso sexual. O evento em torno do qual a trama gira envolve uma espantosa descoberta do casal certa noite na praia, exatamente quando eles estão por fim prestes a fazer amor. As consequências desse acontecimento não só descarrilam o caso de amor mas projetam uma longa sombra de nostalgia e perda que persiste até o momento presente, em que o narrador está presumivelmente escrevendo a história, que termina assim:

> Mas não fizemos, não ao luar, ou às lanternas fosforescentes dos vaga-lumes em seu quintal, não sob as constelações que não podíamos ver, muito menos decifrar, ou no fulgor escuro que substituía a verdadeira escuridão da noite, uma escuridão já roubada de nós, não com a silhueta dos prédios erguendo-se atrás de nós enquanto uma cidade se arruinava pouco a pouco, não no calor do verão enquanto a Guerra Fria campeava, apesar da liberdade da juventude e da licenciosidade do primeiro amor — em razão de quê, carma, sorte, que importa? — transformamos o não fazer numa maravilha, e no entanto não fizemos, não fizemos, nunca fizemos.

Como em "Mlle. Dias de Corta", a invocação de um ouvinte parece absolutamente necessária para fazer o leitor compreender e sentir o que o escritor está tentando comunicar, embora o conto de Gallant escape tão tipicamente ao alcance do intelecto que é difícil explicar qual é esse significado ou sentimento. Em ambos os contos, a voz narrativa cria uma urgência, uma tentativa desesperada de estabelecer e manter contato com um ser humano particular. Isso é muito diferente do "você" impessoal que é com mais frequência uma maneira de inventar um ouvinte — personificando o espaço vazio em que a história está sendo projetada.

Tudo isso deveria começar a nos dar uma ideia das diferentes opções disponíveis quando um escritor está escolhendo escrever uma história de um ponto de vista particular, ou quando, como parece ser mais frequente, a história está escolhendo o ponto de vista a partir do qual quer ser escrita. Falar como se houvesse dois pontos de vista principais — primeira e terceira pessoa — é como dizer que a única coisa que precisamos saber para preparar e desfrutar um delicioso jantar com muitos pratos é que há cinco grupos principais de alimentos.

As narrativas em primeira pessoa são tão variáveis quanto o número de personagens capazes de sustentar uma narrativa em primeira pessoa — isto é, uma variedade interminável. E mediante o uso hábil da linguagem, escritores podem não só estabelecer a personalidade desse narrador em poucas frases ou parágrafos mas, o que é mais importante, no caso de um romance, convencer-nos de que desejamos estar na companhia dessa pessoa por várias centenas de páginas.

Como poderíamos resistir ao gênio brilhante, inventivo, que faz drama e zombaria à própria custa, o gênio lunático e obsessivo que emerge dos seguintes parágrafos?

> Lolita, luz de minha vida, labareda em minha carne. Minha alma, minha lama. Lo-li-ta: a ponta da língua descendo em três saltos pelo céu da boca para tropeçar de leve, no terceiro, contra os dentes. Lo. Li. Ta.
>
> Pela manhã ela era Lô, não mais que Lô, com seu metro e quarenta e sete de altura e calçando uma única meia soquete. Era Lola ao vestir os jeans desbotados. Era Dolly na escola. Era Dolores sobre a linha pontilhada. Mas em meus braços era sempre Lolita.
>
> Será que teve uma precursora? Sim, de fato teve. Na verdade, talvez jamais teria existido uma Lolita se, em certo verão, eu não tivesse amado uma menina primordial. Num principado à beira-mar. Quando foi isso? Cerca de tantos anos antes de Lolita haver nascido quantos eu tinha naquele verão. Ninguém melhor que um assassino para exibir um estilo floreado.*

---

* Vladimir Nabokov, *Lolita*, trad. Jorio Dauster. São Paulo, Companhia das Letras, 1994.

Em meio a todo esse exibicionismo leviano, Nabokov conseguiu mesmo assim nos dar algumas informações factuais. Já sabemos que a relação do narrador com Lolita (cujo nome é, apropriadamente, a primeira palavra do romance) é sexual ("labareda em minha carne"), que ela era pouco mais que uma criança (uma escolar de um metro e quarenta e sete), que o narrador é capaz não somente de citar a poesia de Edgar Allan Poe como de jogar com ela ("num principado à beira-mar"), e finalmente que ele cometeu um assassinato.

Considere agora como a voz de Humbert Humbert é diferente da de Phillip Carver, o herói de meia-idade de *A Summons to Memphis*, de Peter Taylor, um homem que fugiu de sua família respeitável e opressiva no Sul dos Estados Unidos para viver uma vida literária modesta, mesquinha e, finalmente, não menos opressiva na cidade de Nova York. O romance começa assim:

> O namoro e o novo casamento de um viúvo velho são sempre mais difíceis quando há filhos de meia-idade envolvidos — especialmente em se tratando de filhas solteiras. Isso parecia particularmente verdadeiro na cidade interiorana e atrasada de Memphis cerca de quarenta e poucos anos atrás. Pelo menos é certo que um novo casamento era mais difícil para viúvos velhos em Memphis do que em Nashville, digamos, ou em Knoxville — ou mesmo em Chattanooga, para falar a verdade. Basta conhecer essas cidades apenas ligeiramente para ter absoluta certeza disso. No entanto, não se pode dizer com igual certeza por que a dificuldade era tão peculiar a Memphis, a menos que fosse porque Memphis, diferentemente das outras cidades do Tennessee, continua sendo até hoje um lugar "voltado para a terra". Quase todo mundo lá que é alguém provavelmente ainda possui alguma terra. Ela fica no Arkansas ou no oeste do Tennessee ou no delta do Mississippi. E é possível que quando quer ou onde quer que haja terra envolvida, qualquer questão de família esteja fadada a se tornar mais complexa, menos razoável, mais desesperada.

Muito do que precisamos saber sobre o narrador está sugerido por esta compulsão de usar as palavras *sempre*, *particularmente*, *verdadeiro*, *certo*, *certeza* e *absolutamente* com tanta frequência. Mas mesmo nesse parágrafo isolado, aspectos mais profundos de sua psicologia emergem através das expressões "filhos de meia-idade" e "filhas solteiras" — o próprio Phillip é de certo modo um filho de meia-idade e tem duas irmãs solteiras — e pela confiança e "certeza" da generalização sociológica sobre como as coisas eram, em certa época, em Memphis. O que o narrador está prestes a descrever é, ele nos lembra, algo que acontecia a todo um grupo de pessoas numa cidade particular. Desde já, começamos a intuir o que há por trás disso: a insegurança e a incerteza que a necessidade de generalizar (e as repetidas invocações da certeza) implicam. E somos lembrados de como, quando nós próprios estamos prestes a confessar algo desagradável ou embaraçoso, podemos nos ver sugerindo que muitas pessoas perfeitamente respeitáveis tiveram provavelmente a mesma experiência.

Mais ainda é transmitido pela descrição de Memphis (uma cidade que, como ficaremos sabendo, a família de Phillip associa à infelicidade) como um lugar interiorano e atrasado, pela necessidade de estabelecer distinções sutis entre seus costumes e os de outras cidades do Tennessee, pela ironia suave (mas apenas suave) da expressão "todo mundo lá que é alguém", e pela ideia de que é a posse da terra que transforma o conflito familiar comum em desespero. Na própria família de Phillip, a discórdia revelará ter menos a ver com propriedade e bens imóveis que com ressentimento, vingança, poder, incapacidade de amar e o impulso para controlar e destruir as vidas uns dos outros.

Somente no parágrafo seguinte o sujeito indeterminado muda para um "eu", ponto em que compreendemos que esta história está sendo realmente contada na primeira pessoa, por um narrador que se sente mais à vontade usando um sujeito indefinido (ao qual rapidamente retorna) e que novamente sente a necessidade de nos garantir que a sua não é a única família a ter experimentado a polida descortesia doméstica sobre a qual logo leremos:

De todo modo, quando eu estava na adolescência e havia me mudado recentemente de Nashville para Memphis, ouvia-se sempre sobre um ou outro viúvo velho cujos filhos atentos, de meia-idade, haviam tratado de salvar de um segundo casamento inadequado.

Phillip Carver, por sua vez, dificilmente poderia soar mais diferente de Isabel Walker, a resoluta, inteligente e simultaneamente astuta e inocente narradora de *Le Divorce*, de Diane Johnson. Novamente, a escritora precisa apenas de um curto tempo para estabelecer o caráter de sua heroína, que é capaz de fazer observações incisivas sobre como as contradições entre o metrô e suas entradas sintetizam as extravagâncias do caráter francês, e sobre a "química ligeiramente tóxica" dos americanos no exterior. A narradora, ficamos sabendo em instantes, é formada numa escola de cinema, dada a ver uma cena de maneira cinematográfica e a pensar metaforicamente. É sensível a estereótipos e consciente de diferenças culturais. A graça e a vivacidade dessas percepções nos arrastam para o romance, e nos recostamos na cadeira, antecipando o prazer de ser guiados por Paris por essa encantadora ex-estudante de cinema.

Suponho que por ter cursado a escola de cinema penso na minha história como uma espécie de filme. Num filme, esta parte estaria sob os créditos, abrindo com uma tomada inicial de um ângulo alto, talvez a Torre Eiffel, movendo-se para revelar cenas minúsculas muito abaixo na cidade estrangeira, a vida como contemplada pelo lado errado de um telescópio. Mais de perto, o lugar é identificado por clichês da vida francesa — pessoas carregando compridas baguetes, velhos de boina, mulheres puxando poodles, ônibus, bancas de flores, aquelas entradas art nouveau do metrô que parecem acenar para uma região inferior de vício e arte, mas na realidade conduzem a um eficiente sistema de transporte, contradição que talvez seja uma chave para os próprios franceses.

Tanto Phillip Carver quanto Isabel Walker parecem estar a não apenas um século, mas a anos-luz de distância de *Huckleberry Finn*, de Mark

Twain, mais outro tipo de narrador em primeira pessoa. Como Flannery O'Connor, Twain transmite as inflexões da fala regional com apenas alguns pequenos desvios em relação ao inglês-padrão, regionalismos que nos fazem admirar a maneira inspirada como Huck colore e personaliza a língua ("porque a viúva era ordeira e recatada de dar dó") em vez de nos fazer sentir que ele é ignorante ou fala mal. Ao mesmo tempo, Twain consegue infundir em cada frase o caráter de Huck, sua independência e seu amor à liberdade, seu prazer com as contradições da respeitabilidade como pré-requisito para o ingresso numa quadrilha de ladrões, sua comiseração pelos outros ("mas não foi por mal") e seu humor, manifestado aqui na metáfora de confundir a oração de graças pela comida com uma reclamação:

A viúva Douglas, ela me adotou como filho e cismou que ia me civilizar; mas era duro viver na casa o tempo todo, porque a viúva era ordeira e recatada de dar dó; então, quando eu não podia mais aguentar aquilo, eu dei no pé, me enfiei de novo nos meus trapos velhos e no meu barril de açúcar e fiquei feliz da vida. Mas o Tom Sawyer, ele me procurou e disse que ia criar uma quadrilha de ladrões, e que eu podia entrar se voltasse pra viúva e fosse respeitável. Então eu voltei.

A viúva ela chorou quando me viu, disse que eu era uma pobre ovelha desgarrada, e me chamou de um monte de nomes também, mas não foi por mal. Ela me enfiou em aquelas roupas novas outra vez, e eu não podia não fazer nada a não ser suar sem parar e me sentir todo apertado. Bem, então a velha lenga-lenga começou de novo. A viúva tocava um sino pro jantar, e você tinha que chegar na hora. Quando você chegava na mesa, não podia começar logo comendo, tinha que esperar que a viúva baixasse a cabeça e resmungasse um pouco por causa da comida, embora não tinha nada errado mesmo com ela. Quer dizer, só que cada coisa era cozinhada separado. Numa barrica de sobras é diferente; as coisas são misturadas, e os sucos de uma vão pra outra, e tudo fica mais gostoso.

Não surpreende, é claro, que em uma narrativa em primeira pessoa, ou mesmo em uma narrativa subjetiva em terceira pessoa (que é muitas vezes uma voz de primeira pessoa disfarçada como terceira pessoa, e está tão próxima da consciência do narrador como a forma "eu", e não mais próxima da onisciência), o tom reflita necessariamente a personalidade do narrador. Mas o que é menos geralmente reconhecido é a frequência com que o narrador onisciente, ou semelhante a Deus, também tem uma personalidade muito particular, ou até excêntrica, mais ou menos como o caráter de Deus pode mudar (como o faz, por exemplo, do Antigo para o Novo Testamento), dependendo das necessidades e intenções dos seguidores da divindade. *Onisciente* significa apenas que tudo sabe, mas não sugere que esse olho que tudo vê seja imparcial, objetivo ou isento de preconceitos e opiniões — os quais, mais uma vez, são transmitidos através da escolha de palavras, do ritmo, do comprimento das frases, da dicção e assim por diante — sobre o que quer que esteja observando.

O conto "A cautionary tale", de Deborah Eisenberg, começa com uma cena em que um personagem (Patty) está se despedindo de outro (Stuart). Numa frase comicamente longa, complexa, clara e sensata, o narrador (que não apenas *não* é Patty, mas sabe muito mais do que ela, inclusive algumas coisas que ela acaba de ficar sabendo) revela suas ideias amadurecidas e por assim dizer acauteladoras sobre o tema da amizade. Ao mesmo tempo, muita coisa está sendo revelada sobre as circunstâncias dos personagens (Stuart está se mudando de um apartamento que dividiu com Patty); sobre suas diferentes naturezas (considere quanta informação é transmitida por aquele "irritantemente patético"); sobre a história da amizade de Stuart e Patty e sobre a inteligência analítica e as complexas sensibilidades morais de todos os envolvidos:

"Pare com isso, Stuart", disse Patty enquanto Stuart lutava com as malas, que eram pesadas demais para ele, ela pensou. (Quase tudo era pesado demais para Stuart.) "Ponha isso já no chão. Aliás", disse Patty, "aonde você vai? Você não tem para onde ir." Mas Stuart pegou-lhe a mão e segurou-a por um momento contra os seus olhos fechados, e apesar das muitas ocasiões em que Patty quisera que ele fosse embora, e das várias ocasiões em que tentara fazê-lo ir, apesar do fato de que ele estava mais irritantemente patético que nunca, desta vez ela não conseguiu pensar em nada, absolutamente nada de que ele pudesse estar tentando fazê-la se envergonhar, ou não se envergonhar, e assim lhe ocorreu que desta vez ele realmente partiria — que estava simplesmente dizendo adeus. Até agora, Patty nunca se dera conta de que o tempo é tão adesivo quanto o amor, e que quanto mais tempo você passa com alguém, mais é provável que se encontre com uma espécie de coisa permanente com que lidar, a que as pessoas se referem despreocupadamente como "amizade", como se isso esgotasse o assunto, quando a verdade é que mesmo que "seu amigo" faça alguma coisa irritante, ou que você e "seu amigo" concluam que vocês se detestam, ou que "seu amigo" vá embora e vocês percam o endereço um do outro, você ainda tem uma amizade, e embora ela possa mudar de forma, parecer diferente sob diferentes luzes, tornar-se um embaraço, um estorvo ou um sofrimento, ela não pode simplesmente deixar de ter existido, não importa quão profundamente se enterre no passado, de modo que tentativas de negá-la ou destruí-la não só constituirão traições da amizade, mas de maneira mais prática estão fadadas a ser infrutíferas, causando dano apenas para os seres humanos envolvidos e não para aquela selva viscosa (amizade) em que esses seres humanos se enredaram, de modo que se em algum momento no futuro você for querer não ter sido amigo de uma pessoa particular, ou se for querer não ter tido a amizade particular que você e essa pessoa podem ter um com o outro, então não se torne amigo dessa pessoa de maneira alguma, não converse com ela, não chegue perto dela, porque assim que você começar a ver alguma coisa do ponto de vista dessa pessoa (o que acontecerá inevitavelmente assim que você se colocar perto dela) as bases para uma compreensão mútua certamente vão escorregar sob os seus pés.

Mais uma voz de terceira pessoa estilizada e única — uma voz que sugere o vocabulário e a cadência de uma criança extremamente instruída, ligeiramente biruta e neurótica — narra *Two Serious Ladies*, de Jane Bowles. Aqui, essa voz está descrevendo o comportamento de crianças, mas seu tom não se alterará muito quando o romance passar a descrever as tímidas incursões na vida adulta tentadas por Christina e seus amigos. Observe como a voz se mantém hesitante entre uma enunciação elevada ("geralmente de natureza religiosa") e uma espécie de fala infantil simples (aquele *muito* em "tarde muito ensolarada"); é também como se o narrador ainda não tivesse aprendido o que se espera que um adulto (quanto mais um adulto onisciente) diga e não diga — por exemplo, a referência à gordura das pernas da pequena Christina.

> (Christina) tinha o hábito de enfrentar muitas lutas mentais — geralmente de natureza religiosa — e preferia estar com outras pessoas e organizar jogos. Esses jogos, em geral, eram muito morais, e com frequência envolviam Deus. Contudo, ninguém mais gostava deles e ela era obrigada a passar grande parte do dia sozinha ...
> 
> Numa tarde muito ensolarada, Sophie entrou para sua aula de piano, e Mary continuou sentada na grama ... Christina ... tirou os sapatos e as meias e ficou com uma curta anágua branca. Não era uma visão muito agradável, porque Christina nessa época era muito pesada e tinha pernas muito gordas ...
> 
> "Agora não tire os olhos de mim", disse ela. "Vou dançar uma dança de adoração ao sol. Depois vou mostrar que preferiria ter Deus e nenhum sol a ter o sol e nenhum Deus. Você entende?"
> 
> "Entendo", disse Mary. "Você vai fazer isso agora?"
> 
> "Sim, vou fazer isso aqui mesmo." Ela começou a dançar abruptamente. Era uma dança desajeitada e seus gestos eram todos indecisos. Quando Sophie saiu da casa, Christina estava no ato de correr para trás e para frente com as mãos postas em oração.

Mesmo as magistrais vozes de terceira pessoa dos grandes romances dos séculos XVIII e XIX não são, se atentamente examinadas, tão imparciais quanto talvez sejam em nossa lembrança. O famoso início de *Anna Karenina* que nos diz que "Todas as famílias felizes se parecem entre si;

as infelizes são infelizes cada uma à sua maneira"* não expressa um fato científico, mas uma opinião. A voz onisciente em Dickens sempre soa mais parecida com a voz de Dickens que com a voz de Deus, como aqui no início de *Dombey and Son*:

> Dombey sentou-se no canto do quarto escuro na grande poltrona junto da cama, e Son ficou quentinho, aconchegado num enxergão de vime cuidadosamente disposto num canapé baixo, bem em frente à lareira, como se a sua constituição fosse análoga à de um bolinho, e fosse essencial tostá-lo enquanto era muito novo.

O que espero ter conseguido mostrar é quanto espaço há, quanta variação existe, quantas possibilidades temos a considerar quando escolhemos como narrar nossos contos e romances. Decidir sobre a identidade do narrador e sua personalidade é um passo importante. Mas é apenas um passo. O que realmente importa é o que acontece depois — a linguagem que o escritor usa para nos interessar e nos envolver na visão e na versão de eventos que conhecemos como ficção.

---

* Liev Tolstoi, *Anna Karenina*, trad. João Gaspar Simões. Rio de Janeiro, Nova Aguilar, 1976.

## 6

## Personagem

Percebi que estava fazendo algo um pouco arriscado quando, no final da década de 1980, determinei que minha turma de graduação na Universidade de Utah lesse a novela *A marquesa de O.*, de Heinrich von Kleist. Nenhum dos meus alunos estava se especializando em literatura. A maioria era mórmon. Poucos tinham saído de Utah alguma vez, e nenhum ouvira falar de Heinrich von Kleist.

Se o conhecessem, ele os teria apavorado. Eles eram garotos americanos inteligentes, limpos, otimistas, e ele, um hipocondríaco alemão atormentado que, quando não estava escrevendo obras geniais, estava pensando em se suicidar e ansiando apenas pelo que chamava de um abismo profundo o bastante em que saltar. Finalmente encontrou uma mulher com uma doença terminal em quem reconheceu a companheira ideal. A enlevada relação foi forjada pelo sonho partilhado de um suicídio duplo, que finalmente levaram a cabo em 1811, em Berlim, às margens do lago Wannsee. A descrição desse suicídio — numa disposição de ânimo alegre, quase arrebatada, Kleist e Henriette Vogel levaram sua cestinha de piquenique aparentemente inocente para a margem do lago, de onde mais tarde foram ouvidos dois tiros — é um dos eventos mais inesquecíveis na biografia literária. Kleist tinha 35 anos.

A despeito da triste história de Kleist, pensei que meus alunos poderiam gostar de sua novela, que não é lá muito longa e tem uma trama tortuosa e arrebatadora, que nos atrai, imediatamente, com sua famosa primeira frase — talvez ainda mais impressionante que a abertura de "O terremoto no Chile", também de Kleist, citada num capítulo anterior:

> Em M., grande cidade no norte da Itália, a marquesa de O., senhora de reputação ilibada, viúva e mãe de vários filhos bem-educados, publicou a seguinte notícia nos jornais: que, sem que soubesse como, estava grávida; que gostaria que o pai da criança que daria à luz se apresentasse; e que estava decidida, em consideração à sua família, a desposá-lo.

Esta única frase contém mais trama e mais narrativa pura que muitos romances inteiros. Cada palavra é necessária para estabelecer o cenário da história e a estranha situação de sua protagonista. O nome da cidade e o da nossa heroína são reduzidos a iniciais, como poderiam ser se um escritor consciencioso estivesse tentando polidamente ocultar a identidade e a residência de uma pessoa real. E esse hábil estratagema é o primeiro dos muitos que serão usados para fazer o incrível parecer crível. Afinal — somos estimulados a pensar —, se essa incrível premissa *não fosse* verdadeira, por que o escritor se daria a tanto trabalho para proteger a privacidade da pessoa a quem o embaraçoso evento aconteceu? Não se trata de algo que alguém se preocuparia em fazer por um personagem que tivesse sido simplesmente *inventado*.

Estamos prestes a ser informados de qual foi o infeliz evento, de fato dentro da mesma frase. Mas primeiro ficamos sabendo o bastante sobre a marquesa — que ela tem uma reputação sem mancha e já é mãe — para dissipar quaisquer dúvidas que de outro modo poderíamos alimentar com relação ao que lemos em seguida: a saber, que ela está grávida e não tem a menor ideia de como tal coisa pode ter acontecido. A irrepreensibilidade de sua reputação e o fato de que está presumivelmente familiarizada com os fatos da concepção e do nascimento significam que não é nem inocente nem culpada demais para que duvidemos automaticamente da extraordinária afirmação que está fazendo.

Do outro lado dos dois-pontos, temos a própria afirmação, numa forma que presumivelmente resume e evoca o estilo jornalístico da notícia que ela publicou no jornal. Ficamos sabendo que está "grávida", com tão pouco conhecimento sobre como isso poderia ter acontecido que vem, com toda inocência, pedir ao pai da criança que não somente se declare como se *apresente*, e que ela não só pretende desposá-lo como sua intenção advém de consideração pelos seus. Essa primeira frase sugere os temas — família, decência, laços de afeição doméstica — que darão forma à narrativa à medida que avançarmos para a solução do mistério nela formulado, e para as consequências que atingirão todos os envolvidos quando este for finalmente solucionado.

Se tudo isso não fosse conteúdo suficiente para uma frase, há também os ecos religiosos e bíblicos que irão, ao longo da história, remeter ao mais famoso exemplo de uma mulher que engravida de maneira, pelo menos a princípio, desconcertante para ela e para os que a cercam (obviamente, a Virgem Maria). Por fim, a frase prefigura as súbitas guinadas da trama que ocorrerão à medida que cada evento ou revelação chocante afetarem as paixões, as esperanças e os medos dos personagens, o equilíbrio de poder entre eles e as lealdades complexas que os unem e os separam.

Ao final das três primeiras páginas, a ação recuou no tempo para descrever um cerco recente, uma batalha, o incêndio do castelo da marquesa, canhonada, tiroteio e caos generalizado. A marquesa quase é estuprada por um bando de soldados saqueadores, depois salva no último minuto por um galante oficial russo, um certo conde F. Ela desmaia, e seu herói retorna à batalha, em que é mortalmente ferido. De fato, a marquesa fica sabendo, ele foi morto antes que ela tivesse tido uma chance de lhe agradecer.

O que se segue é uma série de voltas e reviravoltas que não cessam de contrariar cada uma de nossas suposições e expectativas. A casta marquesa revela-se grávida, o falecido conde F. revela estar vivo, um cavalheiro em reluzente armadura revela-se um estuprador, um anjo revela-se um demônio que deverá se provar um anjo novamente. O terreno em que pisamos não para de se mover sob nossos pés, abalando nossa percepção de quem são os personagens, do que aconteceu, do que *irá* acontecer e do que *queremos* que aconteça. E podemos descobrir que nossa conhecida e confiável estrutura moral parece ter sido enfraquecida e abalada. Porque, ao final da novela, o leitor que sempre se achou muito seguro de que o estupro é um crime pode se ver estranhando que a marquesa demore tanto a aceitar como marido um homem que, como se revela, engravidou-a enquanto ela estava inconsciente e enquanto seu castelo era saqueado e incendiado.

Ainda que apenas por seu sabor de aventura de capa e espada, a história tinha mais chances de envolver meus alunos de Utah que, digamos, *Ulisses* ou *The Making of Americans*. Mas eu sabia que eles raramente liam algo escrito há tantos anos (a novela foi composta em 1806) ou cuja trama se movesse tão rapidamente que fosse preciso ler cada palavra simplesmente para acompanhar o que estava acontecendo.

Outro problema para meus alunos era que a tradução de Martin Greenberg havia conservado as frases complexas e sinuosas do alemão de Kleist, um estilo que até Thomas Mann chamou de

> ... duro como aço contudo impetuoso, totalmente prosaico contudo contorcido, sinuoso, sobrecarregado de assunto; um estilo cheio de involuções, periódico e complexo, que lança mão de construções como "de tal maneira ... que", que promove uma sintaxe ao mesmo tempo estritamente racional e ofegante em sua intensidade. Kleist consegue desenvolver um discurso indireto ao longo de vinte e cinco linhas sem apelar para um só ponto final: nesse discurso encontramos nada menos que treze orações subordinadas introduzidas por "que" e, ao final, um "em suma, de tal maneira que..." – que, no entanto, não encerra a frase, mas em vez disso dá origem a mais uma oração com "que"!

Apesar de meus temores quanto à reação que poderiam ter, determinei que meus alunos lessem a história. E o fiz em parte, admito, por um impulso travesso. É possível ler a novela como uma comédia zombeteira sobre sexo, religião, família, a imaculada conceição, guerra e paz, bem e mal, anjos e demônios — e eu sabia que meus alunos tinham sentimentos tão fortes sobre esses temas que poderiam não perceber o humor ali contido.

Finalmente, só para tornar as coisas ainda mais complicadas, há, perto do fim da história, uma cena em que a marquesa e seu pai têm uma apaixonada reconciliação após muitas brigas familiares dramáticas. Sentando-se em seu colo, a marquesa abraça e beija o exultante pai, enquanto a mãe ouve tudo detrás de uma porta fechada. Mesmo admitindo as diferentes maneiras e costumes de séculos passados, a forte insinuação de incesto na cena é imensamente perturbadora. Ao mesmo tempo, sentimos que Kleist está nos desafiando a pensar assim, parcialmente persuadindo-nos de que, como a mãe da marquesa parece pensar, não há nada de errado no que se passa entre a heroína e seu exultante pai. Assim, nosso mal-estar só pode ser produto de nossa própria imaginação corrompida.

Finalmente, Kleist nos permite transpor essa dificuldade — de fato ele nos faz transpor muita coisa, inclusive nosso juízo sobre a moral do conde F. Como toda grande comédia, a novela apela diretamente a nosso anseio quase primal de ver a ordem restaurada e a harmonia restabelecida. Se lemos a história até a conclusão, quando tudo é posto em ordem da maneira mais inteligente e satisfatória imaginável, nossa cautela em relação ao que estamos lendo desaparece (mais ou menos) e sentimos aquela pequena explosão de alegria que obtemos no final de uma comédia de Shakespeare, de uma ópera de Mozart ou na cena em que o casal que se enfrentou durante todo o filme romântico típico da década de 1940 finalmente abaixa as armas e admite que está apaixonado.

A turma, eu sabia, poderia ter tomado qualquer dos dois caminhos. Poderia ter sido um grande sucesso ou um grande fracasso.

Quando cheguei, na manhã marcada para discutir a novela, meus alunos já estavam em seus lugares. Enquanto tirava meu casaco, tentando ser o mais discreta possível para sondar o humor da turma, ouvi-os discutindo *A marquesa de O*.

Era como se a conhecessem, como se a família dela morasse na casa ao lado e eles estivessem surpresos ou chocados por saber que seus vizinhos haviam se comportado de determinada maneira. Perguntavam uns aos outros o que achavam das ações da marquesa em certa altura da trama, uma situação em que outra pessoa poderia ter agido de maneira diferente. Discutiam as reações dos pais dela. E aquela cena esquisita com o pai — que *era* aquilo? Comparavam o que esperavam que acontecesse, e como haviam descoberto depressa o que *tinha* acontecido e o que *ia* acontecer. Debatiam se a marquesa estava certa ao fazer o conde F. passar por tantos apuros, e se ela devia ou não tê-lo perdoado, mesmo depois de ter tido um filho dele.

Até então, eles não haviam sido um grupo especialmente loquaz. Em geral, antes da aula, ficavam em silêncio, apenas alguns conversando tranquilamente com os amigos. Mas agora tinham algo sobre o que falar: a vida e os amores da marquesa de O.

Naquela manhã de inverno, com as montanhas cobertas de neve de Utah elevando-se fora da janela, meus alunos haviam participado do que me pareceu um experimento triunfante sobre como a leitura pode nos aproximar. Quase 200 anos depois de Heinrich von Kleist e Henriette Vogel terem partido para seu piquenique final e de dois tiros terem soado nas margens do Wansee, 20 garotos de Utah haviam entrado em um outro mundo e conhecido a família a que Heinrich von Kleist dera vida com palavras.


Um dos aspectos inusitados do modo como Kleist cria seus personagens é que ele o faz inteiramente sem descrição física. Não há nenhuma informação, nenhum único detalhe, sobre a aparência da marquesa. Nunca nos é dito como é uma sala, ou qual podia ser a última moda, ou o que as pessoas estão comendo ou bebendo. Supomos que a marquesa é bonita, talvez porque sua presença exerce um impacto tão imediato e violento sobre o soldado russo que ele se descontrola por completo e se transforma de anjo em demônio. Mas essa é uma mera conjectura.

Kleist nos diz que tipo de gente seus personagens são — muitas vezes impetuosos, insensatos, excessivamente emotivos, mas essencialmente bons de coração — e depois os deixa correr pela narrativa na velocidade de brinquedos de corda. Não tem tempo para os seus motivos — e eles tampouco, à medida que lutam, como o leitor, para acompanhar o ritmo de uma surpresa atrás da outra.

Desde a primeira frase, sabemos que, a menos que estejamos dispostos a acreditar que mais uma imaculada conceição ocorreu em M., grande cidade no norte da Itália, essa história será pelo menos em parte sobre sexo. A todo momento, contudo, nos é dito que a história é sobre virtude e probidade, o que de fato também é. A partir da linguagem da abertura, pensaríamos ser a beleza moral o único tipo de beleza que conta. O que se espera que notemos e admiremos não é a aparência dessas pessoas, mas a decência e a boa consciência com que todos na história tentam agir, e agem — com algumas exceções dramáticas.

As primeiras páginas disparam uma saraivada de adjetivos sobre o tema da pureza e da nobreza: "senhora de reputação ilibada", "mãe de vários filhos bem-educados". Há uma referência à coragem da marquesa ao publicar um anúncio que provavelmente a exporia ao escárnio geral, e ao fato de que era "devotada de corpo e alma" ao marido, que morrera três anos antes, durante uma viagem de negócios a Paris.

Somos informados de que a marquesa passou sua viuvez "em estrito isolamento, ocupando seu tempo com a pintura, a leitura, a educação dos filhos e o cuidado para com os pais: até que a ___ Guerra encheu subitamente as vizinhanças com as tropas de quase todas as potências, inclusive as da Rússia". (Normalmente, Kleist mal nos dá tempo para tomar fôlego; há somente esses dois-pontos separando a existência tranquila da marquesa da deflagração da guerra.) Segue-se um longo parágrafo de frases complexas, enérgicas, cheias de ação, descrevendo o cerco do castelo, o quase estupro da marquesa e sua salvação. No meio de tudo isso, há uma frase curta que se torna cada vez mais importante à medida que a história continua. De fato, ela é essencial para compreendermos a conclusão, e mostra novamente com que atenção devemos ler Kleist para não perder nada.

A frase que cria uma espécie de silêncio, um momento de suspensão em meio ao furor da batalha, diz respeito à reação da marquesa diante de seu salvador, o conde F. "Para a marquesa ele pareceu um verdadeiro anjo caído do céu."

A ação imediatamente recomeça:

> Ele golpeou violentamente o rosto, com o punho de sua espada, do último dos brutos assassinos, cujos braços enlaçavam-lhe a esguia silhueta, e o fez cambalear para trás, sangue golfando da boca; depois, saudando-a cortesmente em francês, ofereceu-lhe o braço e conduziu-a, emudecida por tudo que sofrera, à outra ala da residência, que ainda não pegara fogo, onde ela desmaiou. Um pouco depois, quando as aias aterradas apareceram, ele lhes mandou chamar um médico; prometeu-lhes, ao pôr o chapéu, que ela logo se recobraria; e retornou à refrega.

Mesmo enquanto observamos essa cena dramática desenrolar-se, recebemos indicações sobre o caráter do conde: impulsivo e violento por um lado, corajoso e honrado por outro. E a forte primeira impressão que temos nos levará a subestimar os extremos a que sua natureza dupla o pode levar.

O pai da marquesa pede ao conde que fique para que a família possa lhe agradecer, mas ele parte a cavalo; depois chega a notícia de que foi morto, baleado na batalha. E a assombrada família fica sabendo que suas últimas palavras foram: "Julieta, com este tiro foste vingada!"

Em meio a seu próprio pesar por não ter agradecido o suficiente ao conde, a marquesa se apieda da infeliz mulher, de nome igual ao seu, em quem o conde pensou na hora final. Chega a tentar descobrir onde está essa dama, para entrar em contato com ela e retransmitir-lhe as trágicas notícias. Na defesa que Kleist está fazendo da inocência da marquesa, há ainda mais provas de que ela é crédula, ingênua e inteiramente ignorante de qualquer vínculo entre o conde e a gravidez de que ouvimos falar na primeira frase da novela. Ela não desconfia que essa Julieta, objeto do último grito do conde, é na verdade ela mesma. Tampouco pode imaginar qualquer razão para ter inspirado semelhante paixão.

Enquanto isso, leitores atentos perceberão que esta é a primeira vez que ouvimos o nome da marquesa — de fato, o único nome que ficamos sabendo na novela. Em contraposição, o irmão da marquesa nunca é referido senão como o "encarregado da floresta".

Certamente parece um pouco estranho para *nós*, se não para a marquesa, que as últimas palavras do conde refiram-se a outra mulher com nome igual ao daquela que acabara de salvar e que já o levara a se comportar tão impetuosamente. E, mesmo admitindo-se a exígua chance de que ele *esteja* se referindo a outra mulher, o que ele quer dizer ao gritar que o tiro que o mata vingará essa Julieta? Sem contar que, ao chamar a marquesa (ou qualquer outra mulher) pelo primeiro nome, ele sugere uma relação mais íntima do que aquela que (aparentemente) ocorreu quando a salvou dos soldados brutais. Portanto *deve* haver outra Julieta. Contudo... Sabemos que a marquesa está misteriosamente grávida, embora, no flashback que essa seção apresenta, ela própria ainda não o tenha descoberto. Tal como a marquesa e sua família, somos constantemente desafiados a pesar as evidências e considerar o que é possível, provável e impossível.

Nesse ponto podemos nos pegar voltando às páginas anteriores para verificar o que *aconteceu* entre Julieta e o conde F., que agora parece de fato o principal suspeito, na realidade o único, no mistério da gravidez da marquesa. Compreendemos que tudo deve girar em torno daquele momento da batalha logo depois que o conde a salva. Vamos então examiná-lo de novo:

> Ofereceu-lhe o braço e conduziu-a, emudecida por tudo que sofrera, à outra ala da residência, que ainda não pegara fogo, onde ela desmaiou. Um pouco depois, quando as aias aterradas apareceram, ele lhes mandou chamar um médico; prometeu-lhes, ao pôr o chapéu, que ela logo se recobraria; e retornou à refrega.

Nunca um escritor nos disse tanto e tão pouco nessa expressão temporal "um pouco depois". Se tomarmos Kleist como o que hoje chamaríamos de um escritor cinematográfico, este pode ser um dos mais magistrais *fades out* da história da literatura.

Seja como for, a marquesa logo é distraída de suas atribulações passadas quando começa a se sentir mal. Seus sintomas e sensações a fazem lembrar do que sentiu antes do nascimento do segundo filho. A partir daqui, sua reação à lacuna entre o que suspeita e o que sabe é tratada com tanta leveza e encanto que, se o testemunho enfático e repetido com relação a seu caráter e virtude já não nos tivesse convencido, não apenas seríamos impelidos a nos solidarizar com ela como desejaríamos agir de modo pelo menos semelhante numa situação similar. À medida que é obrigada a lidar com as próprias certeza e confusão crescentes, a marquesa fica ainda mais desconcertada pela perícia e o ceticismo do médico e da parteira, que são chamados para diagnosticar seu problema e corroborar sua suspeita. Se duvidamos de alguma coisa — ou de tudo isso —, esses personagens secundários são nossos representantes, expressando as reservas sensatas que qualquer pessoa racional poderia ter sobre a mãe de dois filhos que não sabe como engravidou.

Nessa altura o conde já começou a entrar e sair impetuosamente da casa, declarando seu amor eterno, pedindo à marquesa que se case com ele. E, mesmo sem sua ajuda, o humor na casa está se tornando mais volátil...

Já revelei demais da trama, mas o que estou tentando demonstrar é que Kleist nos diz exatamente o que precisamos saber sobre seus personagens, depois os solta numa narrativa que não cessa de girar até a última frase, que é quase tão complexa quanto a primeira e remete de volta a ela. A conclusão nos faz avançar rapidamente no tempo. A marquesa e o conde F. estão casados e felizes, já há algum tempo:

> Toda uma fileira de jovens russos seguiu-se ao primeiro; e quando o conde perguntou à esposa, num momento feliz, por que naquele terrível dia três do mês, quando ela parecia pronta a aceitar qualquer

vilão que aparecesse, havia fugido dele como se do Diabo, ela o abraçou e disse: ele não teria se parecido com um demônio então se não tivesse se parecido com um anjo ao surgir pela primeira vez.

O que quer que pensemos saber sobre a melhor maneira de criar um personagem, a literatura nos mostra que isso muda de escritor para escritor, às vezes de livro para livro. Mesmo os escritores aparentemente mais diversos revelam partilhar alguns talentos: por exemplo, a habilidade de criar um personagem secundário com apenas algumas pinceladas rápidas.

Assim, em *Razão e sensibilidade*, Jane Austen liquida de maneira rápida e quase brusca o sr. e a sra. John Dashwood, o meio-irmão e a cunhada que tratam suas meias-irmãs de maneira tão pouco caridosa depois de herdar todo o dinheiro da família:

> Ele não era um rapaz inamistoso, a menos que ser um tanto impiedoso e um tanto egoísta seja ser inamistoso: mas era, em geral, respeitado; pois se conduzia com decoro no cumprimento de seus deveres ordinários. Tivesse se casado com uma mulher mais agradável, poderia ter sido ainda mais respeitável; poderia ter sido ele mesmo mais agradável; pois era muito jovem quando se casou, e gostava muito da mulher. Mas a sra. John Dashwood era uma nítida caricatura dele mesmo — mais tacanha e egoísta.

Parte do que é tão encantador no parágrafo é que a narradora parece estar fazendo um esforço tão grande para ser justa e apresentar uma visão equilibrada dos John Dashwood que começa negando que ele seja "inamistoso", é apenas "um tanto impiedoso e um tanto egoísta" — adjetivos muito mais condenatórios que "inamistoso". Como o trecho seria diferente se Austen tivesse escrito, mais direta, mas menos elegantemente, que John Dashwood era impiedoso e egoísta. Em geral, o que o sr. Dashwood tem para recomendá-lo é o decoro (em contraposição, digamos, à generosidade ou à largueza de espírito) com que cumpre suas obrigações básicas. Novamente, no aparente interesse da justiça, a narradora explica como o sr. Dashwood poderia ter sido mais agradável se "tivesse se casado com uma mulher mais agradável". E quando ainda estamos distraídos considerando a verdade da observação sobre a rapidez com que os defeitos de um cônjuge podem se transferir para o outro, particularmente quando se casam jovens e estão apaixonados, e sobre como por vezes acontece de um cônjuge vir a parecer uma caricatura do outro, Austen faz a mira para o golpe final e efetivamente liquida a conivente sra. Dashwood. Desaparece qualquer simulacro de justiça: a sra. John Dashwood é simplesmente *mais* tacanha e *mais* egoísta.

Essa avaliação precisa é quase imediatamente corroborada pelos pensamentos e ações dos personagens. No parágrafo seguinte, encontramos o sr. Dashwood demonstrando o decoro mínimo pelo qual é tão respeitado, o que nesse caso significa não despejar a própria madrasta e as irmãs e obrigá-las a viver na rua.

> Quando fez sua promessa ao pai, cogitou dentro de si mesmo aumentar a fortuna de suas irmãs dando mil libras de presente a cada uma. Naquele momento realmente sentiu-se capaz disso. A perspectiva de quatro mil por ano, além de sua renda atual, afora a metade que restara da fortuna de sua própria mãe, enterneceram seu coração e o fizeram sentir-se capaz de generosidade. "Sim, poderia lhes dar três mil libras: seria liberal e generoso! Seria o suficiente para deixá-las completamente tranquilas. Três mil libras! Não lhe seria difícil ceder uma soma tão considerável." Pensou nisso o dia todo, e durante muitos dias sucessivamente, e não se arrependeu.

Em Kleist, como vimos, personagens tendem a ser definidos por suas ações. Mas Austen é mais propensa a criar seus homens e mulheres dizendo-nos o que *pensam*, o que fizeram e o que planejam fazer. O que mais importa é como o sr. Dashwood vê sua própria boa ação. Naquela maravilhosa frase mordaz em que tudo depende de uma expressão, *naquele momento* — "Naquele momento realmente sentiu-se capaz disso" —,

Austen insinua quanto tempo sua generosidade irá durar, por quanto tempo ele continuará desinteressado. O sr. John Dashwood emociona-se com sua caridade — que, é preciso enfatizar, *não* é de fato magnanimidade, mas justiça. Ele medita sobre sua benevolência com tanto amor-próprio e fatuidade, com uma percepção tão aguda de como suas ações serão vistas pelos outros, e com tanto pesar e obsessão não reconhecidos, que podemos facilmente imaginar com que força sua decisão resistirá à sugestão de sua mulher de que talvez tenha sido um pouco precipitada. *Essa* conversa desagradável tem lugar num parágrafo de discurso indireto que retrata brilhantemente as persuasões aparentemente delicadas, mas na verdade rudes, de alguém que manipula um cônjuge para induzi-lo a fazer o que ele próprio está bastante propenso a fazer, ainda que saiba que isso é errado.

A sra. John Dashwood não aprovou em absoluto o que o marido pretendia fazer pelas irmãs. Tirar três mil libras da fortuna do garotinho deles seria empobrecê-lo no grau mais pavoroso. Ela lhe suplicou que pensasse novamente no assunto. Como poderia ele em sã consciência roubar de seu filho, seu único filho, uma soma tão grande? E que direito poderiam ter as srtas. Dashwood, que eram só suas meias-irmãs, que ele nem considerava parentes, à sua generosa doação de tão grande quantia? Todos sabiam muito bem que não se esperava que existisse nenhuma afeição entre os filhos dos diferentes casamentos de um homem; e por que ele deveria se arruinar, e ao pobrezinho do Harry, dando todo o seu dinheiro para as meias-irmãs?

A sra. John Dashwood começa observando que o dinheiro em questão — as mesmas três mil libras que já vimos seu marido concluir que "não lhe seria difícil ceder" — é necessário e indispensável para o bem-estar de sua própria família. Não para *eles* dois, é claro, mas para seu filho, seu *único* filho, a quem esse gesto imprudente iria "roubar" e "empobrecer". Depois ela passa a tratar dos objetos de sua caridade, primeiro solapando os laços que o unem às irmãs. Ou, para fazer uma distinção crucial, *meias*-irmãs. Em seguida, apela para a autoridade geral, para "todos sabiam muito bem" que, mesmo que ele sinta afeição pelas irmãs, não deveria. E agora os riscos se elevaram à ruína dele próprio e do "pobrezinho do Harry" por dar "todo o seu dinheiro" a mulheres de quem ele mal é parente e de quem não se espera que goste.

Numa frase sublimemente maliciosa e positivamente mortífera, Austen transmite a profundidade e a amplitude do sentimento familiar da sra. John Dashwood: "A sra. John Dashwood nunca foi muito querida por nenhum membro da família do marido; mas até o presente momento não tivera oportunidade de lhes mostrar o descaso com o conforto dos outros que podia ter quando a ocasião o requeria."

É em reação a esse comportamento que a sra. Dashwood mais velha (isto é, a sogra da sra. John Dashwood) e suas três filhas, meias-irmãs de John, são definidas para nós. Austen as descreve e as diferencia em alguns parágrafos enérgicos. A emotiva sra. Dashwood quase foge de casa (que agora pertence a seu enteado), mas sua filha mais velha, Elinor — a criatura ajuizada que prepondera sobre a sensibilidade mais impetuosa das outras —, aconselha moderação:

> Elinor, a filha mais velha, cujo conselho era tão eficaz, possuía uma força de compreensão e uma serenidade de julgamento que a qualificavam, embora tivesse apenas dezenove anos, para ser a conselheira da mãe, e lhe permitiam com frequência neutralizar, para o bem de todas elas, a ansiedade da sra. Dashwood que teria geralmente levado à imprudência. Tinha um excelente coração; — sua disposição era afetuosa e seus sentimentos eram fortes; mas sabia como governá-los: era um conhecimento que sua mãe ainda tinha de aprender, e que uma de suas irmãs decidira nunca aprender.
>
> As aptidões de Marianne eram, sob muitos aspectos, quase iguais às de Elinor. Ela era sensata e inteligente, mas ávida em tudo; seus sofrimentos, suas alegrias não podiam ter nenhuma moderação. Era generosa, amável, interessante: tudo menos prudente. A semelhança entre ela e a mãe era notável.

Elinor via, com preocupação, o excesso de sensibilidade da irmã; mas a sra. Dashwood o apreciava e alimentava. Elas se estimulavam uma à outra agora na violência de sua aflição...

Margaret, a outra irmã, era uma moça bem-humorada, de boa vontade; mas como já havia assimilado bastante do romantismo de Marianne, sem ter muito de seu juízo, não prometia, aos treze anos, igualar as irmãs num período mais avançado da vida.

Em *Orgulho e preconceito*, Austen prova-se mestre em usar o diálogo para definir um personagem, para delinear a personalidade dos falantes e para nos informar sobre as pessoas de quem falam. Aqui está a primeira conversa entre o sr. e a sra. Bennet:

"Meu caro sr. Bennet", disse-lhe um dia sua esposa, "ouviu falar que Netherfield Park finalmente foi alugado?"

O sr. Bennet respondeu que não.

"Mas foi", replicou ela; "pois a sra. Long esteve aqui agora mesmo e me contou."

O sr. Bennet não deu resposta.

"Quer saber quem o alugou?", exclamou a esposa com impaciência.

"Você quer me dizer e não faço nenhuma objeção a ouvir."

Isso foi estímulo suficiente.

"Ora, meu caro, você deve saber, a sra. Long diz que Netherfield foi alugado por um rapaz de grande fortuna do norte da Inglaterra; que ele esteve aqui segunda-feira numa carruagem puxada por quatro cavalos para ver o lugar, e ficou tão encantado que chegou a um acordo com o sr. Morris imediatamente; que ele deve tomar posse antes do dia de são Miguel, e alguns de seus criados deverão estar na casa até o fim da próxima semana."

"Como ele se chama?"

"Bingley."

"É casado ou solteiro?"

"Oh! Solteiro, meu caro, com certeza! Um homem solteiro de grande fortuna; quatro ou cinco mil por ano. Que maravilha para nossas meninas!"

"Como assim? Como isso pode afetá-las?"

"Meu caro sr. Bennet", respondeu a esposa, "como pode ser tão maçante! Deve saber que estou pensando em casar uma delas."

"Ele tem planos de se estabelecer aqui?"

"Planos! Tolice, como você pode dizer isso! Mas é muito provável que ele venha a se apaixonar por uma delas, portanto você deve visitá-lo assim que chegar."

"Não vejo motivo para isso. Você e as meninas podem ir, ou você pode mandá-las sozinhas, o que será talvez ainda melhor, pois como você é tão bonita quanto qualquer delas, o sr. Bingley poderia achá-la a melhor do grupo."

"Meu caro, você me lisonjeia. Eu certamente tive o meu quinhão de beleza, mas não pretendo ser nada de extraordinário agora. Quando uma mulher tem cinco filhas crescidas, deve parar de pensar em sua própria beleza."

"Nesses casos, em geral uma mulher não tem muita beleza em que pensar."

"Mas, meu caro, você deve realmente ir visitar o sr. Bingley quando ele chegar à vizinhança."

"É mais do que prometo, esteja certa."

"Mas considere as suas filhas. Pense apenas que partido seria para uma delas. Sir William e lady Lucas estão decididos a ir, simplesmente por essa razão, pois em geral, você sabe, não visitam nenhum recém-chegado. Na verdade você tem de ir, pois nos será impossível visitá-lo se não o fizer."

"Você está sendo escrupulosa demais, com certeza. Ouso afirmar que o sr. Bingley ficará satisfeito em vê-las; e enviarei algumas linhas por você para lhe assegurar que consinto de bom grado que ele se case com qualquer das meninas que escolher; embora eu deva inserir uma palavrinha em favor de minha pequena Lizzy."

"Desejo que não faça tal coisa. Lizzy não é nadinha melhor que as outras; e tenho certeza de que não tem nem metade da beleza de Jane, nem do bom humor de Lydia. Mas você está sempre lhe dando a preferência."

"Nenhuma delas tem muito que a recomende", respondeu ele; "são todas tolas e ignorantes como outras moças; mas Lizzy tem mais sagacidade que as irmãs."

"Sr. Bennet, como pode ofender suas próprias filhas dessa maneira? Você se compraz em me irritar. Não tem nenhuma compaixão dos meus pobres nervos."

"Você se engana, minha cara. Tenho grande respeito pelos seus nervos. São meus velhos amigos. Ouço você mencioná-los com consideração há pelo menos vinte anos."

"Ah! Não sabe como eu sofro."

"Mas espero que você se restabeleça e viva para ver muitos rapazes de quatro mil por ano chegarem à vizinhança."

"De nada nos adiantará que vinte deles cheguem, já que você não os visitará."

"Acredite em mim, minha cara, quando forem vinte, visitarei todos."

O sr. Bennet era uma mistura tão peculiar de perspicácia, humor sarcástico, reserva e capricho que a experiência de vinte e três anos havia sido insuficiente para fazer sua esposa entender seu caráter. A mente dela era menos difícil de desvendar. Era uma mulher de inteligência medíocre, pouca informação e temperamento incerto. Quando estava descontente imaginava estar nervosa. A tarefa de sua vida era casar as filhas; seu consolo era fazer visitas e saber das novidades.

A calma indiferença com que o sr. Bennet responde à primeira pergunta da esposa ("respondeu que não") fornece uma ideia imediata e razoavelmente precisa de seu caráter. Levada à impaciência, ela diz o que ele esperava ouvir: a saber, que um jovem rico se mudara para a vizinhança. Quando a sra. Bennet exulta — "Que maravilha para nossas meninas!" — podemos supor que o sr. Bennet sabe a resposta antes de perguntar se o novo vizinho é casado ou solteiro. E está brincando com a mulher quando indaga: "Como isso pode afetá-las?"

Para que não fiquemos com uma impressão distorcida ou sombria do casamento dos próprios Bennet, o sr. Bennet elogia a mulher, sugerindo que é tão bonita quanto as filhas. De fato, como estamos descobrindo, eles vivem uma união harmoniosa, e na verdade toda a conversa, com sua intimidade, sua suave implicância e a referência zombeteira do sr. Bennet à sua velha amizade com os nervos da mulher, é um duplo retrato de um casal feliz. As palavras que trocam nos contam também quantas filhas eles têm, enquanto a sra. Bennet trabalha para seu real propósito, que é convencer o marido a visitar o recém-chegado sr. Bingley. Agora vem a avaliação carinhosa, mas um tanto dura, das filhas como "tolas e ignorantes", exceto por Lizzy — Elizabeth —, sua favorita, a heroína do romance.

O parágrafo seguinte estabelece o papel de Lizzy na família; ela não é nem tão bonita quanto Jane nem tão agradável quanto Lydia, mas é dotada de uma inteligência que lhe vale a afeição do pai. Austen nos convida a considerar uma verdade geral que podemos já ter observado sobre o tipo de moça que se torna a favorita do pai numa família de meninas. A inteligência de Elizabeth significa mais para o pai que para a mãe; esta talvez esteja mais ciente do fato de que a inteligência pode não ser uma virtude para uma moça que se espera casar.

Quando a cena termina, Austen resume o sr. Bennet, com seu temperamento peculiar, e sua consideravelmente mais simples esposa. E somos levados ao segundo capítulo, em que se revela que o sr. Bennet visitou o sr. Bingley, mas sem dar à esposa a satisfação de lhe contar que o fizera.

Se o método de Jane Austen é associar a cada personagem o equivalente a um tema musical e depois pô-lo para dançar minuetos ao som de ligeiras variações desse tema, George Eliot começa com aberturas enfáticas que introduzem as personalidades um tanto extraordinárias que povoam seus romances:

A srta. Brooke tinha aquele tipo de beleza que parece ser realçado por um traje inferior. Sua mão e punho eram tão lindamente formados que ela podia usar mangas não menos sem estilo que aquelas com que a Virgem Maria aparecia para os pintores italianos; e seu perfil, bem como sua estatura e porte, pareciam ganhar mais dignidade com suas roupas simples, que graças à moda provinciana lhe davam o efeito de uma bela citação da Bíblia — ou de um de nossos poetas mais antigos —, num parágrafo do jornal de hoje. Falava-se dela em geral como de notável inteligência, mas com o acréscimo de que sua irmã Celia tinha mais senso comum. Apesar disso, Celia quase não usava mais enfeites; e era só para observadores atentos que suas roupas diferiam das da irmã, e tinham um toque de coquetismo em seus arranjos; pois os trajes simples da srta. Brooke deviam-se a condições variadas, a maioria das quais sua irmã partilhava. O orgulho de serem damas tinha algo a ver com isso: as relações de parentesco dos Brooke, embora não exatamente aristocráticas, eram inquestionavelmente "boas": se examinássemos uma geração ou duas para trás, não encontraríamos antepassados que usassem fita métrica ou fizessem embrulhos — nada inferior a um almirante ou um clérigo; e havia até um ancestral discernível como um cavalheiro puritano que servira sob Cromwell, mas depois se conformara, e conseguira escapar de todos os percalços políticos como dono de uma respeitável propriedade familiar. Moças dessa extração, vivendo numa pacata casa de campo e frequentando uma igreja de aldeia tão pequena quanto uma sala de visitas, naturalmente viam roupas espalhafatosas como a ambição da filha de um mascate. Depois havia uma economia bem-educada, que naqueles dias fazia a ostentação nas roupas ser o primeiro item do qual se deduzir quando alguma margem era requerida para despesas mais características da condição social. Tais razões teriam sido suficientes para explicar as roupas simples, independentemente de todo sentimento religioso; mas no caso da srta. Brooke, a religião por si só as teria determinado; e Celia aquiescia brandamente a todos os sentimentos da irmã, apenas infundindo-lhes aquele senso comum que é capaz de aceitar doutrinas cruciais sem nenhuma agitação excêntrica. Dorothea sabia de cor muitas passagens das *Pensées* de Pascal e de Jeremy Taylor; e para ela os destinos da humanidade, vistos à luz do cristianismo, faziam as solicitudes da moda feminina parecer uma ocupação para o hospício. Ela não podia conciliar as ansiedades da vida espiritual, que envolvem consequências eternas, com um intenso interesse por protuberâncias cômicas e artificiais de fazenda. Sua mente era teórica, e por natureza ansiava por uma concepção elevada do mundo que pudesse francamente incluir a paróquia de Tipton e sua própria norma de conduta ali; era enamorada da intensidade e da grandeza, e apressava-se a abraçar tudo que lhe parecia ter esses aspectos; tendia a procurar o martírio, a voltar atrás, e depois a incorrer afinal em martírio num momento em que não o buscara. Certamente tais elementos no caráter de uma moça casadoura tendiam a interferir com a sua sorte, e a impedir que ela fosse decidida segundo o costume — pela boa aparência, a vaidade e a mera afeição canina. Com tudo isso, ela, a mais velha das irmãs, ainda não tinha vinte anos, e elas haviam ambas sido educadas, desde que tinham cerca de doze anos e haviam perdido os pais, em círculos ao mesmo tempo estreitos e promíscuos, primeiro numa família inglesa e mais tarde numa família suíça em Lausanne, seu tio solteiro e tutor tentando assim remediar as desvantagens de sua orfandade.

Poderíamos concluir que, em sua abordagem à criação de um personagem, Eliot é o oposto de Kleist, pois a primeira coisa que nos diz em *Middlemarch* é o aspecto de sua heroína e o que ela veste. De fato, somos tão rapidamente transportados da mera aparência para questões do espírito que o aspecto de Dorothea poderia quase parecer irrelevante, uma concessão formal à realidade que a romancista se sente obrigada a criar. Ao mesmo tempo, essas frases aparentemente diretas prefiguram sutilmente uma das principais descobertas que Dorothea fará mais tarde no livro: o fato de que os seres humanos são criaturas do corpo e das paixões assim como da mente e da alma.

Ao final desse substancial primeiro parágrafo, Eliot criou um personagem de grande complexidade, bem como todo um ambiente: "... moças dessa extração, vivendo numa pacata casa de campo, e frequentando uma igreja de aldeia." Comparou a natureza de Dorothea com a da irmã e forneceu, sobre a história de ambas, tudo o que era necessário para nos levar ao ponto em que o romance se inicia. Depois de nos dizer que as características que tornam Dorothea uma moça desejável como esposa podem ser prejudicadas pela intensidade de suas preocupações religiosas ("esperava-se que as mulheres tivessem opiniões débeis"), ela passa a transmitir as ideias da própria Dorothea sobre casamento: "O casamento realmente maravilhoso deve ser aquele em que o marido é uma espécie de pai, podendo lhe ensinar até hebraico, se você desejasse."

E assim o romance inicia a primeira e mais importante de suas várias explorações paralelas dos perigos de se obter o que se deseja, ou pelo menos o que se pensa que se deseja. No segundo capítulo, Dorothea terá encontrado um homem que promete ser o tipo de marido que imagina, o austero sr. Edward Casaubon, um clérigo local, consideravelmente mais velho que ela, que trabalhou durante anos numa obra volumosa e erudita intitulada *A chave para todas as mitologias*. Convidado para jantar na casa do tio de Dorothea, o sr. Casaubon não tem nenhuma participação na animada conversa, até que pronuncia o seguinte discurso — um parágrafo de diálogo que estabelece solidamente o seu caráter antes que os outros convidados tenham uma oportunidade de sopesar suas virtudes e defeitos, antes que Celia tenha tempo de dizer a Dorothea que ele é feio e bilioso, e antes que um outro amigo da família e competidor pela afeição de Dorothea comente com um vizinho que Causabon "não passa de uma múmia".

Perguntado se lera *Guerra peninsular* de Southey, o sr. Causabon responde:

"Disponho de pouco tempo para esse tipo de literatura no momento. Venho gastando minha vista com caracteres antigos ultimamente; o fato é que desejo um leitor para minhas noites; mas sou exigente em matéria de vozes, e não posso suportar ouvir um leitor imperfeito. É uma pena, em certo sentido: eu sinto demasiado a partir das fontes interiores; vivo demasiado com os mortos. Minha mente é algo semelhante ao fantasma de um ancião, vagando pelo mundo e tentando construí-lo mentalmente como era antes, apesar da ruína e de mudanças desconcertantes. Mas considero necessário usar a máxima cautela com relação à minha vista."

Era a primeira vez que o sr. Casaubon abria a boca. Ele se expressou com precisão, como se tivesse sido convocado a fazer uma declaração pública; e a equilibrada e monótona nitidez de sua fala, ocasionalmente acompanhada por um movimento de cabeça, tornou-se ainda mais evidente graças a seu contraste com o desmazelo fragmentário do bom sr. Brooke. Dorothea disse para si mesma que o sr. Casaubon era o homem mais interessante que já vira, sem excetuar sequer monsieur Liret, o clérigo de Vaud que dera conferências sobre a história dos valdenses.

As primeiras palavras que ouvimos de Casaubon são suficientes para que fiquemos receosos com sua pomposidade e presunção e perturbados com a impressão muito diferente que ele provoca em Dorothea. A carta em que ele pede a mão da moça tampouco nos tranquiliza muito sobre seu caráter. O impressionante não é apenas o que a carta contém, mas o que lhe falta: paixão, afeição, expressões carinhosas, o menor sinal de curiosidade ou interesse por quem Dorothea é. Não podemos deixar de notar quanto da carta é sobre a vida *dele*, o trabalho *dele*, os hábitos *dele*: quantas de suas razões para lhe propor casamento têm a ver inteiramente com *ele*. E não podemos ler a carta sem fazer o que nos é dito que Dorothea não pode, isto é, "encará-la criticamente como uma declaração de amor".

MINHA CARA SRTA. BROOKE — Tenho a permissão do seu tutor para dirigir-me à senhora sobre um assunto que me é da máxima importância. Confio não estar enganado ao reconhecer alguma correspondência mais profunda que a atual no fato de que a consciência de uma necessidade em minha própria vida surgiu simultaneamente com a possibilidade de vir a conhecê-la. Pois na primeira hora em que estive com a senhora, tive uma impressão de sua eminente e talvez exclusiva aptidão para suprir essa necessidade (relacionada, posso dizer, com essa atividade dos afetos que mesmo as preocupações de um trabalho demasiado especial para que se possa dele abdicar não puderam dissimular ininterruptamente); e cada oportunidade seguinte de observação deu à impressão uma profundidade adicional, convencendo-me enfaticamente dessa adequação que eu havia preconcebido, e evocando assim de maneira mais decisiva aquelas afeições a que há pouco me referi. Nossas conversas, penso eu, tornaram suficientemente claro para a senhora o teor de minha vida e propósitos: um teor incompatível, estou ciente, com a ordem mais comum das mentes. Mas discerni na senhora uma elevação de pensamento e uma capacidade de devoção que até agora não concebera ser compatível seja com a flor da juventude ou com aquelas graças do sexo de que se pode dizer que ao mesmo tempo conquistam e conferem distinção quando combinadas, como estão notavelmente na senhora, com as qualidades mentais acima indicadas. Confesso que perdera a esperança de encontrar essa rara combinação de elementos ao mesmo tempo sólida e atraente, adaptada para fornecer ajuda em labores mais graves e para conferir encanto a horas de ócio; e não fosse pelo evento de minha apresentação à senhora (que, permita-me dizer novamente, acredito não ter sido superficialmente coincidente com necessidades prenunciadas, mas providencialmente relacionada com elas como estágios rumo à conclusão de um plano de vida), eu deveria presumivelmente ter ido até o fim sem nenhuma tentativa de aliviar minha solidão por uma união matrimonial.

Esta, minha cara srta. Brooke, é a precisa expressão de meus sentimentos; e confio em sua bondosa indulgência ao aventurar-me agora a lhe perguntar até que ponto os seus próprios são de natureza a confirmar meu feliz pressentimento. Ser aceito pela senhora como seu marido e o guardião terreno de seu bem-estar será para mim o mais elevado dos dons providenciais. Em troca, posso pelo menos oferecer-lhe uma afeição até agora não dissipada e a fiel consagração de uma vida que, por mais breve que venha a ser, não tem páginas passadas em que, se escolher folheá-las, a senhora encontrará registros que possam justamente lhe causar amargura ou vergonha. Aguardo a expressão dos seus sentimentos com uma ansiedade que seria o papel da sensatez (onde possível) distrair com um trabalho mais árduo que o usual. Mas nessa ordem de experiência ainda sou jovem, e na antecipação de uma possibilidade desfavorável não posso senão sentir que a resignação à solidão será mais difícil após a iluminação temporária da esperança. Aconteça o que acontecer, serei sempre seu sinceramente devotado,

EDWARD CASAUBON

O casamento se realiza e em seguida alcançamos Dorothea em sua lua de mel em Roma, soluçando amargamente porque começa a compreender com que tipo de homem se casou: um deprimido mumificado, sem nenhum entusiasmo pelas vistas de Roma ou pela companhia da noiva. O pior é que ela vai percebendo que ele nem sequer realmente *iniciou* o grande livro que ela supostamente deveria ajudá-lo a escrever. Quando comete o erro de mencionar isso, a descortesia mal contida da resposta do marido — com seus adjetivos mordazes (*fácil, ignorante, infundado, impaciente*), sua referência aos espectadores e linguarudos que devem ser ignorados por "exploradores escrupulosos" como ele — nos convence de que estamos certos ao temer pelo futuro desse casamento. Sentimos que o teor defensivo e agressivo, ainda que "refreado pelo decoro", da resposta de Casaubon mostra exatamente como um homem desse tipo iria revidar e atacar violentamente ao se sentir desafiado:

"Meu amor", disse ele, com irritação refreada pelo decoro, "pode estar certa de que conheço as ocasiões e as estações adaptadas aos diferentes estágios de um trabalho que não deve ser medido pelas conjecturas fáceis de espectadores ignorantes. Havia sido fácil para mim obter um efeito temporário mediante uma miragem de opinião infundada; mas é sempre a provação do explorador escrupuloso ser saudado com o desprezo impaciente de linguarudos que tentam apenas as menores façanhas, não sendo de fato aptos para nada mais. E seria bom que todos esses pudessem ser advertidos a discriminar julgamentos cujo verdadeiro objeto está inteiramente fora de seu alcance daqueles cujos elementos podem ser abrangidos por um exame estreito e superficial."

Essa cena é seguida de perto pela conversa inteiramente diferente que Dorothea tem com o primo de Casaubon, o jovem artista Will Ladislau, que esbanja negligentemente palavras e conceitos — *sentimento, prazer, divertimento* — que simplesmente não pertencem ao vocabulário do sr. Casaubon. E assim começamos a intuir o dilema de nossa heroína: a necessidade de admitir que cometeu um erro acerca de si mesma, acerca do mundo e acerca do homem com quem se casou, e que deve reavaliar suas ideias da juventude sobre a importância relativa e a compatibilidade da bondade e da felicidade, do amor à boa vida e da autossuperação.

Nessas cenas, tanto Austen quanto Eliot conseguem estabelecer vários personagens complexos ao mesmo tempo, em parte através da narração e em parte através do drama e do diálogo, que nos permitem observar os personagens interagindo. Algo semelhante acontece no primeiro capítulo de *Educação sentimental*, de Gustave Flaubert, que nos apresenta ao rapaz e ao casal cuja relação triangulada formará o núcleo do romance. Apropriadamente para um livro em que o tempo e a história desempenham papel importante, somos inteirados de que são seis horas da manhã do dia 15 de setembro de 1840. Um barco repleto está prestes a singrar Sena acima a partir de um píer em Paris. Aqui está nossa primeira visão do herói do romance, Frédéric Moreau:

Um homem de dezoito anos, de cabelo comprido e com um caderno de desenho sob o braço, estava postado ao lado da cana do leme, imóvel. Através da neblina, contemplava campanários, edifícios cujos nomes não sabia; depois abraçou com um último olhar a Île Saint-Louis, a Cité, Notre-Dame; e logo, Paris desaparecendo, soltou um profundo suspiro.

Monsieur Frédéric Moreau, que acabara de obter seu bacharelado, retornava a Nogent-sur-Seine, onde deveria ficar ocioso por dois meses antes de ir estudar direito. Sua mãe o enviara para o Havre, dando-lhe apenas o dinheiro indispensável, para visitar um tio que, ela esperava, deixaria sua fortuna para o filho; ele voltara a Paris somente na véspera, e compensava a impossibilidade de permanecer na capital tomando o caminho mais longo para casa.

No primeiro parágrafo, o cabelo comprido, o caderno de desenho, o olhar, o suspiro dão-nos uma ideia bastante precisa de seu caráter romântico, assim como a indolência e o comodismo que o fazem preencher suas férias de forma "ociosa" e tomar o barco mais lento possível. O segundo parágrafo delineia os elementos essenciais de sua situação educacional, profissional, econômica e doméstica. À medida que o barco avança, navegando através da paisagem, os passageiros começam a relaxar. "Os ânimos se elevaram. Copos foram trazidos e cheios."

Agora retornamos a Frédéric, mais uma vez perdido em sua fantasia ensimesmada, significativamente convencido de que "a felicidade que sua nobreza de alma merecia demorava a chegar", e recitando poemas melancólicos para si mesmo para passar o tempo:

Frédéric pensou no quarto que ocuparia em casa, na trama de uma peça, em temas para pinturas, em amores futuros. Parecia-lhe que a felicidade que sua nobreza de alma merecia demorava a chegar. Declamou versos melancólicos para si mesmo; andou pelo convés a passos rápidos, avançou até a ponta, do lado do sino; — e num círculo de passageiros e marinheiros, viu um senhor que dizia galanteios a uma camponesa, enquanto brincava com a cruz de ouro que ela levava no peito. Era um sujeito grande de uns quarenta anos, cabelo crespo. Seu talhe robusto enchia uma casaca de veludo preto, duas esmeraldas brilhavam em sua camisa de cambraia e suas calças brancas folgadas caíam sobre um par de estranhas botas vermelhas de couro russo, decoradas com desenhos azuis.

A presença de Frédéric não o embaraçou. Virou-se para ele várias vezes, interpelando-o com piscadelas; depois ofereceu charutos a todos os homens à sua volta. Mas, certamente aborrecido com essa companhia, afastou-se. Frédéric seguiu-o.

A conversa girou de início sobre as diferentes espécies de tabaco, depois, muito naturalmente, sobre as mulheres. O cavalheiro de botas vermelhas deu conselhos ao jovem, expôs teorias, contou casos e citou a si mesmo como exemplo, desfiando tudo isso num tom de voz paternal, com uma malícia ingênua que era divertida.

Era republicano; havia viajado; conhecia os segredos dos teatros, restaurantes e jornais e todos os artistas célebres, a quem se referia familiarmente pelos prenomes. Frédéric logo lhe confiou seus projetos; ele os encorajou.

De repente ele se calou para examinar a chaminé do barco, e depois murmurou depressa um longo cálculo, a fim de saber "quanto cada curso de pistom, a tantos por minuto, devia...". Tendo encontrado a resposta, espraiou-se sobre as belezas da paisagem. Disse-se feliz por ter escapado dos negócios.

Frédéric sentiu certo respeito por ele e não resistiu ao desejo de saber-lhe o nome. O desconhecido respondeu num fôlego só:

"Jacques Arnoux, proprietário de *L'Art Industriel*, Boulevard Montmartre."

Um criado, com alamar dourado no boné, aproximou-se dele e disse:

"O senhor poderia descer, por favor? Mademoiselle está chorando."

Ele desapareceu.

*L'Art Industriel* era uma empresa mista híbrida, compreendendo uma revista de pintura e uma loja de quadros. Frédéric tinha visto o título várias vezes na vitrine da livraria de sua terra natal, impresso em enormes prospectos que exibiam o nome de Jacques Arnoux em grande destaque.

Assim, ao final deste trecho, conhecemos outro dos principais personagens do romance, o marchand e editor de revista Jacques Arnoux. Seus trajes — vistosos, caros, um pouco boêmios, a que não faltavam esmeraldas e botas de couro vermelho — são quase tudo o que precisamos saber, embora nos seja dado um pouco mais: a informação de que está distraindo um grupo de passageiros e marinheiros ao flertar publicamente com uma camponesa. É um exibido cujo status social lhe permite se comportar assim, tal como seu privilégio lhe permite oferecer charutos aos homens. Conhecemos homens como esse, amantes do luxo, esbanjadores, simultaneamente generosos e grosseiros. E ao longo de todo o livro vamos observá-lo tentando comprar atenção, amor e perdão.

Ele não fica, é claro, embaraçado com a presença de Frédéric. Eles se reconhecem um ao outro. São ambos da mesma classe social; daí as piscadelas conspiratórias e o fato de se afastarem juntos quando Arnoux se aborrece com as próprias palhaçadas. Quase deixamos passar esse momento, mas se o fizermos, estaremos esquecendo a observação de Flaubert de como marcas sutis de classe governam cada situação social, incluindo a escolha de com quem entabulamos uma conversa casual num barco.

Esse intercâmbio acrescenta mais uma camada à nossa impressão de Frédéric, que não se sente em absoluto repelido pela vulgaridade de Arnoux, mas, ao contrário (como qualquer rapaz como ele) encantado e lisonjeado quando esse viajante mundano e *bon-vivant* bem relacionado consente em conversar com ele. E quando é impelido a confiar seus próprios planos, que Arnoux "encoraja", pode praticamente ouvir o homem mais velho prestando-lhe apenas meia atenção. Tem a mente muito ocupada, atenta à chaminé do barco, à mecânica do motor, à beleza da paisagem e a seu próprio prazer na viagem. Somente agora Frédéric pergunta quem ele é, e num fôlego o homem anuncia não só seu nome como seu título. Ele é o próprio cartão de visita. A cena termina abruptamente de uma maneira que será repetida, com variações, mais tarde no livro. No lar de classe média de Arnoux, os pais são cuidadosos com o que acreditam serem as necessidades dos filhos. Essa contradição enriquece o caráter de Arnoux; o sofisticado homem do mundo sai às pressas porque a filha está chorando.

Deixado a sós, Frédéric volta a observar os outros passageiros, uma oportunidade para que registremos a atenção que presta ao modo como cada um se veste e, para Flaubert, de exibir seu particular talento para descrever cenas de multidão alvoroçada. No caminho de volta para seu assento na primeira classe, ele vê de relance uma mulher cuja beleza o arrebata. Nesse estado, projetará todos os seus sonhos, sentimentos e desejos — inclusive seu desejo mais forte, que é *ter* um sentimento — sobre a mulher. A mulher é madame Arnoux, a esposa do senhor com quem Frédéric conversou no convés, o homem que personifica tudo o que Frédéric quer ser, e que ninguém deveria querer ser. E agora a invejável posição do homem é solidificada aos olhos de Frédéric por ter ele uma esposa tão magnífica, tão desejável — uma mulher com quem Frédéric entra numa relação que refletirá sua primeira reação a ela no barco.

Foi como uma aparição.

Ela estava sentada no meio do banco, sozinha; ou pelo menos ele não distinguiu ninguém, no deslumbramento em que os olhos dela o lançaram. No momento em que ele passava, ela levantou a cabeça; ele se curvou involuntariamente; e quando chegou um pouco adiante, do mesmo lado, olhou para ela.

Usava um chapéu de palha de abas largas, com fitas cor-de-rosa que flutuavam ao vento atrás de si. Seus bandós negros ... pareciam acariciar o oval de seu rosto. Seu vestido de musselina clara, de bolinhas, espalhava-se em pregas profusas. Estava ocupada com um pequeno bordado; e seu nariz reto, seu queixo, toda a sua pessoa se recortavam contra o fundo azul do céu.

Como ela se mantinha na mesma posição, ele deu várias voltas à direita e à esquerda para dissimular sua manobra; depois plantou-se bem junto de sua sombrinha, pousada no banco, e fingiu observar uma chalupa no rio.

Ele nunca vira nada como esse esplendor de sua pele morena, a sedução de seu talhe, nem essa finura de dedos que a luz atravessava. Contemplou sua cesta de trabalho com assombro, como uma coisa extraordinária. Como era o seu nome, sua casa, sua vida, seu passado? Desejava conhecer os móveis de seu quarto, todos os vestidos que usara, as pessoas que frequentava; e até o desejo da posse física desaparecia sob um anseio mais profundo, uma curiosidade dolorosa que não tinha limites.

Estamos apenas na quarta página do romance e já temos uma impressão notavelmente completa de seus três personagens centrais, a que finalmente se reunirá um grande elenco de apoio. E nossa impressão dos três continua a crescer e mudar com tudo que os vemos dizer e fazer, e com tudo que lhes acontece.

Compreendo que tomei meus exemplos de obras de séculos passados, e que passagens igualmente úteis seriam colhidas de ficção contemporânea em que os personagens parecem, na superfície, mais semelhantes a nós. Na teoria, esses personagens — que vestem roupas modernas, dirigem carros como os nossos, fazem compras em supermercados e moram em nossas cidades e subúrbios — nos pareceriam mais familiares, mais compreensíveis, talvez mais interessantes. Mas acho que você enfrentaria dificuldades se quisesse convencer disso os meus alunos, naquela turma em Salt Lake City, naquela manhã de inverno em que discutiam a sua nova amiga, a marquesa de O.

# 7

## Diálogo

UMA DAS COISAS QUE ME LEMBRO de ter ouvido quando estava começando a escrever foi a seguinte regra: não se deve, e na verdade não se pode, fazer diálogo ficcional — conversa na página — soar como fala real. As repetições, expressões sem sentido, hesitações e monossílabos disparatados com que expressamos hesitação, juntamente com os clichês e banalidades que constituem tanto da conversa cotidiana, não podem e não devem ser usados quando nossos personagens estão conversando. Em vez disso, eles deveriam falar com muito mais fluência do que o fazemos, com maior economia e certeza. Diferentemente de nós, deveriam dizer o que têm em mente, ir direto ao ponto, evitar circunlóquios e digressões. A ideia, presumivelmente, é que o diálogo ficcional deveria ser uma versão "melhorada", arrumada e depurada da maneira como as pessoas falam. *Melhor* que o diálogo "real".

Então, por que tanto diálogo escrito é *menos* vívido e interessante do que aqueles que podemos ouvir por acaso, diariamente, no cibercafé, no shopping center, no metrô? Muitas pessoas têm um dom para o diálogo, que flui quando estão falando e seca quando são confrontadas com uma página em branco, ou quando tentam dar voz aos personagens ali.

Uma vez determinei que uma turma ouvisse conversas de estranhos às escondidas e transcrevesse os resultados. Decidi experimentar isso eu mesma, num café universitário. Dentro de momentos ouvi uma jovem contando ao seu companheiro sobre um sonho em que vira Liza Minelli usando um manto branco e uma coroa de estrelas, vestida de Rainha do Céu. O que tornava a conversa duplamente interessante era que a moça parecia estar romanticamente atraída pelo amigo e usando sua história como um meio de sedução, sem perceber que ele, até onde eu podia distinguir, era gay. Esse fato não deixava de ter relação com o intenso interesse que ele expressava por Liza Minelli, mais uma conexão que sua companheira estava preferindo não fazer.

Como esta, a maioria das conversas envolve uma espécie de sofisticada multitarefa. Quando nós, seres humanos, falamos, não estamos meramente comunicando informação, mas tentando causar uma impressão e alcançar uma meta. E às vezes estamos tentando impedir que o ouvinte perceba o que *não* estamos dizendo, que pode ser não apenas perturbador, mas, tememos, tão audível quanto o que *estamos* dizendo. Em consequência, o diálogo geralmente contém tanto subtexto quanto texto, ou mais. Mais coisas ocorrem sob a superfície do que nela. Uma marca do diálogo mal escrito é que ele faz apenas uma coisa, no máximo, de cada vez.

Um *bom* conselho que escritores iniciantes muitas vezes recebem é não usar o diálogo como exposição, inventando aquelas conversas canhestras, improváveis, artificiais em que fatos são transmitidos de um personagem para outro principalmente em benefício do leitor:

"Olá, Joe."

"Bom ver você de novo, Sally."

"Que anda fazendo, Joe?"

"Bem, Sally, você sabe, sou investigador de seguros. Tenho vinte e seis anos, moro na Filadélfia há doze anos. Sou solteiro e muito solitário. Venho a este bar duas vezes por semana, em média, mas até agora não conheci ninguém que me agrade em particular."

E assim por diante.

Em quase todos os casos, isso é um erro. Mas há, como sempre, exceções à regra, casos em que um escritor emprega o diálogo não tanto como exposição, mas como uma espécie de fórmula resumida que evita a necessidade de parágrafos inteiros de exposição.

*Um espião perfeito*, de John Le Carré, começa assim:

Nas primeiras horas de uma tempestuosa manhã de outubro numa cidade litorânea no sul de Devon que parecia ter sido abandonada por seus habitantes, Magnus Pym saiu de seu velho táxi rural e, tendo pago ao motorista e esperado até que ele partisse, atravessou a praça da igreja.

O parágrafo prossegue, por fim, acompanhando Magnus Pym, que, segundo somos informados, viajou durante 16 horas e está a caminho de uma de várias "mal-iluminadas pensões vitorianas". Finalmente Magnus Pym toca a campainha e é recebido por uma velha que diz: "Ora, sr. Canterbury, é o senhor."

Essa única linha de diálogo nos informa que Magnus Pym já esteve ali antes e, mais importante, está viajando sob um nome falso.

Mesmo quando escritores novatos evitam o tipo de diálogo que é essencialmente exposição enquadrada por aspas, o diálogo que de fato escrevem serve a um único propósito — isto é, fazer a trama avançar — em vez de servir aos numerosos fins simultâneos que pode promover. Para ver quanta coisa o diálogo *pode* realizar é instrutivo examinar os romances de Henry Green, em que muitos dos importantes desenvolvimentos da trama são transmitidos através de conversa.

Em toda a obra de Green, o diálogo fornece tanto texto quanto subtexto, permitindo-nos observar o amplo espectro de emoções que seus personagens sentem e exibem, o modo como dizem e não dizem o que têm em mente, como tentam manipular seus cônjuges, amantes, amigos e filhos, fazem cobranças emocionais, demonstram interesse sexual ou indisponibilidade, confessam e ocultam suas esperanças e medos. E tudo isso nos é transmitido em uma pequena conversa tão animada e interessante que só lentamente compreendemos como Green lançou largamente a sua rede, como penetrou profundamente. A obra de Green não apenas exige *close reading* como proporciona um paraíso para o leitor atento, que não pode deixar de se maravilhar com a riqueza de informação que cada linha de diálogo fornece e a precisão com que mostra as pessoas interagindo. Ninguém mais habita seus personagens tão plenamente, ou os escreve mais a partir de dentro, de modo que sentimos que cada linha dita por um personagem expressa as suas circunstâncias e seu estado emocional, e é inteiramente determinada por eles.

Nesta passagem de seu último romance, *Doting*, Annabel Payton, de 19 anos, convida Peter Middleton, um estudante dois anos mais novo que ela, para almoçar em um restaurante indiano barato perto de seu escritório. Annabel tem uma paixonite pelo pai de Peter — e o desajeitado e um pouco limitado Peter pode ou não saber disso —, e está tentando extrair dele informações sobre os pais. Palavra por palavra, o diálogo capta os ritmos de alguém tentando descobrir uma coisa sem revelar outra, de um interlocutor que não consegue parar de provocar até descobrir o que está procurando. É um modelo de investigação social levada a cabo por alguém que não se importa muito com a pessoa que está interrogando; apenas gostaria de evitar que esta formasse uma má ideia dela e que descobrisse o que está fazendo.

"Por acaso seu pai mencionou que saiu comigo uma tardes destas?", perguntou ela.

"Não", disse o menino com uma voz desinteressada. "Ele deveria?"

"Nós nos encontramos na rua. Sinto dizer que não posso me dar ao luxo de nada parecido com a magnífica refeição que ele me ofereceu."

"Mas curry é meu prato favorito", afirmou Peter. "Gostaria de comer isso todo dia. Você foi muito legal por ter me convidado."

"Não, porque realmente gosto de ver você. Me diverte. E você não faz ideia de como são poucas as pessoas de quem posso dizer isso. Embora, sabe, talvez possa dizer isso do seu pai. Ele é tão incrivelmente bonito, Peter."

Os dois caem numa risada zombeteira, ele com a boca cheia.

"Cuidado com o curry", ela advertiu. "Você vai espirrar tudo em cima de mim e da mesa."

Depois que se controlou, ele disse: "Bem, uma vez comi um figo verde que parecia exatamente a cara do papai."

Após uma breve pausa para discutir um amigo comum, Annabel persiste:

"Seus pais ainda estão apaixonados?", perguntou.

"Minha mãe e meu pai? Meu Deus, acho que sim. Os seus estão?"

"Nem um pouquinho. Não."

Peter continuou comendo.

"Eles nem dormem no mesmo quarto."

Annabel descreve as intermináveis brigas dos pais e pergunta a Peter se os pais dele são assim, depois continua:

"Há quanto tempo eles estão casados?"

"Meu Deus, não me pergunte. Não faço ideia."

"No geral, imagino que eles continuam muito apaixonados", ela sugeriu.

"Acho que sim."

"Você não lhes contará que mencionei isto, não é?"

Algumas linhas depois, Annabel pergunta a Peter se ele acha sua mãe bonita.

"Acho", ele respondeu, de maneira um tanto brusca. "Realmente."

"Eu também", ela ecoou, mas numa vozinha triste. "Ela tem tudo. Cabelo, dentes, pele, aqueles olhos afastados. Por qualquer padrão, seu pai é um homem de muita sorte."

"Por quê?"

"Por ter uma mulher assim, é claro. Você diria que ela gosta de mim, Peter?"

"Bastante, sim. Não tem por que não gostar, não é?"

"É, não tem", concordou ela com displicência.

É difícil nos limitarmos a discutir apenas uma cena da obra-prima de Green, *Loving*. Como escolher a passagem que melhor ilustra a sutileza, a profundidade, a originalidade e a complexidade com que Green usa a conversa para construir o caráter de seus personagens e contar a história minimamente dramática, contida, que, graças ao diálogo, parece positivamente fascinante? De fato, seria bom que aspirantes a escritores de diálogo lessem atentamente todo o romance sobre um grupo de criados (ingleses, em sua maioria) – e, em segundo plano, seus patrões – de uma propriedade na Irlanda durante a Segunda Guerra Mundial. Uma razão por que é difícil parar de citar esse livro é que cada cena continua girando em pequeninos e deliciosos incrementos, e parece injusto privar o leitor do próximo maravilhoso desenvolvimento.

Em um momento tocante, docemente cômico, intricadamente coreografado, as duas bonitas e jovens criadas, Edith e Kate, vão à praia com o copeiro, Albert, que é ajudante do mordomo, Raunce. Eles levam as três crianças de quem foram encarregados de tomar conta, uma das quais também se chama Albert. Albert de Raunce, como é chamado, é um rapaz melancólico, acanhado, que alimenta um amor não correspondido por Edith – que, por sua vez, está apaixonada por Raunce.

Na hierarquia da propriedade, um sistema de castas em que as gradações de posição social e influência são precisamente calibradas, Edith gosta do poder (pelo menos o poder de provocar) que tem sobre Albert. Mas, compreensiva e decente, não deseja feri-lo. Como ela diz a Kate em uma cena posterior, Albert sofre de "amor juvenil", um conceito de que Kate zomba como algo frívolo e que toma tempo demais para trabalhadores como eles. Edith explica sua amabilidade como a comiseração que se poderia sentir por um camundongo cuja patinha ficou presa numa engrenagem.

Ao mesmo tempo, algo extremamente complexo está sendo sugerido aqui: a saber, a ideia de que Edith vê até certo ponto com bons olhos a atenção de Albert porque um novo amor a tornou mais aberta para os prazeres e as possibilidades do mundo, inclusive os eróticos — uma observação sofisticada a partir da vida, contrária à ideia consagrada de que o início do amor sempre nos torna mais exclusivos, mais monogâmicos, mais fixados no ser amado.

Até a cena na praia, Albert mal disse uma palavra sobre si mesmo, muito menos sobre suas origens ou história pessoal. O livro tampouco nos deu muita informação sobre o rapaz, a não ser para dizer que é louro e com frequência parece doente — embora sua real enfermidade, suspeitamos, seja um caso agudo de embaraço e saudade de casa, e não algum mal físico.

O tranquilo interlúdio na praia é imediatamente precedido por um pequeno episódio mais ruidoso envolvendo as três crianças, um caranguejo agressivo "de bom tamanho", e um cachorro enervado chamado Peter, que Albert chama de canalha, esquivando-se dele de modo um pouco ignominioso. Agora, para proteger o terno de sarja novo em folha que (sem dúvida para agradar Edith) Albert inconvenientemente vestiu para ir à praia, a atenciosa Edith o convida para se deitar ao lado dela sobre a sua capa de chuva. Ela se senta para vigiar as crianças, e Kate tira uma soneca ao lado deles, ao sol. Como é somente uma capa de chuva, estão muito próximos, embora Edith tenha deixado claro que só estão tão próximos em atenção ao terno — o que, sentimos, é exatamente o tipo de pensamento e conduta típico de Edith.

> Ele se deitou ao lado dela, enquanto ela se manteve sentada empertigada para ficar de olho nas crianças.
> "Tenho uma irmã, lá em casa", disse ele em voz baixa.
> "Quê?", perguntou ela, indiferente. "Não posso ouvi-lo, com o mar."
> "Tenho uma irmã que trabalha numa fábrica de aviões", começou ele. Se ela o ouviu, não deu nenhuma indicação. "Nós a chamamos de Madge. Tem de trabalhar um número horrível de horas."

Ele estava deitado de bruços, voltado para a areia, enquanto Edith olhava o oceano.

"Só me restaram ela e a mamãe agora", continuou ele. "Meu pai morreu um ou dois meses antes de eu vir para cá. Ele trabalhava numa loja de frutas em Albany Place. Um câncer o levou."

Quando ele se calou, o agitado Atlântico reverberou em seus ouvidos.

"O sr. Raunce escreve para a mãe dele", continuou, "e nunca recebe uma resposta. E eu escrevo para a minha, faço isso toda semana desde que esse terrível bombardeio começou, mas nunca recebo uma resposta, mas cada vez que ele passa eu tenho medo de que a hora da minha mãe e da minha irmã tenha chegado. Lendo os jornais, a gente diria que não sobrou nada na velha cidade."

"Aquele menino Albert", gritou Edith contra o mar, "era melhor não tê-lo trazido."

Albert de Raunce olhou sobre o seu ombro para o outro lado de Edith, mas não viu como seu xará estava se comportando mal.

"Você entende, sem papai eu me sinto responsável", tentou ele de novo, em voz alta. "Sei que sou jovem, mas estou ganhando dinheiro, e de vez em quando penso que devia voltar e cuidar delas. Não que eu não mande a maior parte do meu salário toda semana. Faço isso, é claro."

Um silêncio caiu entre eles.

"Como você disse que sua irmã se chama?", perguntou Edith.

"Mamãe a batizou de Madge", respondeu o rapaz. Tentou dar uma olhadela em Edith, mas ela não estava olhando para ele. "Para lhe dizer a verdade", continuou ele, "andei me perguntando: 'qual seria a coisa certa?' Pensei que você podia me aconselhar." Olhou para ela de novo. Desta vez ela estava realmente fitando-o, embora ele não pudesse entender a expressão de seus enormes olhos atrás do galho negro de teixo de seu cabelo soprado pelo vento.

Ele desviou os olhos mais uma vez. Falou com o que parecia ser amargura.

"É claro que sou novo, eu sei", disse ele.

"Bem, não é que elas tenham escrito pedindo isso a você, não é?" perguntou ela, ao que ele se virou e se deitou de lado para fitá-la. Ela olhou para o mar novamente.

"Não, mas elas não são assim. Mamãe sempre gostou mais de esfregar a casa que de pegar em uma caneta. Madge é a mesma coisa. É difícil saber o que é o melhor", concluiu ele.

"Eu ficaria no meu lugar", disse ela, falando imparcialmente. "Afinal, você está aprendendo um ofício. Se algum dia você for convocado para o Exército, poderia ser um ordenança. Estamos bem, aqui."

"Então você não liga muito para o que andam falando sobre essa invasão? Se há uma coisa que eu não quero é ser prisioneiro dos alemães."

"Ah, isso é tudo conversa fiada, na minha opinião", respondeu ela. "A gente não tem que prestar atenção. Ah, meu Deus", disse ela, "isto não está muito aborrecido para um piquenique? Olhe só", e inclinou-se sobre ele, "vamos ver se conseguimos animar a velha Kate."

Ela pegou um pedacinho de palha jogado a seu lado e em seguida baixou toda a parte superior de seu corpo sobre o dele, apoiando-se no cotovelo entre ele e a moça adormecida. Sua boca estava aberta num riso mudo e ele pôde ver o céu da boca úmido e vermelho quando ela esticou o braço para fazer cócegas nas sobrancelhas cor de areia de Kate.

O rosto de Kate se contraiu. Seu braço, que estava estendido, a palma branca para cima, ao longo do musgo de um verde intenso, lutou para se erguer como se preso à superfície de um pântano. Depois, ainda adormecida, ela se virou abruptamente até mostrar a outra face, amassada, sobre a qual estivera deitada. Murmurou uma vez em voz alta: "Paddy."

Ao ouvir isso Edith pôs-se a soltar risadinhas, levando a mão, ainda com o pedaço de palha, até a boca, enquanto, com olhos marejados, olhava diretamente os de Albert abaixo de si. Ele permaneceu quieto e amarelo, com um sorriso forçado. Isso a fez erguer-se subitamente.

"Não sabe nem brincar?"

"Bem, vocês formam um lindo par, sem dúvida", disse Kate, e bocejou. Viram que ela estava se sentando para rearranjar seus cachos de estopa.

"Não tão engraçados como você, pode acreditar", respondeu Edith afastando-se de Albert. Ele se virou de bruços de novo, de frente para a Irlanda.

"Que foi que eu fiz agora?", Kate quis saber. "Será que uma moça não pode nem tirar um cochilo?"

"Esqueça isso, querida", disse-lhe Edith.

"Não sei se quero esquecer", respondeu Kate. "Não é bom descobrir que estão zombando da gente quando a gente está dormindo."

"É só que você revelou o seu amor", disse Edith docemente.

"Que foi que eu disse?"

"Você chamou um nome."

"Só isso?", exclamou Kate, enrubescendo, o que era inusitado nela. "Ora, pelo rebuliço que vocês fizeram deitados um nos braços do outro, seria de imaginar que poderia ser uma coisa séria."

"Não estávamos", disse Albert bruscamente, torcendo a cabeça para ela. Seus olhos não pareciam ver.

"Oh, está certo, vamos deixar passar", respondeu Kate. Seu rubor desaparecera. "Mas ouçam-me, o que eu testemunhei foi o bastante para fazer essas queridas crianças olharem duas vezes se tivessem notado."

"Deixe-o em paz", disse Edith com indiferença.

Observe como a confissão de Albert principia: desajeitado, falando indistintamente, abrupto, começando com a irmã. Talvez tenha a esperança, embora possa nem ter consciência disso, de que a irmã, o membro da família de idade mais próxima à de Edith, seja quem tem mais probabilidade de despertar seu interesse. Edith não o ouve; durante todo o tempo, o sentimentalismo que sua história beira é solapado pela suave comédia com o fato de que Edith não está lhe dando sua completa atenção, embora perceba mais ou menos o que está dizendo. É uma atitude que assume em parte porque tem um serviço a fazer — vigiar as crianças que brincam na orla do mar —, em parte porque está poupando o rapaz do constrangimento que o olhar e as perguntas diretas poderiam lhe causar, em parte porque não está com disposição para tratar do tormento pessoal de Albert, e finalmente porque tem outras coisas em mente, a saber, seu caso com Raunce e o bombardeio da Inglaterra pelos alemães.

Na vida, é raro que sejamos realmente capazes de ouvir e que encontremos alguém que nos ouça. No entanto, é inusitado encontrar o fenômeno mais comum — a desatenção — aparecendo na página impressa. Geralmente, em ficção, um personagem fala e o outro ouve, e, tendo ouvido e compreendido, responde. Assim, a fidelidade ao modo como a desatenção opera na realidade é mais um aspecto em que o diálogo de Henry Green pode nos impressionar como mais próximo ao que observamos na vida real que o diálogo que lemos na obra de outros escritores.

Um escritor menos seguro nunca permitiria a um personagem refrasear e repetir a si mesmo (excessivamente real!), mas Green faz Albert começar de novo, desta vez dando um nome à irmã, Madge, e informando à trabalhadora Edith sobre o emprego de Madge na fábrica de aviões e sua longa jornada de trabalho. A escolha de palavras é perfeita: "Tem de trabalhar um número horrível de horas." O estilo de Green nunca vacila quando Albert (ainda sem conseguir desviar a atenção de Edith do oceano e das crianças) resume vivamente a morte do pai, sem se deter nos detalhes, exatamente como, sentimos, faria um rapaz como ele: "Um câncer o levou."

Albert faz um grande progresso, ou chega o mais perto que pode disso, com a menção de Raunce (nome que sem dúvida prende a atenção de Edith) e das cartas deste para a mãe. Albert diz a Edith que está preocupado porque sua própria mãe e irmã não respondem às suas cartas ("medo de que a hora da minha mãe e da minha irmã tenha chegado"), uma ansiedade exacerbada por sua análise do que os jornais dizem sobre o bombardeio. O leitor sente a pressão forçando Albert a pôr isso para fora, e o alívio que deve sentir quando finalmente confia em *alguém* — uma pessoa que parece mais velha, mais sensata, capaz de dar o conselho que ele está prestes a pedir, uma pessoa em quem ele não apenas confia, mas por quem está apaixonado. Além disso, a passagem apreende com eficiência algo que reconhecemos a partir de nossa experiência, por mais diferente que ela seja da de Albert — a saber, o modo como o amor e a atração podem nos inspirar a ser mais loquazes acerca de nós mesmos e a dizer mais verdades do que talvez pretendêssemos.

Mal Albert se desabafa, Edith demonstra que, durante todo esse tempo, estivera concentrada nas crianças, particularmente o xará malcomportado, cuja indisciplina o Albert mais velho poderia tomar como uma censura indireta a ele mesmo, graças a seu nome partilhado. Albert continua, apesar das dificuldades, com a referência muito ligeiramente vaidosa (mais uma vez, lembre-se de que ele está falando com uma moça bonita que quer impressionar e comover e cujos conselhos deseja) a si mesmo como um jovem cidadão assalariado, que envia seu salário semanal para casa, de maneira generosa e responsável. Mas também isso é acolhido com silêncio.

É esse silêncio que estimula Edith a perguntar o nome da irmã de Albert. É precisamente o tipo de reação que nós mesmos temos quando perdemos o fio de uma conversa e nos damos conta de repente de que nos fizeram uma pergunta e temos de responder. Agora vem a referência ao batismo e a menção ao fato de que as coisas foram feitas com a devida cerimônia. Quando também isso fracassa em extrair grande coisa de Edith, Albert por fim pede diretamente um conselho sobre a coisa certa a fazer — isto é, se deveria ou não deixar a propriedade e voltar à Inglaterra para cuidar de sua família.

Mesmo lendo atentamente, é difícil dizer como exatamente Green nos deixa saber (como de fato sabemos) que este é o tipo de situação em que quem fala não quer realmente conselho, mas sim ser tranquilizado; que Albert não está nesse momento pensando seriamente em deixar a mansão e voltar para a cidade — o que ele quer é que a mulher mais velha e atraente a seu lado lhe diga que a inação não seria errada, que ficando ele não prejudicará a mãe e a irmã. Ou talvez esteja procurando, embora realmente *saiba* que não há, alguma indicação de que Edith gostaria que ele ficasse.

De todo modo, a franqueza de seu pedido foi suficiente para fazer Edith finalmente se virar e fitá-lo com uma expressão perplexa, e agora é Albert quem desvia os olhos, dizendo, "com o que parecia ser amargura", que é claro que ele é novo, ele sabe. Sua declaração é carregada de significado e ambiguidade. Estaria querendo dizer que é jovem demais para ser de grande ajuda para a mãe e a irmã? Que sua presença praticamente não fará diferença? Que é muito inexperiente para tomar uma decisão desse tipo? Jovem demais para que Edith o leve a sério e lhe dê mais que o interesse oblíquo que lhe mostrou? Ou apenas que se sente tolo por ter falado? Se Edith quisesse que ele ficasse, ele o teria visto em seu rosto. (Embora, mais tarde no romance, quando Albert anuncia seu plano de fugir e se alistar como artilheiro, os criados, inclusive Edith, fiquem quase fora de si de ansiedade.)

Agora o tom de Albert obriga Edith a responder, mas antes de fazê-lo ela desvia os olhos novamente, falando para o oceano. E dá o tipo de conselho que todos nós oferecemos, por vezes: uma ajuda que não é realmente ajuda, mas antes o oferecimento de uma maneira de a pessoa se safar e não ter de pensar sobre a própria situação. Nem Albert se deixa convencer. Explica que sua família não escreveria, não podia escrever, um fato que reflete a suposta premissa de toda a conversa: a inquietação de Albert por não ter recebido uma carta dos parentes, que, agora ficamos sabendo, não tenderiam a responder e de fato seriam incapazes de fazê-lo.

A atenciosa Edith não aponta a incoerência, mas intui que Albert está buscando alguma resposta sensata, lógica e definitiva de uma pessoa ligeiramente mais velha, de preferência uma mulher bonita. Diz ao pobre Albert o que ele quer e precisa ouvir: que não é preciso que ele parta, que ele está fazendo a coisa certa. E conclui com o que ele *realmente* quer ouvir, o que ele buscou o tempo todo, aquelas quatro palavras, aquele "Estamos muito bem, aqui" final. E agora a verdadeira fonte da ansiedade de Albert emerge, o medo da invasão e de ser aprisionado pelos alemães, uma preocupação que Edith descarta como conversa fiada, embora essa possibilidade e a incerteza do futuro sejam um assunto sobre o qual Edith, Kate e os demais empregados tenham se atormentado ao longo de todo o romance.

Quebrando o encanto desse momento de relativa intimidade, Edith inicia uma dessas maravilhosas guinadas que impelem a cena: "Ah, meu Deus", diz ela, "isto não está muito aborrecido para um piquenique?" Albert acaba de abrir seu coração para ela, e Edith está chamando isso de *aborrecido*? Edith não é cruel ou insensível, mas está farta; quer que essa confissão não solicitada e perturbadora termine. E possivelmente está até experimentando aquela irritação passageira que nós mesmos podemos sentir quando alguém obscurece nosso belo dia mostrando-nos mais solidão e dor do que queremos ver. Ela deseja que Kate acorde agora, que venha em sua ajuda, que a alivie do peso do amor oculto do jovem Albert.

Inclinando-se para fazer cócegas em Kate, Edith debruça-se sobre Albert, tão perto que ele pode ver o céu de sua boca "úmido e vermelho" quando ela ri. Como sabemos a essa altura, as criadas partilham uma intimidade física relaxada e polimorfa; são perfeitamente capazes de se despir e ir para a cama juntas. A desenvoltura de Edith com Albert não passa disso. Ao mesmo tempo, é uma consequência da proximidade que partilharam e talvez uma punição por ela. É também um pouco de sarcasmo sexual, a expressão de uma espécie de dominância, uma demonstração do que Edith pode fazer se quiser. O gesto não significa nada para ela, por mais que possa significar para o apaixonado Albert.

Só quando olha para baixo e o vê "quieto e amarelo, com um sorriso forçado" Edith compreende o que fez, que seu gesto teve um efeito sobre ele, que o corpo sob o seu pertence a um ser humano. Essa compreensão a inspira a perguntar com impaciência, e com todo o rancor que consegue reunir — "Não sabe nem brincar?" Não poderia o rapaz ter a linda moça que ele adora deitada em cima dele sem acreditar ou desejar que isso significasse alguma coisa? Ou sem ficar excitado, uma possibilidade sugerida pela rapidez com que, uma vez libertado, ele se vira de bruços?

Kate, ao que parece, estava sonhando com Paddy, o irlandês quase incapaz de falar que toma conta do bando de pavões que enfeita a propriedade. Essa revelação pode nos inspirar a voltar algumas páginas no romance, notando apenas agora os casos anteriormente não observados (por nós, isto é) em que Kate pergunta a opinião de Paddy quando a criadagem está discutindo alguma coisa, ou em que ela se revela a par da rotina diária dele. Kate está irritada por ter sido acordada, e Edith caçoa dela por ter dito um nome, o que faz Kate corar e lançar um contra-ataque zombeteiro, como as pessoas fazem nessas situações. "Ora, pelo rebuliço que vocês fizeram deitados um nos braços do outro, seria de imaginar que poderia ser uma coisa séria."

Alguma coisa *séria*? Kate não pode imaginar quanto território emocional e romântico sério foi coberto durante seu pequeno cochilo. Mas agora é Albert que o nega, o orgulho do rapaz erguendo-se bruscamente em sua própria defesa quando ele tem de admitir quão pouco a conversa significou para Edith, por mais que possa ter significado para ele. Mais uma vez, a escolha de palavras de Green parece perfeita. Pois, estritamente falando, a negação do "poderia ser uma coisa séria" deveria ser "não era". Mas, significativamente, Albert responde outra coisa na terceira pessoa do plural. "Não estávamos." Não estávamos o *quê*? O leitor sabe, mas não pode explicar. Mesmo para *tentar* explicar precisaria repetir cada palavra da cena anterior em que cada palavra expressou tanto.

Confrontada com o fato de ter dito um nome, Kate enrubesce, o que a embaraça ainda mais, e a faz querer ter a última palavra sobre o rebuliço que Edith e Albert estavam fazendo nos braços um do outro, "o bastante para fazer essas queridas crianças olharem duas vezes". Kate sabe exatamente como sua amiga se sente em relação a Albert — e a Raunce. Assim, é de Albert, o mais fraco e mais novo, que ela está zombando levemente, como Edith sabe e comunica nesta linha simultaneamente complexa, simples e sucinta: "'Deixe-o em paz', disse Edith com indiferença."

Como mencionei, uma vez que começamos a citar Henry Green, é difícil parar. Assim, antes de deixarmos *Loving*, olhemos mais uma cena: Raunce pede a mão de Edith, um evento não de todo inesperado. Os patrões dos criados foram para a Inglaterra e, na sua ausência, Raunce e Edith passaram a puxar poltronas para junto da lareira na Biblioteca Vermelha. Embora nenhum dos dois o admita, estão brincando de ser o senhor e a senhora da mansão. Ao longo de todo o romance, o poder do amor tem tornado Raunce pouco a pouco um ser humano mais atencioso e honrado. O Michael a quem o casal se refere é o cavalariço e motorista irlandês; é preciso saber também que sob a almofada da cadeira de Edith está um anel de safira que sua patroa perdeu, e que Edith encontrou e pôs ali.

Raunce começa perguntando a Edith se já notou alguma vez "aquela casinha do lado de cá do Portão Leste". Assim começa o dueto de pessoas entabulando o que é muito provavelmente a mais importante discussão de suas vidas até então. Raunce pensa, ou espera, poder prever o resultado da conversa, mas há sempre a aterrorizante perspectiva de que tenha se enganado sobre os sentimentos de Edith, e de que a cena não transcorra como planejado. A iniciativa de Raunce de falar sobre a cabana mostra que ele pensou longa e arduamente sobre como abordar o assunto do casamento, e decidiu formular a proposta não como o desejo apaixonado de seu coração, mas como uma questão prática, sobretudo de moradia.

"A próxima vez que passar por ali, dê uma olhada."

"Por quê, Charley?"

"Está vazia, é por isso."

"Está vazia?", ela ecoou de maneira lenta, mas com um olhar vivo.

"Os mordomos casados moraram ali em certa época", ele explicou. Depois mentiu. "Ontem de manhã", continuou, cauteloso, "Michael me parou quando saía da cozinha. Você nunca vai adivinhar o que queria."

"Não alguma coisa para alguém da família dele de novo?", ela perguntou.

"Isso mesmo", disse ele. "Era só que ele vai pedi-la à sra. T. quando ela voltar, nada menos. O telhado daquela pocilga onde eles moram 'despencou' em cima da cabeça da bendita da cunhada dele e 'esmagou' o dedo de um dos seus garotos."

"Que atrevimento!", ela exclamou.

"O sujeito é um horrível mentiroso", comentou Charley. "Mas não é a verdade que importa. É aquilo em que se acredita", acrescentou.

"Você acha que ela vai acreditar numa história dessas?", Edith quis saber.

"Bom, amor", começou ele, depois parou. Vestia calças pretas e uma camisa engomada sem paletó; a única cor estava em seu colete de lacaio, de listras rosas e brancas. Não usava colarinho, pelo bem de seu pescoço. Recostado, olhou de soslaio para a rosa rubra daquele enorme fogo de turfa que brilhava, um reflexo róseo no cerúleo azul dos seus olhos. "Amor", ele continuou sem entonação, "que tal você e eu nos casarmos? Pronto, falei."

"Precisamos pensar bem sobre isso, Charley", respondeu ela de imediato. Seus olhos deixaram o rosto de Raunce e, com o que pareceu uma quadruplicação de profundidade, acompanharam os dele para pousar naqueles retângulos de calor vivos como sangue. A essa luz da turfa, seus grandes olhos ganharam uma incandescência rosada suave, suave e suave.

"Não há nada dessa tolice de amor", começou ele de novo, parecendo fazer força para não olhar para ela. "É lógico, querida, é isso. Você sabe, pensei em tirar minha velha mãe do alcance dos bombardeiros."

"E tem toda razão", respondeu ela sem demora.

"Fico satisfeito por você concordar", ele a interrompeu. "Oh querida, você não sabe o que isso significa."

"Eu sempre disse que uma esposa que não pode oferecer um lar para a mãe do marido não merece ter uma casa", ela declarou suavemente.

"Então você não diz que não?", ele perguntou olhando finalmente para o lado. Seu rosto branco tinha reflexos verdes do gramado.

"Eu não disse que sim, disse?", ela contestou e olhou direto para ele, o coração na boca. Sentada como estava, de costas para a luz, ele podia ver apenas o espaço apagado de sua cabeça emoldurada pelo cabelo escuro e habitada por aqueles grandes olhos, com braças de profundidade.

"Não, está certo", murmurou ele, obviamente confuso.

"Vou precisar refletir sobre isso", disse ela suavemente. Unindo as mãos, ela olhou novamente para o fogo de turfa.

"Ela é uma boa mulher", recomeçou Raunce. "Trabalhou para nos criar quando meu pai morreu. Éramos seis em nossa família. Ela teve de lutar."

Edith continuou calada.

"Agora estamos espalhados por toda parte", continuou ele. "Só minha irmã Bell mora com a velha ultimamente. Temos de pensar no caso dela."

"Aquela que trabalha na fábrica de armamentos?"

"Isso mesmo", ele respondeu. Depois esperou.

"Bem, não sei se ela precisa vir para a Irlanda", disse Edith finalmente. "Ela tem seu emprego, certo? Eu mesma dificilmente pensaria em me mudar se estivesse na situação dela."

"Será como você quiser", Raunce explicou. "Pensei apenas em mencioná-la, só isso. Sra. Charley Raunce", ele anunciou numa entonação culta. "Quem diria, hein?" Parecia estar ganhando confiança.

Ela se levantou de repente, quase lhe dando as costas.

"Não estou dizendo que sim nem que não, Charley. Não por enquanto."

"Mas ao menos não é 'não' logo de início", disse ele, também se levantando.

"Não", respondeu ela. Começou a enrubescer. Vendo isso ele sorriu com um absurdo ar de sofrimento agradável. "Não", continuou ela, "eu não disse que não poderia." E de repente seu estado de ânimo pareceu mudar. Ela girou e se jogou rapidamente sobre a almofada da cadeira que estivera usando.

Na altura em que Charley Raunce diz "vazia", Edith adivinha que assunto ele poderia estar começando a abordar, caso já não o soubesse antes. Por isso o eco lento e o olhar vivo quando Raunce avança com seu discurso preparado, que envolve uma mentira. Nesse ponto, a restauração moral de Raunce está só parcialmente completa. Em agudo contraste com o modo como ouviu a sincera confissão de Albert — porque um bom escritor compreende que personagens não só falam diferentemente dependendo de quem é o interlocutor, mas também ouvem de forma diferente —, Edith está pendurada em cada palavra de Raunce, e adivinha corretamente quando ele lhe pergunta o que supõe que Michael queria. E agora, pondo na boca de Michael palavras que ele nunca disse, Raunce — por autenticidade, para dar à sua mentira maior credibilidade, e também talvez por hábito, porque os criados muitas vezes se imitam uns aos outros — usa termos típicos de Michael, e se enreda tanto em sua mentira que, quando termina, o (imaginário) telhado caído esmagou o dedo de uma criança.

Ao que Edith responde, comicamente, "Que atrevimento!". Como ousa Michael pedir um alojamento melhor, mesmo que o telhado tenha caído sobre sua cunhada e seu filho? Ou quem sabe ela já supõe o que Charley está prestes a sugerir, que Michael está inventando a história? Mas os fatos do caso são irrelevantes, o que interessa é a expressão de comiseração e solidariedade de Edith com seu Charley, bem como a forte possibilidade de que, mal Charley tenha mencionado a cabana vazia, ela já soubesse onde tudo isso iria parar.

Charley leva adiante sua própria mentira chamando Michael de horrível mentiroso, e depois conclui, como sem dúvida podia fazer naquelas circunstâncias, que a verdade importa menos do que aquilo em que se acredita. E Edith *acredita* em Raunce, ou pelo menos é o que finge ao perguntar se ele pensa que seu patrão acreditará no motorista. O problema é que Edith está esmiuçando os detalhes e o provável resultado da mentira de Raunce mais do que ele poderia ter desejado, e com isso empurra-o para o que realmente quer dizer. Ele começa, vacila, a narrativa se desvia para nos contar o que está vestindo, depois faz a proposta "sem entonação", falando num rompante e concluindo, carinhosamente: "Pronto, falei."

Edith responde, como lhe parece ser seu dever, que tem de pensar sobre isso, e segue-se a encantadora passagem que termina com a descrição do brilho de seus olhos "suave, suave e suave". Ao não responder mais entusiasticamente, ela claramente desencorajou Charley, que recua em relação ao que pode ter parecido uma declaração "dessa tolice de amor", que, ele se apressa em assegurar, não é o assunto da conversa. Trata-se, isto sim, de uma questão puramente prática. De fato, ela não é sequer *sobre* Edith. Como um bom filho, ele está meramente tentando proteger a mãe. Quando Edith concorda, Raunce interpreta isso como uma aceitação de sua proposta. Como de fato é, mas Edith não está pronta para fazer essa concessão — não ainda. Prefere chegar a ela pouco a pouco, referindo-se a "uma esposa" e "a mãe do marido". Assim, Charley está certo ao concluir que ela não disse "não", assim como Edith tem razão ao prolongar o momento, que, ela compreende, deverá estar entre os mais significativos de sua vida. Mais uma vez, é útil comparar as expressões que o rosto de Edith assume com aquelas muito mais opacas que se viam nele quando ela estava na praia com Albert.

"Obviamente confuso", Raunce não faz ideia de por onde prosseguir. Quando Edith responde que precisa pensar, e contempla o fogo de turfa para que o processo de reflexão pudesse começar de imediato, Raunce retorna a um assunto com que se sente confortável e seguro, um assunto que o faz se sentir melhor — isto é, o assunto de sua mãe. Elogia a paciência da mãe e sua luta para criá-lo após a morte do pai. É um pedido de comiseração não muito diferente daquele do jovem Albert, embora Raunce evite pronunciar o equivalente a "um câncer o levou", de Albert.

Depois, de maneira muito inocente ou muito astuta, Raunce desvia a conversa para a irmã Bell, aquela que trabalha na fábrica de armas e da qual Edith tem conhecimento. Leitores atentos podem se lembrar do modo como, em contraposição, ela precisou pedir a Albert que repetisse o nome da irmã, que ele dissera apenas momentos antes. Seu alarme diante da perspectiva de que Bell viesse a ser convidada para morar com eles na cabaninha, e sua pressa em convencer Raunce de que, na situação de Bell, ela nunca concordaria com esse tipo de mudança, convence

Raunce de que Edith não só aceitou sua proposta como chegou a ponto de imaginar como seria sua vida com dois membros adicionais da família Raunce instalados em seu novo lar.

"Será como você quiser", ele lhe assegura, depois dá o passo ousado de pronunciar seu nome de casada, ponto em que Edith recua ou finge recuar novamente. Assim como nós, em momentos similarmente críticos, podemos sentir necessidade de ouvir a outra pessoa dizer a mesma coisa, tranquilizadoramente, muitas vezes, Charley pergunta de novo se isso não significa que ela está recusando. E agora é o rubor de Edith que comunica mais do que ela está querendo dizer. Porque não há mais nada a dizer. Tudo está compreendido. A realidade do momento próximo está por fim tão presente na mente de Edith que ela se permite a ideia de usar o anel encontrado, o que seria impossível enquanto ela ainda é a empregada da legítima dona da joia. E agora, em seu alvoroço, ela procura o anel – e descobre que ele desapareceu, o que iniciará uma série de novas viradas na trama.

Lendo Green, somos tentados a concluir que ele simplesmente tinha um ouvido magnífico para o som e os ritmos da fala. Mas como o crítico James Wood ressalta num incisivo ensaio sobre sua obra, Green muitas vezes cunhava palavras que não estavam em uso durante o período em que seus romances se situam (ou durante qualquer outro período), mas que não obstante soam inteiramente adequadas. Assim, talvez a conclusão correta seja que Green estava menos sintonizado com o modo como as pessoas *soam* quando falam – as palavras e expressões reais que empregam – do que com o que elas *querem dizer*. Essa noção de diálogo como pura expressão de caráter, que (como o próprio caráter) transcende as especificidades de tempo e lugar, pode explicar em parte por que as conversas nas obras de escritores como Austen e Brontë soam muitas vezes novas e assombrosamente contemporâneas, e muito diferentes das falas rígidas, afetadas e arcaicas que encontramos em maus romances históricos e naquelas fantasias medievais em que jovens sempre parecem estar dizendo coisas como: "Terei eu passado na solene e sagrada prova de iniciação, venerável mestre da caça?"

Se queremos escrever ficção inserida no mundo em que vivemos, é útil estudar as obras dos autores que de fato *têm* ouvido para o diálogo, para as locuções que as pessoas usam, para a poesia acidental com que os seres humanos exprimem e ocultam seus pensamentos e sentimentos. Vejamos a seguinte passagem do romance *I'm Losing You*, de Bruce Wagner. Um rapaz chamado Simon, que ganha a vida removendo animais mortos das propriedades de californianos ricos, e cuja mãe, Calliope, é uma bem-sucedida psiquiatra dos astros de Los Angeles, está esquadrinhando os conteúdos da geladeira Traulsen de última geração da mãe e do padrasto Mitch quando este aparece.

"Sua mãe sabe que você está aqui?"

"Negativo."

"Há um queijo maravilhoso aí", Mitch assumiu o comando da Traulsen, restabelecendo a supremacia. Sorriu, examinando o macacão de Simon. "Espero que você esteja bem limpo." Foi até o armário e pegou um prato. "Como vão os negócios?"

"As coisas andavam mortas, mas agora estão se animando." Simon deu uma risadinha e engoliu um Diet Sprite. "Mamãe tá com paciente?"

"Você quer dizer cliente." Mitch sorriu, corrigindo Simples Simon. "Paciência é uma coisa que a gente perde. Não perdemos clientes — pelo menos é de esperar." Pela janela, uma moça asiática demorava-se perto de uma mesa em frente ao chalé de Mitch. O padrasto notou, depois disse: "E sim, ela está com um cliente."

"Então provavelmente não vou ver ela. Preciso ir para casa escrever."

"Direi a Calliope que você disse alô."

"Sabe, geralmente cobro sessenta e cinco por isso — para dizer alô", disse ele, meio sem sentido. Simon pegou um último bocado de brie. "Ela está fazendo um ótimo negócio. Diga-lhe que o Cara dos Animais Mortos passou por aqui, ela detesta isso. Não! Diga que Ace Ventura, Detetive de Bichos de Estimação Mortos, esteve aqui."

"Acho que vou dizer simplesmente: 'Seu filho esteve aqui para vê-la.' Até a vista, Simon. E limpe o que usou, ok?"

Cada palavra nesse diálogo enganosamente simples é um passo astutamente coreografado num repugnante balé de territorialidade e hostilidade, de dominância e submissão, e novamente o que *não* está sendo dito é tão importante quanto o que está. A referência inicial de Mitch a "sua mãe" (em contraposição a "mamãe" ou "Calliope") distancia imediatamente, e a frieza do "Sua mãe sabe que você está aqui?" dificilmente poderia ser mais palpável. É fácil compreender por que Simon responde com uma vivacidade (dizendo "Negativo" em vez de um mais simples "Não") que não surte efeito, assim como sua piadinha sobre os negócios terem andado mortos e sua aparentemente jovial, mas na verdade (sob as circunstâncias) humilhante descrição de si mesmo como o Cara dos Animais Mortos. Sua observação acerca de ganhar sessenta e cinco dólares só para dizer "alô" é embaraçosa, até dolorosa, dado o que imaginamos que Calliope recebe por uma sessão com um de *seus* clientes. O oferecimento que Mitch faz do "queijo maravilhoso" é de fato, como a narrativa sugere, uma declaração de propriedade e supremacia, e quando Simon diz que provavelmente não verá a mãe, Mitch não sugere que fique mais um pouco e espere. Finalmente, uma leitura atenta da troca de palavras em que Mitch corrige condescendentemente o uso da palavra *paciente* por Simon revela, de maneira bastante interessante, que o próprio Mitch está usando mal a expressão "é de esperar". Ele quer dizer, é claro, "é o que nós esperamos". Como Henry Green (o último escritor com quem se esperaria poder comparar Bruce Wagner), Wagner apreende o modo como a intenção e a audiência moldam tudo, da escolha de palavras ao tom; como as pessoas soam diferentes quando estão falando com um conhecido do trabalho ou com um parente, com alguém que querem impressionar ou com alguém que veem com desprezo.

A importância que uma única palavra pode assumir em uma conversa ficcional impele a seguinte cena do romance de Edward St. Aubyn, *Mother's Milk*. Prestes a iniciar um caso adúltero, Patrick e sua ex-namorada, Laura, encontram seus filhos pequenos, Robert e Lucy, aconchegados na mesma cama. Quando se prende ao uso fácil e descuidado que o pai faz da expressão *enredo secundário*, Robert não só expõe a situação romântica dos adultos como fornece ao leitor uma demonstração extremamente reconhecível dos perigos de se subestimar a inteligência, a curiosidade, o instinto e a capacidade de observação de uma criança:

"Este é o mais escandaloso enredo secundário", disse Patrick. "Mesmo assim, não vejo por que não deveriam dormir juntos, se quiserem."

"Que é um enredo secundário?", perguntou Robert.

"Uma parte da história principal", disse Patrick, "que a reflete de maneira mais ou menos flagrante."

"Por que nós somos um enredo secundário?"

"Vocês não são", disse Patrick. "São um enredo por si mesmos."

"É que temos tanta coisa para conversar", disse Lucy, "simplesmente não podemos esperar até amanhã."

"É por isso que vocês dois ainda estão acordados?", perguntou Robert. "Por que têm tanta coisa para conversar? Foi por isso que você disse que nós éramos um enredo secundário?"

"Ouça, esqueça que eu disse isso", pediu Patrick. "Somos os enredos secundários uns dos outros", acrescentou, tentando confundir Robert ao máximo.

"Como a Lua girando em torno da Terra", disse Robert.

"Exatamente. Todo mundo pensa que está na Terra, mesmo quando está na Lua de alguma outra pessoa."

"Mas a Terra gira em torno do Sol", disse Robert. "Quem está no Sol?"

"O Sol é inabitável", disse Patrick, aliviado por terem se afastado tanto do motivo original de seu comentário. "Seu único enredo é nos manter girando sem parar."

Subtexto é tudo, ou quase tudo, nesta passagem do conto de David Gates, "The wonders of the invisible world", em que um homem encontra a amante muito mais jovem num bar depois que ela lhe telefonou para dizer que precisava vê-lo sobre algo "um pouco importante". A temperatura atual do *affair* dos dois é medida inteiramente por gestos: nosso narrador pousa o clarinete, procura um cabide e só depois se lembra de beijar Jane, que oferece a face. Ela lhe diz que eles têm de se apressar, que ela mentiu, dizendo ao marido que ia ao cinema com uma amiga. Em seguida baixa os olhos para seu copo.

"Isto tem de ser rápido", disse ela. "Oficialmente estou no cinema com Mariana."

"Sou todo ouvidos", disse eu.

"É estranho", disse ela. "Sinto-me uma merda mais por mentir sobre isso do que realmente por... você sabe."

"Bem, o seguro morreu de velho."

Ela baixou os olhos para seu copo e disse: "Sim, certo."

"Então", disse eu.

"Então", disse ela. Inspirou profundamente e desabafou. "Então a sua querida aqui acha que está grávida."

"Você está brincando", disse eu. "Como assim você acha?"

"Bem, em primeiro lugar estou com três semanas de atraso. E nunca me atraso. Depois tive enjoo nas duas últimas manhãs. Saí esta tarde e comprei um desses testes de gravidez, você sabe, na drogaria. Só que estou apavorada demais para usá-lo."

"Inacreditável", disse eu.

"Realmente", disse ela.

"Mas como isso pode ter acontecido?"

"Se eu soubesse", disse ela, "não teria acontecido. Obviamente. Eu não sei. Alguma coisa boba, tenho certeza."

Billie Holiday estava cantando "Baby get lost".

"Bem, ouça", disse eu. "Não vamos entrar em pânico. Em primeiro lugar, você tem andado muito estressada. Isso pode provocar um atraso. Isso poderia também embrulhar seu estômago. Seja como for, mesmo que tivesse havido alguma coisa errada, eu não acho, pelo que posso lembrar, não acho que você estaria sentindo enjoo de manhã assim tão cedo, estaria?"

Ela levantou os olhos e me deu o olhar que eu merecia.

Meu Jack Daniels chegou.

Olhei para fileiras e mais fileiras de garrafas atrás do balcão, presumivelmente duplicadas por um espelho. Olhei de novo para Jane. Ela estava de olhos fixos em seu copo.

Eu disse: "De quem seria?"

"De quem se habilitar."

"Você contou ao Jonathan?"

Ela sacudiu a cabeça, ainda olhando para baixo.

"Já pensou no que você faria?"

"Sou uma mulher casada", disse ela. "Quando mulheres casadas engravidam, elas têm um bebê, certo?"

"Sim, mas quando..."

"Quero dizer, é isso que se faz, certo?"

"Mas as coisas não são um pouquinho mais complicadas?", perguntei.

Ela sacudiu a cabeça, ainda olhando para baixo. Não dizia não à minha pergunta, dizia simplesmente não.

"Veja", disse eu. "Em primeiro lugar, você precisa ir a um médico. Esqueça o kit. Até que você realmente veja um médico e realmente descubra algo de concreto, nós nem sabemos do que estamos falando."

Agora ela olhou para mim. "Eu sei do que estamos falando", disse.

Imediatamente percebemos o cálculo, o desconforto, a hesitação, o deslocamento e o pânico reprimido que levam Jane a começar a grave declaração falando de si mesma, com uma despreocupação estudadamente falsa como "a sua querida aqui". Compreendemos de imediato por que ela deve ter escolhido a palavra "acha" — sua querida aqui *acha* que poderia estar grávida —, embora antes do fim da conversa saibamos que as suspeitas de Jane já se cristalizaram em algo mais forte que um "achar". Como acontece na vida, um interlocutor pode questionar a escolha de palavras do outro, uma tentação particular naquelas circunstâncias. *Acha*? Que quer ela dizer com *acha*?

Enquanto isso, a cada palavra que o narrador diz, o leitor — como Jane, presumimos — percebe o que ele não está dizendo. Ele não está exatamente radiante com a perspectiva de que o bebê possa ser seu, caso em que esperaria que ela deixasse o marido, para que eles pudessem começar sua nova vida juntos. Bem menos entusiasticamente, ele pergunta por sintomas, sinais, provas. Tenta ganhar tempo. Pede uma explicação e oferece sua própria falsa explicação, caindo finalmente na interpretação mais banal: "estresse".

Eficazmente, ele descreve a possível gravidez como "alguma coisa errada". E com aquele igualmente condenatório "pelo que posso lembrar", ele lembra Jane, consciente ou inconscientemente, que está falando com base em memória e experiência, que já tem um filho, que ele e sua ex-mulher têm uma filha. E agora é sua vez de se refugiar na falsa irreflexão. Evita o direto "É meu?" pelo mais impertinente: "De quem seria?"

Bem, como estão sendo tão levianos com relação ao assunto, o "de quem se habilitar" de Jane não deixa a peteca cair. Ele pergunta se ela contou ao marido, para em seguida perguntar, com cuidadosa, medida e ansiosa delicadeza: "Já pensou no que você faria?"

A resposta de Jane deixa claro que o que quer que faça envolverá contar ao marido, pois, sendo casada, ela precisará de uma razão para não ter o bebê. "Quando mulheres casadas engravidam, elas têm um bebê, certo?" Formulando seu dilema como se ele tivesse uma solução inevitável, ela está na realidade sublinhando como seu problema é complexo e praticamente insolúvel. De repente nosso herói é todo bom senso, delineando os passos a serem tomados de modo que possam confirmar a situação. Uma vez que esclareçam os fatos, vão saber "do que estamos falando". Quando Jane dá sua resposta cortante — ela sabe do que estão falando — sentimos, como o narrador deve ter sentido, que levamos uma bordoada, nossa falsidade e egoísmo superficial foram notados e corrigidos.

Considere como outro escritor poderia ter escrito a cena: Olá, acho que estou grávida. Meu Deus. Você vai fazer um aborto?

Uma quantidade equivalente de significado está comprimida em cada linha das duas cenas seguintes de *A Ship Made of Paper*, de Scott Spencer, a obra de mais um escritor que ouve como as pessoas falam e é capaz de fazer seus personagens se comunicarem com toda obviedade e sutileza, todos os projetos confusos, sentimentos profundos e motivos ocultos (inclusive para eles mesmos) de seres humanos reconhecíveis.

Na primeira cena, uma mulher chamada Kate combinou um jantar com uma vizinha chamada Iris Davenport, cujo filho frequenta a mesma creche que a sua filha. Na passagem seguinte, Kate anuncia seus planos para o jantar ao namorado, Daniel. É um momento banal, que poderia ser um pouco mais banal e menos carregado se Kate não tivesse começado a suspeitar — corretamente, aliás — que Daniel desenvolveu uma séria paixonite por Iris, que ele encontra quando leva a filha de Kate à pré-escola. É, sentimos, exatamente como se comportariam duas pessoas quando uma delas quer manter ocultas (novamente, até de si mesma) as primeiras palpitações de uma atração romântica inconveniente.

"Achei que você ficaria feliz por eu ter feito estes planos", diz Kate.

"Você a menciona constantemente. Imaginei que era hora de os conhecermos, um outro casal, como adultos de verdade."

"Eu a menciono constantemente?"

"Não sei, provavelmente não. Não estou tentando lhe causar problemas. Estou tentando fazê-lo feliz." Com seu cabelo castanho farto e brilhante, sua pele macia e seu perfume, ela desliza para o lado de Daniel. Gostaria de abraçá-lo, mas poderia parecer estar forçando a barra.

"Você gosta deles, não gosta?", pergunta. Um resquício de seu velho sotaque arrasta o "o" em "gosta".

"Na verdade eu não o conheço."

"Gosta dela?"

"De Iris?"

Ela lhe lança um olhar. "De Iris, é claro, de quem mais estamos falando?"

"Gosto", diz ele. "É claro. Por que não? É a mãe do melhor amigo de Ruby. Isso tem algum valor. E é simpática. É engraçada.

"Conte-me alguma coisa engraçada que ela tenha dito. Isso vai abrir meu apetite para uma noite de hilaridade desenfreada."

"Claro." Ele dá um suspiro profundo. "Na primavera passada..."

"Na primavera passada? Precisa recuar tanto no tempo?"

"Na verdade foi no verão. Ela levou uma picada de mosquito, e acho que ficou coçando sem parar." Seus olhos se desviam dos de Kate; percebe que vai se enrascar. "E ela transformou a picada numa ferida, você sabe como isso acontece. Então ela pegou uma caneta e escreveu 'ai ai ai ai' num círculo em volta de toda a picada."

"É isso? Ela escreveu ai ai ai no braço?"

"Sabe de uma coisa, Kate? Acho que poderíamos ligar para eles e dizer que temos de desmarcar."

Ela não se importaria de fazer exatamente isso, mas já traçou seu caminho. "Absurdo", diz. Estende seu colar de pérolas para ele, que se aproxima por trás para fechá-lo. No vestido decotado de Kate, suas clavículas parecem sólidas como guidons.

Tudo que precisa estar claro está claro desde o começo. "Você a menciona constantemente." Culpado, surpreso, nada surpreso, Daniel repete a frase, e — talvez porque ouvi-lo dizer isso é algo para o que nenhum dos dois está preparado ainda — Kate recua. Sua incerteza, ou talvez sua certeza, quebra a superfície de novo quando seu sotaque arrasta o *o* nessa palavra carregada, *gosta*.

Não querendo falar sobre Iris, Daniel transforma a pergunta sobre "eles" numa pergunta sobre "ele", o marido de Iris. Kate pressiona e, tentando ganhar tempo, esperando um momento para recuperar o controle, repete o nome de Iris. Um olhar basta a Kate como resposta, e, agora ansioso, Daniel dispara uma série de evasões breves e desconexas: ela é simpática, é engraçada, e este último tiro sai pela culatra pois ele se prova incapaz de contar uma única coisa engraçada que Iris tenha dito ou feito, mas na tentativa revela que tem prestado extasiada atenção a cada um de seus menores gestos.

Nessa altura o estado de ânimo entre eles azedou e a noite que tinham diante de si tornou-se arriscada o bastante para que Daniel sugira que a cancelem. Mais uma vez Kate recua, e a passagem termina com uma mudança do ponto de vista de Kate para o de Daniel, para a comparação indiferente e nada *sexy* das clavículas de Kate com um sólido par de guidons.

Parte do que essa cena tem de tão convincente é que mesmo quando o subtexto é ciúme e dissimulação, o tom é de intimidade. A ação tem lugar no quarto do casal. O ritmo da conversa é a troca fácil de duas pessoas que partilham uma vida e sabem muito uma sobre a outra, o que pode ser parte de seu problema. Isso basta (além de muitas outras coisas) para diferençar esse diálogo da cena seguinte, em que passamos do quarto para o restaurante:

Mais tarde, os quatro caminham até o George Washington Inn, onde Iris fez reservas para o jantar. O Inn recende história colonial — baixo, com teto de vigas, velhas mesas de taberna carunchosas, uma imensa lareira enegrecida. Uma estudante secundarista lhes serve uma cesta de pãezinhos, depois volta para encher seus copos de água. Serve Hampton por último e acidentalmente enche seu copo até a borda; de fato, um pouco transborda sobre a mesa. "Opa", diz ela, mas Hampton olha para outro lado. Seu queixo fica subitamente rígido. Iris toca-lhe o joelho, afaga-o, como se para acalmá-lo. Com a outra mão, seca a pocinha do tamanho de uma moeda com o guardanapo.

Um momento depois, chega um garçom para anotar seus pedidos de bebida. Daniel e Kate estão acostumados com esse garçom, de meia-idade, vaidoso e formal. Hampton, contudo, vê a extrema finura do garçom como uma extensão da água derramada pela ajudante e ordena uma vodca martíni com voz ríspida. "Use Absolut", diz. "Eu vou perceber se o barman usar a marca da casa."

Iris baixa os olhos para o colo; quando volta a levantá-los, vê que Daniel olha para ela, sorrindo. Surpresa, ela sorri de volta. Os dois parecem felizes por estar se olhando e Kate se sente como a princesa Kitty parada num canto da sala e percebendo a alegria que enche seus rostos quando os olhos de Vronsky e Anna Karenina se encontram. Kate se pergunta até onde esses dois já terão ido. Será tarde demais para detê-los?

"Então, Hampton", diz Kate, "conte-me. Sei tudo sobre Iris por Daniel, mas nada sobre você. Passa a maior parte do tempo na cidade?"

"Venho para cá nos fins de semana", diz Hampton. "Durante os dias úteis, fico no apartamento em que morávamos antes de Iris entrar em Marlowe."

"É um bonito apartamento", diz Iris. Lança um olhar para Hampton, que sorri para ela.

"Mas o que o mantém na cidade a semana toda?", pergunta Kate.

"Sou vice-diretor administrativo do Atlantic Fund", diz Hampton.

"Ele é um banqueiro de investimentos", diz Iris, no mesmo tom ansioso para agradar com que disse que o apartamento era bonito. Para Kate, Iris soa como uma mulher cujo marido se queixou do modo como ela o trata em público.

"O Atlantic Fund fornece capital para negócios afro-americanos", diz Hampton. "Às vezes negócios pertencentes a negros têm dificuldade em obter o que precisam da estrutura bancária branca." Ele estica o pescoço, procura o garçom. "Assim como é difícil conseguir que um garçom branco lhe traga um drinque." Expirou com tanta força que suas bochechas se inflaram. "Nunca venho aqui e agora sei por quê."

"Faz realmente tanto tempo assim que estamos esperando?", pergunta Kate. "Parece que acabamos de nos sentar." Olha para Daniel em busca de confirmação, mas tudo que Daniel consegue fazer é dar de ombros. Ele está num avião, e acaba de ouvir alguma coisa no rugido do motor que o faz sentir que o voo está condenado.

"Meu Deus, esta música era tão maravilhosa", diz Iris.

"A primeira vez que ouvi o *Messias* de Händel, eu tinha quatro anos", diz Hampton, os olhos em Kate. "Minha avó fazia parte de um coro que o cantou para Richard Nixon na Casa Branca." Esse comentário é condizente com as observações que ele vem fazendo desde que deixaram a igreja. Já ouviram referências ao colega de quarto do seu avô em Harvard, à missão presbiteriana do seu bisavô no Congo, aos cinco mil dólares que sua mãe gastou com alta-costura em Paris quando tinha onze anos, ao breve noivado de sua tia Dorothy com Colin Powell, ao incêndio suspeito na casa de férias dos Welles em Martha's Vineyard. Ele se gaba de sua linhagem de uma maneira que simplesmente não seria tolerada num branco.

"Thurgood Marshall era um amigo da família e estava lá também, é claro. Infelizmente ele caiu no sono em dez minutos. Vovó diz que todos cantaram mais alto para encobrir os roncos do juiz Marshall."

Kate se pergunta se Hampton está tentando pôr Daniel em alerta. Ele também deve sentir o que está acontecendo. Ela tem de admitir que está gostando mais desse quarteto do que ousara esperar. Ele lhe arrebata a imaginação de uma maneira aflitiva, dolorosa, como sugar um dente que está começando a morrer.

"É a mesma avó que tocava violoncelo?", pergunta. Talvez se você pensasse um pouco menos na árvore genealógica da sua avó e um pouco mais na sua mulher, ela não estaria se contorcendo na cadeira e olhando para o meu namorado.

"Não, a violoncelista era Abigail Welles, de Boston, mãe do meu pai. A avó cantora era Lucille Cox, de Atlanta, do lado da minha mãe."

"Eu tenho muitos Coxes na minha família", diz Kate. "Do lado da minha mãe, muitos deles da Geórgia também."

Há um breve silêncio, e em seguida Kate diz o que imagina estar passando pela cabeça de todos. "É claro que há uma chance de que um dos *meus Coxes* estivesse mantendo os *seus Coxes* na escravidão."

"Nesse caso", diz Daniel, levantando seu copo de vinho, "o jantar fica por nossa conta."

Pela primeira vez aquela noite, Hampton sorri. Isso deixa seu rosto mais jovem. Seus dentes são grandes, regulares e muito brancos, e ele baixa os olhos, como se o prazer do momento o deixasse envergonhado. Kate pode imaginar o instante em que Iris viu esse sorriso pela primeira vez, como ele deve tê-la atraído, levando-a a querer sondar a caverna secreta de individualidade que era a fonte de seu sorriso.

"Hampton", diz Kate. "É um nome interessante."

"Minha família está cheia de Hamptons", diz ele. "Viemos de Hampton, Virgínia. Alguns de nós frequentamos a Universidade de Hampton, na época em que era Escola Normal de Hampton e Instituto de Agricultura."

"Hampton Hawes", diz Daniel.

"Quê?", pergunta Hampton.

"É um pianista de jazz, Costa Oeste."

"Daniel sabe tudo sobre jazz", diz Kate. "E blues, e rhythm and blues."

A garçonete chega e os presenteia com atum yellowfin, coq au vin, filé mignon, risoto de funghi. "Vejam", diz Iris, "tudo parece tão bom!"

"Isso é atum?", pergunta Hampton, examinando o prato de Iris.

Em todo casal, pensa Kate, parece haver uma pessoa que quer o que está no prato da outra.

Iris sorri, mas não parece satisfeita. "Quer um pouco?"

"Uma provinha." Ele observa enquanto ela corta seu atum incrustado com gergelim pela metade e o transporta cuidadosamente para o prato dele, pondo-o junto de seu bife grelhado, das batatas fritas e da salada de repolho caseira. Ele não lhe oferece nem uma garfada de sua comida.

"Iris não partilha o meu interesse pelas tradições da minha família", diz Hampton, cortando o bife.

"Eu só digo que às vezes elas podem ser um pouco limitantes", diz Iris, tentando não discutir, mas Kate tem certeza de que ela gostaria. "Nos Estados Unidos as pessoas podem fazer sua própria história."

"Continue sonhando, minha querida", diz Hampton.

"Ótimo, farei isso. E nesse meio tempo, podemos simplesmente relaxar e gozar o prazer de estar vivos?"

"Então você trabalha em Wall Street?", pergunta Kate.

"Isso a surpreende?", pergunta Hampton. "Que eu seja um banqueiro de investimentos?"

"Sim", ela responde. "Pensei que talvez você dançasse sapateado."

Hampton sorri, aponta o dedo para Kate. "Isso é engraçado", diz, em vez de rir.

"Escrevi um texto ano passado sobre a bolsa de valores", diz Kate. "Gosto daqueles homens empurrando-se uns aos outros e gritando números como se tivessem de tirar o pai da forca. E depois o sino final toca e todo mundo se alegra e sai para tomar drinques. Gosto da coisa toda, inclusive o sino e os drinques."

"Não é isso que eu faço. Mas gostaria de ler o seu artigo."

"Oh não, por favor, não. Só consigo produzir aquela bobagem me convencendo de que absolutamente ninguém porá os olhos naquilo." Ela atrai o olhar da garçonete e faz um giro com o dedo: mais bebidas aqui. "É só para pagar as contas. E embrulhar peixe."

"Você escreve principalmente sobre tópicos financeiros?", pergunta Hampton.

"De fato eu deveria estar trabalhando em meu próximo romance, mas tem sido assim há algum tempo. Assim os editores me telefonam e eu lhes dou o que querem. É espantoso como a coisa sai fácil quando você realmente não a leva a sério. Agora mesmo, estou escrevendo um texto sobre o julgamento de O.J. e sobre essa artista que se apresenta como Ingrid Newport."

"Que tipo de artista ela é?"

"Ela costurou sua vagina", diz Kate. Praticamente pôde ouvir o coração de Daniel esmorecer. Ele se preocupa quando ela bebe. Em seguida ele faz uma coisa que parece a ela intolerável: volta os olhos para Iris e dá de ombros.

"Eles insistem em me encomendar esses artigos sobre mutilação sexual", diz Kate. "Está se tornando quase uma especialidade minha. Meu cartãozinho de visita." Estará isto pondo Iris em seu lugar? Kate não faz ideia. Iris pode ser um daqueles monstros raros: uma pessoa de confiança sexual inabalável. "Eu lhes digo, 'Ei, rapazes, que tal um texto sobre a reemergência da lobotomia como prática psiquiátrica aceita?', mas não, dizem eles, 'O que queremos mesmo são mil e quinhentas palavras sobre Peter Peterson, aquele sujeito em Dover, Delaware, que crucificou o próprio pênis.' Todos me dizem que escrevo tão bem sobre questões de gênero, com o que querem dizer realmente sexo. Imagino que eu deveria ficar satisfeita. Ninguém jamais disse que fiz alguma coisa bem em se tratando de sexo." Kate ri. "Mas agora estou recebendo uma porção de encomendas sobre O.J., então está ótimo. Vocês têm acompanhado o caso?"

Ninguém mordeu a isca. Fazer esse grupo falar sobre O.J. seria como convencê-los a tirar a roupa ali mesmo no restaurante. Kate se sente rabugenta e hipócrita, como nos sentimos quando parecemos ser a única pessoa disposta a encarar algo feio.

Os olhos de Iris estão fixos na comida. Ela parece estar correndo para terminá-la antes que Hampton ataque seu prato de novo. Kate olha as mãos dela enquanto manobram delicadamente a faca e o garfo. Ela lhe parece atraente, mas provavelmente não irresistível. Corpo enxuto, ombros largos, traseiro grande. Kate tem pena de negros com sardas, é como ter o pior de dois mundos.

"Sabe o que deveríamos ter feito?", diz Daniel, a voz clara e cristalina. "Deixado as crianças juntas, com uma só baby-sitter."

"Não foi uma sorte ter encontrado alguém como Daniel?", exclama Kate. "Quando meu casamento terminou e fiquei com minha filha, pensei que passaria o resto da vida sozinha. Mas Daniel cuida de Ruby melhor do que eu." Ela espera que Daniel a contradiga, mas ele não o faz. "Bem, talvez não melhor, mas ele é tão bom para Ruby."

"Ela é uma criança magnífica", Daniel diz suavemente.

"Ela é", diz Iris.

"E gosta tanto de Nelson", diz Daniel. Seu rosto fica vermelho e ele olha para Kate em busca de socorro. "Não é? Quantas vezes ela falou sobre ele? Certo?"

"Crianças podem se apaixonar", diz Kate. "Na verdade, na infância, podemos estar no máximo de nossa capacidade de simplesmente ficar perdidamente apaixonados por outra pessoa. Eu me apaixonei por um menino quando tinha cinco anos. Um garotinho negro com o nome perfeito para um garotinho: Leroy. Leroy Sinclair." Faz sinal ao garçom pedindo mais vinho. Perdido por um, perdido por mil. "A mãe dele limpava o pequeno prédio de artes médicas onde meu pai tinha o escritório. Ele era realmente gorducho, o Leroy. Gordo como um carrapato, mas com o mais encantador e preguiçoso dos sorrisos, um verdadeiro sorriso 'verão no Mississippi'. Usava macacão e tênis de cano alto. Sua mãe tinha de levá-lo para o trabalho e evidentemente ela entupia o menino de doces o dia inteiro para mantê-lo quieto. Eu costumava ir ao escritório de papai todo sábado e a sra. Sinclair..."

"Você a chamava de sra. Sinclair?", pergunta Hampton.

"Não naquela época. Nós a chamávamos de Irma. Ela pesava dois quilos, com sapatos e tudo."

"Pobre Leroy", disse Iris.

"Eu costumava ler para Leroy. Eu era precoce. Levava um livro todo sábado e lia para ele enquanto papai trabalhava no escritório, duas horas cuidando da papelada, das nove e meia às onze e quarenta e cinco, todo sábado, pontualmente. Eu costumava ler para Leroy aqueles livros da hora de dormir, bem no meio do dia, sentados na escada interior daquele prediozinho de artes médicas no Calhoun Boulevard. E Leroy tinha o bolso estufado com todas aquelas balas que sua mãe lhe dava, balinhas de hortelã vermelhas e brancas, pirulitos de caramelo, tudo em embalagens enfeitadas..."

"Ela provavelmente os pegava de uma das casas que limpava durante a semana", diz Iris.

"Sim, suponho que sim. Roubava doces. O que podia ser melhor?" Aperta os olhos, deixa Iris tirar suas próprias conclusões. "Eu lia

*Goodnight, Moon* para ele, e ele punha a cabeça bem no meu colo e fechava os olhos, e eu o afagava e embalava e ele fingia adormecer. E quando tinha acabado o que quer que estivesse lendo, eu beijava a palma da minha mão e a apertava contra a sua bochecha, muitas vezes, a mão nos meus lábios, a mão na sua bochecha. E me lembro que pensava: eu amo o Leroy. Eu amo o Leroy Sinclair. E só dizer essas palavras me punha numa espécie de transe hipnótico."

A estudante secundarista retirou os pratos. O garçom hesita ao lado da mesa, esperando uma pausa na conversa.

"E então um dia vi meu pai falando com a sra. Sinclair", Kate está dizendo, "e soube que ela nunca mais poderia levar Leroy para o trabalho novamente. E eu estava certa. Quando voltei a vê-lo, talvez uns dois anos depois, ele estava a caminho da escola e eu estava com duas das minhas tolas, horríveis amiguinhas da Escola Beaumont Country, e eu o chamei do outro lado da rua — Ei, Leroy — e ele simplesmente olhou para mim como se eu fosse a coisa mais ridícula que ele já tinha visto e não disse uma palavra. Mas de quem era a culpa? Nós dois fomos apanhados em algo tão grande, tão terrível. Sua família viera para cá acorrentada e a minha se sentava na varanda bebericando gim. Uma coisa que começa tão mal nunca pode acabar bem..."

Kate olha em volta da mesa, sorrindo.

"E você, Hampton?", diz ela. "Alguma vez se apaixonou por alguém que não fosse da sua raça?" Se ele acha isso ofensivo, não dá nenhuma indicação — mas Kate desvia rapidamente os olhos dele, lança seu olhar ligeiramente turvo primeiro sobre Iris, e finalmente sobre Daniel. "Alguém?"

O leitor pode rastrear facilmente os modos e o ritmo constante, enervante com que a tensão borbulha rumo à superfície. À medida que o constrangimento cresce, o que está sendo silenciado — questões de raça (Iris e o marido Hampton são negros, Kate e Daniel, brancos), sexo, classe, poder, territorialidade, política e privilégio — aumenta a pressão crescente que Kate leva a um clímax com o polido equivalente social de uma granada de mão, o que aqui significa enunciar o que todos os personagens estiveram pensando, ou intuindo. Desde as primeiras palavras o tom é dado — e o nível de ansiedade aumentado pelo erro inocente da garçonete, ao encher o copo de Hampton por último e derramar um pouco da água, gesto que ele interpreta como não de todo inocente.

Desse momento em diante, tudo que acontece no restaurante — por exemplo, o tempo que os drinques levam para chegar — exacerbará a tensão, à medida que Hampton vê esses lapsos como racialmente motivados, o que tendemos simultaneamente a negar (todos nós já experimentamos serviço lento) e a ver como uma reação compreensível e precisa às ligeiras desconsiderações diárias enfrentadas por um afro-americano na América branca. Durante todo o tempo, Hampton trabalha para estabelecer sua posição de classe e suas origens, gabando-se de uma maneira que, como Kate observa, poderia ter parecido menos tolerável e certamente menos compreensível num branco. Enquanto isso, Iris se empenha de maneira bastante resignada e apaziguadora em "apoiá-lo" e acaba por parecer uma esposa cujo marido se queixou do modo como ela o trata em público. Os gestos são sempre precisamente observados, e o diálogo passa rapidamente de um tópico doloroso para outro: jazz, sexo, mutilação sexual, o caso O.J. Simpson e assim por diante.

A cena ilustra uma das muitas coisas que distinguem uma passagem desse tipo de seu equivalente numa peça de teatro. Entremeada com diálogo, uma narrativa pode proporcionar o benefício do comentário e as lentes precisamente focadas do ponto de vista. À medida que essa penosa cena prossegue, presumivelmente na terceira pessoa onisciente, é Kate quem monitora a ação para nós, mostrando o que deveríamos estar observando — por exemplo, aquele pequeno incidente em que Iris dá ao marido metade de sua refeição e ele nada lhe oferece em troca. E isso é outro exemplo da sensata decisão autoral de escrever uma cena do ponto de vista do personagem com mais chances de perceber o que está acontecendo, e de se preocupar com isso. Como a própria Kate observa, isso lembra a cena do baile em *Anna Karenina*, que vemos através dos olhos de Kitty, penosamente consciente do que transpira entre Anna e o príncipe Vronsky.

Antes de deixarmos o assunto do diálogo, vale examinar alguns trechos que de certa forma não tentam soar como as pessoas "realmente" falam, mas sim criar trocas que possam estabelecer um aspecto dos interlocutores e dar à conversa, ao mesmo tempo, uma ressonância reconhecível que a faça parecer menos regional e temporal, e mais universal e eterna. Boa parte da ficção de Joy Williams apresenta jovens que parecem absolutamente contemporâneos mas cuja fala carece de referências culturais recentes. Em vez disso, cada palavra que dizem comunica uma espécie de alienação desorientada, imaginativa, que reconhecemos como o terreno particular de crianças e adolescentes, em qualquer tempo, em qualquer lugar. Aqui está o diálogo de abertura de seu conto "The blue men":

Bomber Boyd, treze anos, contou aos novos conhecidos naquele verão que seu pai havia sido executado pelo estado da Flórida pela morte de um subxerife e seu pastor-alemão farejador.

"Foi uma pena ele ter matado o cachorro", disse uma menina.

"Tiro, cadeira ou injeção letal?"

"Cadeira", disse Bomber. Estava arrependido de ter mencionado o cachorro no mesmo fôlego. O cachorro realmente não tinha sido necessário.

"Injeção letal é fascista, cara; quem aplica injeção letal?", disse um menino pequeno, com jeito de durão.

"Flórida, Flórida, Flórida", a menina murmurou. "Fomos a Key West uma vez. Vimos o pôr do sol. Fomos ao Sloppy's. Compramos luminárias de conchas com pequeninos flamingos e palmeiras dentro, iluminados por luzinhas." O cabelo da menina era cortado num Mohawk alto de pelo menos quinze centímetros de altura. Ela era pálida, a pele perfeita exceto por uma espinha que vicejava bem em cima de seu lábio superior.

"Key West não é Flórida", disse um menino.

Eles eram seis num círculo, quatro meninos e duas meninas. Bomber ficou ali com eles, esperando.

A partir do momento em que a menina digere a informação dada por Bomber e se concentra na morte do cachorro (não na do subxerife, ou, mais espantoso ainda, na do pai de Bomber), sabemos em que território entramos, ou pelo menos temos uma forte pista a respeito. A indagação serena e clínica do garoto sobre o método de execução (eles estão, afinal, falando sobre o *pai* de Bomber) intensifica nossa impressão de como são essas crianças, e o humor negro da conversa contribui para nossa simpatia pelo pobre Bomber, que a essa altura está lamentando ter mencionado o cachorro. As crianças não estão prestando praticamente nenhuma atenção nele; o menino com jeito de durão saiu por uma tangente própria, sobre a natureza fascista da injeção letal. É claro que ele não está usando de forma adequada a palavra *fascista*, mas nós não apenas sabemos o que ele quer dizer como já ouvimos a palavra ser mal-empregada dessa forma, frequentemente por crianças da sua idade. Enquanto isso, a menina entrou em seu próprio mundo paralelo (eles estão num barato?) de uma viagem passada à Flórida, tema que o menino aproveita para dizer que Key West não é lá muito típico do estado. Tudo isso deixa Bomber mais sozinho do que nunca, apesar de ter oferecido uma versão extremamente condensada da história da tragédia de sua família, ou talvez por isso.

A voz narrativa da obra de Jane Bowles, especialmente a de *Two Serious Ladies*, parece, em certos momentos, pertencer a uma versão mais elegante das crianças incoerentes de Joy Williams. E quando os personagens de Bowles falam, tendem a fazê-lo numa linguagem através da qual sentimos o desespero de pessoas com vidas interiores complexas, opressivas, venenosas e mesmo aterrorizadoras. O que ouvimos em sua conversa, junto com a frequente incapacidade de escapar da prisão do eu tempo o bastante para manter uma conversa "normal", é o medo de nunca conseguirem entrar em contato com outra pessoa viva.

Nesta cena, Christina Goering, referida em geral como srta. Goering, vai para casa com um homem chamado Arnold, que ela conheceu numa festa. Como ela está com medo de ir para casa no escuro, ele sugeriu que ela passasse a noite no quarto de hóspedes de sua casa. Mal eles começam a se conhecer, o pai de Arnold aparece, um patriarca saído diretamente de um livro de Kafka, um homem irascível, peremptório e muito estranho com nada senão desprezo pelo filho e seus amigos artistas. Ele entra no quarto e começa a conversar com a srta. Goering:

"Bem, madame", disse-lhe ele, "é uma artista também?"

"Não", respondeu a srta. Goering. "Eu queria ser uma líder religiosa quando era jovem, e agora simplesmente resido em minha casa e tento não ser infeliz demais. Tenho uma amiga vivendo comigo, o que torna isso mais fácil."

"Que pensa do meu filho?", perguntou ele, dando-lhe uma piscadela.

"Acabo de conhecê-lo", disse a srta. Goering.

"Vai descobrir bem depressa", disse o pai de Arnold, "que é um sujeito bastante inferior. Ele não faz ideia do que é lutar. Eu diria que as mulheres não devem gostar muito disso. Na verdade, não acho que Arnold teve muitas mulheres na vida. Se me perdoa por lhe passar esta informação, eu mesmo estou habituado a lutar. Lutei contra meus vizinhos a vida toda em vez de ficar sentado tomando chá com eles, como Arnold. E meus vizinhos lutaram contra mim como tigres também. Mas não é esse o tipo de coisa de Arnold... Ora, com Arnold e seus amigos nada nunca começa ou termina realmente. Eles são como peixe em água suja para mim. Se a vida não agrada a eles de alguma maneira e ninguém gosta deles num lugar, vão para outro. Eles desejam agradar e ser agradados; é por isso que é tão fácil chegar e dar-lhes uma pancada por trás na cabeça, porque nunca odiaram seriamente em suas vidas."

"Que doutrina estranha!", disse a srta. Goering.

Parte da peculiaridade vem da hábil mistura de tom refinado e vulgar, a combinação destoante da fala simples, quase de bandido ("Bem, madame") e com erros gramaticais do pai de Arnold com a escolha de palavras tipicamente elevada e ligeiramente arcaica de Christina Goering, seu *resido* em vez de *moro*. Ninguém parece se incomodar muito com as cortesias comuns. O pai de Arnold vai direto ao ponto e a srta. Goering responde confessando cruamente a coisa mais verdadeira sobre sua vida, como se estivesse falando sobre o tempo. Depois temos os excessos desenfreados do palavrório do pai de Arnold, com seus zigue-zagues de lógica, sua obsessão frívola e autorreferente, a bazófia com que declara o tipo de coisa que a maioria das pessoas silenciaria — por exemplo, a especulação sobre quantas mulheres seu filho teve, e a jactância sobre a própria paixão por lutar. Agora vem sua avaliação mordaz, cômica, de Arnold e seus amigos, uma análise que reconhecemos, mesmo que resistamos a ela, presumivelmente porque talvez sejamos exatamente o tipo de gente que o pai de Arnold está descrevendo. Até que tudo parece ter conduzido à sua maravilhosa última frase.

Provavelmente nunca conhecemos alguém que fale como o pai de Arnold. E em certos momentos não podemos deixar de pensar que ele e seu diálogo são projeções da ansiedade e do desconforto da srta. Goering. Mas o toque de Jane Bowles é tão seguro, sua linguagem tão bem escolhida e controlada, seu artifício tão fascinante (e tão despreocupadamente pronto a se reconhecer como artificial) que não somente admiramos, mas ficamos inteiramente convencidos, ou pelo menos divertidos, por uma passagem de diálogo que não podemos imaginar nenhum ser humano normal pronunciando.

Tampouco ficamos inteiramente convencidos de que, em *Lolita*, de Nabokov, Humbert Humbert está transcrevendo *ipsis litteris* a fala da srta. Pratt, a diretora da escola em que sua bem-amada ninfeta está matriculada. Em suas conversas com Humbert, a srta. Pratt agarra-se a cada chance de expor suas atitudes liberais e progressistas sobre meninas, sexo, o corpo etc., ditosamente inocente e ignorante, o tempo todo, do verdadeiro estado das relações entre Lolita e seu lascivo padrasto.

> Nossa preocupação, senhor Humbird, não consiste tanto em fazer com que as alunas se transformem em ratos de biblioteca ou saibam de cor todas as capitais da Europa, coisa que ninguém conhece

mesmo, ou memorizem as datas de batalhas já esquecidas. O que nos preocupa é ajudar a criança a viver em grupo. É por isso que damos ênfase ao teatro, à dança, aos debates e aos contatos com os meninos. Temos de levar em conta certos fatos inevitáveis. Sua adorável Dolly muito em breve chegará à idade em que os encontros com rapazes — o que fazer, o que vestir, como manter um diário, quais as regras de etiqueta a seguir — são tão importantes para ela quanto, por exemplo, são para o senhor os negócios, seus encontros com outros homens de negócios, ou, para mim [sorrindo], a felicidade de minhas meninas. A Dorothy Humbird já faz parte de todo um sistema de relacionamento social que envolve, quer queiramos, quer não, barracas de cachorro-quente, lanches em drugstores, cinemas, bailes dançantes, piqueniques na praia e até aquelas festinhas em que uma menina penteia a outra! Naturalmente, na Escola Beardsley, desaprovamos algumas dessas atividades e damos a outras um sentido mais construtivo. Mas fazemos o possível para voltar as costas a tudo que é sombrio e encarar de frente o sol. Em resumo, embora adotemos certas técnicas de ensino, estamos mais interessadas na comunicação do que na composição. Isto é, apesar de todo o respeito que temos por Shakespeare e outros escritores, queremos que nossas meninas se comuniquem livremente com o mundo trepidante à sua volta, em vez de viverem mergulhadas em livros velhos e mofados. Talvez ainda estejamos tateando, mas estamos tateando de forma inteligente, como um ginecologista que apalpa um tumor. Pensamos, doutor Humburg, em termos orgânicos e organizacionais. Abolimos toda aquela massa de matérias irrelevantes que eram tradicionalmente impostas às moças e que ocupavam o espaço dos conhecimentos e das aptidões, assim como das atitudes, de que elas precisarão para bem conduzir suas vidas e, como diriam os cínicos, as vidas de seus maridos. Senhor Humberson, coloquemos as coisas da seguinte maneira: a posição de uma estrela no firmamento sem dúvida é importante, mas saber qual é o lugar mais prático para colocar a geladeira na cozinha talvez seja algo ainda mais importante para uma dona de casa iniciante.

O senhor diz que uma sólida educação é tudo o que se espera que a criança receba da escola. Mas o que se entende por educação? Antigamente, tratava-se em essência de um processo verbal; quer dizer, uma criança poderia aprender de cor tudo aquilo que uma enciclopédia contém e, desse modo, saberia tanto ou mais do que a escola seria capaz de lhe oferecer. Mas, doutor Hummer, é necessário que o senhor se dê conta de que, para a pré-adolescente nos dias de hoje, os programas pedagógicos têm menos validade existencial do que os programas de fim de semana [piscadela de olhos], para repetir o jogo de palavras que a psicanalista da Universidade de Beardsley se permitiu fazer outro dia. Vivemos não apenas num mundo de ideias, mas também num mundo de coisas. Quando não se baseiam em experiências concretas, as palavras perdem todo o significado. A troco de quê nossa Dorothy Hummerson haveria de se preocupar com a Grécia e o Oriente, com seus haréns e escravos?*

O humor da passagem nasce da retórica ridícula ("em termos orgânicos e organizacionais"), do psicoblablablá risível ("queremos que nossas meninas se *comuniquem*"), do simples mau gosto ("estamos tateando de forma inteligente, como um ginecologista que apalpa um tumor"), as incoerências ("quando não se baseiam em experiências concretas, as palavras perdem todo o significado"), para não mencionar as variações aparentemente intermináveis que a srta. Pratt desenvolve em torno dos nomes de Humbert e Lolita. A passagem está semeada de piadinhas: expressões de jargão sem sentido, antiintelectualismo (a rejeição de Shakespeare como um bando de "livros velhos e mofados"), maus trocadilhos (programas pedagógicos e programas de fim de semana) e o tipo de sexismo que (em nome da franqueza e da praticidade) relega meninas a um nível em que a coisa mais importante que devem ser capazes de calcular é a posição de uma geladeira.

---

* Vladimir Nabokov, *Lolita*, trad. Jorio Dauster. São Paulo, Companhia das Letras, 1994.

Na superfície, o pai de Arnold e a srta. Pratt dificilmente poderiam ter menos em comum, mas o que partilham é o fato de que ambos mais arengam do que falam. Se os dois casais de Scott Spencer lançam bolas de tênis para cá e para lá, estes falantes rebatem-nas repetidamente contra uma parede de tijolos.

Arengar é outra coisa que deveria ser feita com moderação em literatura, como na vida, com um olho em por que e por quanto tempo um leitor vai permanecer interessado num personagem que simplesmente fica falando e falando. As pessoas, notamos, tendem a arengar quando estão no controle da situação e não se importam muito com a aprovação daqueles para quem estão arengando. Talvez seja por isso que há vários exemplos literários notáveis de pessoas arengando com crianças, muito notavelmente no conto "S.L.", de Harold Brodkey, e no romance *The Man Who Loved Children*, de Christina Stead.

Em "S.L." o arengador é o personagem-título, um homem decente, comodista, que está prestes a adotar o pequeno órfão para quem está arengando. Lendo os monólogos de S.L., ficamos muito cientes do modo como as pessoas frequentemente falam com crianças — como se elas não fossem seres sensíveis, capazes de compreender —, quando de fato elas, como o menino na história, sabem perfeitamente o que os adultos estão dizendo. Embora S.L. queira que a criança o ame e aceite, tudo o que diz aumenta nossa percepção do isolamento, da confusão e do desespero da criança. De maneira muito parecida, nos apiedamos das crianças Pollit de Christina Stead em parte porque seus pais parecem não fazer outra coisa *senão* arengar. A mãe, Henny, tende a acessos melancólicos em que divaga sobre assassinato e suicídio. É assim que ela fala com seu amante, Bert, a respeito do marido, Sam, e da enteada, Louisa:

"... O impulso de matá-lo às vezes se torna tão forte, quando penso na maneira como ele roubou minha vida e a pisoteou e depois acha que é suficiente ler uns livros intelectuais, que não sei como me controlar. Aperto meus punhos um contra o outro para me impedir de avançar naquela sua cabeça amarela gordurenta, ou de jogar alguma coisa naquela boca barulhenta, sempre se gabando e esbravejando. Se eu pudesse matar os dois, ele e aquela criança... e cumpriria pena por isso com prazer. Mas que fariam as crianças? Iriam para um asilo? Ninguém aguentaria isso. Ninguém poderia aguentar isso."

Sam tende a arengar de maneira mais longa e mais encantadora, pelo menos é o que ele imagina, nos monólogos que revelam alegria, um coração essencialmente bom e uma intimidante e ligeiramente megalomaníaca falta de consciência e interesse por quem quer que possa estar ouvindo. Em uma passagem típica, Sam, que pode transformar as circunstâncias mais triviais em um discurso prolongado, diz coisas sem sentido sobre o sétimo dia da semana:

"Este domingo-amigo veio de longe ... Está vindo para nós, o dia todo ontem, a noite toda, pelo Pacífico, desde Pequim, do Himalaia, das áreas pesqueiras da tribo Leni Lenapes no rio Susquehanna, dos lagos e pinhos e pântanos e lírios do rio Anacostia, de mármores suspensos e tábuas manchadas pelo tempo, do nordeste, do noroeste, Washington, Truxton, Sheridan, até Rock Creek e os sólidos ombros de nossa Georgetown. E o que ele encontra aqui esta manhã, como toda manhã, no meio do morro, senão a Casa de Tohoga, o pequeno casebre de Sam Gulliver e seus liliputianos Pollitry — Sam Gulliver, sra. Henny Gulliver, Lúgubre Louisa, cuja cabeça está sangrenta mas não se curva, Ernest o calculador, Mulherinha ... os gêmeos Saul e Sam, e Thomas-Olho-de-Gato, todos quase sóis que ele veio galopando ver."

Mais tarde, ele divaga para a filha, Louisa, novamente (como Henny) sobre o tema do assassinato, e com imprudente desatenção ao tipo de coisa que um adulto responsável poderia dizer diante de uma criança:

"O assassinato poderia ser belo, um autossacrifício, o sacrifício de alguém próximo e querido, pelo bem de outros — posso conceber tal coisa, Lulu! A extinção de uma vida, quando muitas estão ameaçadas, ou quando futuras gerações poderiam sofrer — você não acharia, até você, que é uma boa coisa? Ora, poderíamos assassinar milhares — não indiscriminadamente como na guerra agora, mas escolhendo os inaptos e pondo-os sem piedade na câmara letal. Isso por si só beneficiaria a humanidade, abrindo caminho para uma raça eugênica."

*The Man Who Loved Children* é um romance sinfônico composto de uma série de variações em torno da dissonância das vozes dos pais Pollit. E, antes do fim do romance, toda essa conversa casual sobre assassinato e suicídio terá repercussões catastróficas.

Isso traz à baila um aspecto final que parece importante mencionar sobre o diálogo na página. Trata-se da maneira misteriosa como ele parece tantas vezes fazer eco aos temas, ao tom e à voz da obra em que figura. As coisas surpreendentes e terríveis que acontecem em *The Man Who Loved Children* acabam por refletir o que Sam e Henny dizem, e talvez tenham sido até geradas por elas, e pela maneira como eles as dizem.

O diálogo difere de um conto para outro, de um romance para outro, de uma conversa para outra. Os tipos de diálogo em ficção são tão numerosos quanto a soma total dos contos, novelas e personagens que existem. E realmente isso não deveria nos surpreender. Por que o que é o diálogo, afinal, senão a fala que só poderia sair da boca de *um* personagem em toda a ficção, e da mente de apenas *um* escritor?

# 8

## Detalhes

ALGUNS ANOS ATRÁS, ouvi uma história verdadeira que me pareceu perturbadora, intrigante e estranhamente animadora, porque trata em parte do poder da narração de histórias — e do detalhe. Talvez a razão por que ela continua a me intrigar seja que nunca a compreendi inteiramente.

A história me foi contada por um amigo cuja vida artística consistia basicamente em contar versões da verdadeira história de sua vida. Ele fora contratado pelo Instituto Esalen, da Nova Era, em Big Sur, Califórnia, para conduzir uma oficina sobre narração de histórias de vida verdadeiras. O objetivo era ajudar os participantes (admitidos com base em cartas que demonstravam que eles *tinham* o que contar) a encontrar maneiras melhores de contar suas histórias.

No primeiro dia de aula, meu amigo pediu um voluntário, e uma mulher levantou a mão. Logo que ela começou a falar, meu amigo se lembrou da carta que ela escrevera. Essa mulher tinha perdido uma perna por conta de um câncer na infância, mas seguira em frente e se tornara campeã mundial de esqui. Sua história era um relato da perda e do triunfo — não apenas sobre uma doença, mas sobre várias doenças potencialmente mortais que não só não a derrotaram como a deixaram mais forte. De fato, ela ganhava a vida como treinadora motivacional, revitalizando vendedores exaustos e executivos apáticos com uma mensagem de encorajamento baseada em sua própria experiência: eu fiz isto, então você pode fazer aquilo.

Depois que ela contou sua história, meu amigo perguntou se ela nunca tinha tido vontade de ir para algum lugar e gritar. Ela disse que não. Não tinha nenhum interesse em gritar. De fato, era importante para ela não entrar em contato com seu lado sombrio.

Na segunda aula, um dos homens se ofereceu para começar. Era um ex-corretor de investimentos ou ex-vendedor de títulos, alguém que ganhara milhões e depois abandonara a carreira das altas finanças para frequentar oficinas espirituais em toda a Califórnia. Ele esperou até que a sala estivesse em silêncio e depois pronunciou, numa espécie de rosnado, um tipo de ato sexual que gostava de fazer com a esposa. Como início da narrativa – ou do que fosse aquilo –, foi de extrema eficácia, comunicando que a história seria não só confessional e pornográfica como agressiva.

Ele de fato contou então uma história extremamente confessional, pornográfica e (segundo meu amigo) agressiva sobre sua vida sexual com a mulher. Fui poupada dos detalhes, mas meu amigo disse que a história foi tão bem contada que ele não conseguiu se mexer, mal respirou durante todo o tempo em que o sujeito falava. Quando a história terminou, a classe ficou em silêncio sepulcral, e, não sabendo o que mais fazer, meu amigo tomou o que chamou de "via técnica" e disse ao homem que sua história fora muito bem contada.

Foi um grande alvoroço. Muitos alunos ficaram furiosos, especialmente as mulheres, várias das quais tentaram explicar por que estavam tão perturbadas, dizendo que haviam experimentado a história não apenas como pornografia (assunto sobre o qual tinham ideias divergentes), mas como agressão pura. Muito sobre comportamento, sobre a psicologia do tabu, do sexo e também da confissão é revelado pelo fato de que teria sido permissível (em alguns casos apropriados) que o sujeito contasse uma história sobre como atormentava a mulher, mas ultrajante descrever como fazia sexo com ela em cenários improváveis. Suponho, porém, que não se pode culpar os alunos por não quererem pagar um curso do Esalen para se verem atuando como funcionários não remunerados de um serviço de telessexo.

O narrador da história tinha pretendido atiçar a turma e dar trabalho ao professor. Quando terminou, sentou-se, de braços cruzados, satisfeito, deliciado.

No terceiro dia de aula, a mulher sem uma perna perguntou se podia contar outra história. Disse que era uma confissão, algo que nunca contara a ninguém exceto sua terapeuta. Mas o fato é que mentira, no primeiro dia, sobre o modo como perdera a perna. A verdade envolvia sua irmã, extremamente perversa, e o gato preto desta, que mordeu a narradora na perna quando ela era criança: um ferimento que ela se recusou a tratar, e que infeccionou e ulcerou.

Uma noite, em um jantar de família — sempre uma ocasião tensa, pois o pai era um carnívoro apaixonado e a mãe uma vegetariana rigorosa —, o pai começou a gritar que a sala de jantar estava fedendo horrivelmente e que o cheiro era do tofu da mãe. Claro que o cheiro não era do queijo, mas sim da perna da filha, que gangrenara e teve de ser amputada.

Muitos leitores podem estar tendo dúvidas sobre essa história, como eu tive. Mas meu amigo me assegurou: a mulher a contou com resoluta convicção, e não houve uma pessoa na sala que não acreditasse em cada palavra.

Finalmente, ela chegou ao fim da narrativa. Esperou alguns momentos. Depois sorriu e disse que sentia muito, mas que havia inventado a história sobre o gato. Por um instante a turma ficou realmente chocada. Afinal, era uma coisa estranha a se fazer. Mas finalmente todos conseguiram aceitar essa nova virada da trama com humor e boa vontade.

Todos — exceto o homem que contara a história pornográfica. Ele se levantou e disse que haviam sido enganados, logrados, ludibriados, e que francamente não gostava daquilo. Além disso, acusou meu amigo — o condutor da oficina — de não passar de um mau ator. O sujeito deixou a classe; de fato, deixou o Esalen.

Desde o tempo em que Sherazade salvou sua própria vida contando ao marido as histórias de *As mil e uma noites* em fascinantes episódios seriados, não houvera uma prova tão conclusiva do poder da ficção. Que coragem singular a dessa mulher, ao usar uma história sobre sua invalidez como um míssil guiado, uma arma de retaliação perfeitamente apontada. A parte que não consigo compreender é como ela pôde ter sabido que seu plano funcionaria tão bem, ou que de fato funcionaria, e por que o narrador da história pornográfica teria entendido a história do gato como o que pretendia ser, isto é, um ataque a ele.

Meu objetivo ao contar esse caso não é perturbar o leitor com seus aspectos desconcertantes, nem mesmo estimular aqueles de nós (eu inclusive) que temos trabalhado na solidão de nossos escritórios e águas-furtadas pensando se nossa ficção tem significado ou se pode *fazer* alguma coisa, se alguém realmente se importa... Conto-o por causa de algo que meu amigo disse. Segundo ele, a única razão pela qual a turma acreditou na história da mulher — uma extravagância gótica sobre uma mordida de gato gangrenada — foi o detalhe do amor do pai por bife e da paixão da mãe por tofu.

"Acredite nisto", disse o meu amigo. "Deus está realmente nos detalhes."


Se Deus está nos detalhes, devemos todos acreditar, em algum nível profundo, que a verdade também está ali. Ou talvez Deus *seja* a verdade. São os detalhes que nos convencem de que alguém está contando a verdade — todo mentiroso sabe disso, instintivamente e por experiência própria. Maus mentirosos amontoam os fatos e os números, as provas corroborantes, as digressões improváveis, terminando em becos sem saída, ao passo que os bons (ou pelo menos os melhores) sabem que é o detalhe singular inestimável que salta da história e nos diz para relaxar; podemos deixar nossos enfadonhos papéis adultos de juiz e júri e nos tornar de novo confiantes como crianças, ouvindo o evangelho do conhecimento adulto sem uma só preocupação ou dúvida.

E que alívio é quando um detalhe nos assegura que um escritor está no controle e não caçoa de nós. Digamos que nos sentimos um pouco...

incertos quando Gregor Samsa desperta de uma noite de sonhos perturbadores para se encontrar em sua cama transformado em uma barata gigante. Kafka nos diz que "não era sonho", mas por que deveríamos acreditar nele? Os fatos da anatomia do inseto — "Ele estava deitado sobre suas costas duras, como que couraçadas, e quando levantou um pouco a cabeça conseguiu ver seu ventre marrom em forma de domo dividido em duros segmentos arqueados... Suas numerosas pernas, deploravelmente finas se comparadas ao resto de seu corpo, estremeciam impotentes diante de seus olhos" — são convincentes, mas, ainda assim, poderíamos estar lendo o roteiro de um filme de monstros japonês ou uma passagem de ficção científica de um iniciante brilhante mas demente. É só depois que Samsa examina seu quarto, o "quarto humano habitual, só que muito pequeno", que perdemos nossas últimas desconfianças de que isso deve ser um sonho, e sabemos que só pode ser o mundo real de uma obra-prima de ficção.

> Acima da mesa em que uma porção de peças de roupa estava desembrulhada e espalhada — Samsa era caixeiro-viajante —, pendia a gravura que ele cortara recentemente de uma revista ilustrada e pusera numa linda moldura dourada. Ela mostrava uma senhora com um gorro e uma estola de pele, sentada ereta e mostrando ao espectador um enorme regalo de pele em que todo o seu antebraço desaparecera!

Essa gravura é o detalhe perfeito, ao mesmo tempo surpreendente, inesperado, inventivo, imprevisível, mas inteiramente plausível, sério, de certo modo brincalhão, adequado — nem um pouco forçado ou propositadamente simbólico. A gravura de revista da senhora envolta em peles é exatamente o que, imaginamos, um caixeiro-viajante poderia escolher para alegrar seu quarto de solteiro: sexy, à sua maneira, mas não indecente a ponto de ser impróprio para ser visto pela criada ao fazer a limpeza. E acreditando nessa gravura, começamos a acreditar em Samsa e na possibilidade de sua transformação em inseto. Além disso, esse detalhe combina uma mistura convincentemente atrevida de ironia e plausibilidade, pois o detalhe ousado da mão desaparecendo no regalo de pele é quase perfeito *demais* para ser encontrado no quarto de um homem que já está tendo algum problema com limites anatômicos e identificação de espécie.

Grandes escritores constroem suas ficções esmeradamente com detalhes pequenos mas significativos que, pincelada por pincelada, pintam as imagens que procuram retratar, as realidades estranhas ou familiares de que esperam nos convencer: detalhes da paisagem e da natureza (os fatos da biologia marinha e da baleia em *Moby Dick*), do clima (o nevoeiro no início de *Bleak House* de Dickens), da moda (os manequins de alfaiate em Bruno Schulz, as pulseiras de hospital que os fregueses do bar do perdedor ainda estão usando em *Jesus' Son*, de Denis Johnson), de decoração doméstica (o antigo bolo de noiva no quarto de miss Havisham), de comida (o horrível *smorgasboard* de doces nojento de *Gravity's Rainbow*), de botânica (a planta da mãe de Collette), de música (a pequena frase que obseda Swann em *No caminho de Swann*), de esportes, arte, de todas as coisas com que nós seres humanos expressamos nossa complexa individualidade.

Muitas vezes, um detalhe bem escolhido pode nos dizer mais sobre um personagem — seu status social e econômico, suas esperanças e sonhos, sua visão de si mesmo — que uma longa passagem explanatória. Em *Franny e Zooey*, de Salinger, o roupão de banho de Bessie Glass não só descreve sua personalidade e todo o seu modo de vida como transmite muito sobre sua família, especificamente a inteligência e a afeição irônica que seus filhos tanto prezam e com que eles discutem e tratam a mãe e uns aos outros.

> Ela estava usando sua roupa habitual de ficar em casa — que seu filho Buddy (que era escritor, e em consequência, como ninguém menos que Kafka nos contara, não um homem simpático) chamava de uniforme de pré-notificação de morte. A peça principal era um venerável quimono japonês azul-escuro. Ela o usava quase invariavelmente por todo o apartamento durante o dia. Com suas muitas pregas de aparência misteriosa, ele servia de repositório para a parafernália de uma grande fumante e faz-tudo amadora: dois bolsos extragrandes haviam

sido acrescentados na altura dos quadris, e geralmente continham dois ou três maços de cigarro, várias caixas de fósforos, uma chave de fenda, um martelo, um canivete de escoteiro que outrora pertencera a um dos seus filhos e uma ou duas torneiras esmaltadas, além de um sortimento de parafusos, pregos, dobradiças e rodízios — coisas que tendiam a fazer a sra. Glass tilintar levemente à medida que se deslocava por seu vasto apartamento. Por dez anos ou mais, suas duas filhas haviam muitas vezes, ainda que impotentemente, conspirado para jogar fora esse veterano quimono. (Sua filha casada, Boo Boo, sugerira que seria talvez necessário dar-lhe um golpe de misericórdia com um instrumento cego antes de enfiá-lo numa lata de lixo.)

Embora em geral qualquer uso de marcas comerciais em ficção me desagrade (é a maneira de um escritor preguiçoso "situar" um personagem, e nada pode datar uma obra mais rapidamente que a referência a uma marca de roupa de cama que não existe mais), é também verdade que certas escolhas do consumidor podem comunicar uma opulência de informação. Quem quer que tenha ouvido o programa *Car Talk*, transmitido pela NPR, terá notado o quanto os Irmãos "Click e Clack" podem dizer sobre cada ouvinte que telefona para lá com base no tipo de carro que dirige e na natureza de seu problema como o motor ou o tambor de freio. Uma vez, ouvi um homem telefonar para pedir a opinião dos irmãos: devia comprar um Jipe vermelho ou um Miata vermelho? A arguta resposta dada a essa pergunta foi: "Diga-me, quando foi que você conseguiu o divórcio?"

Na abertura do conto de William Trevor "Access to the children", o protagonista, Malcolmson, "um homem claro, mais para alto, num terno de tweed azul que precisava ser passado", chega a um apartamento (sentimos que não é a sua casa) num Volvo de dez anos. Quem dirige um Volvo de dez anos? Não um homem terrivelmente rico, que teria um carro de modelo mais novo e não tenderia a estar usando um terno amassado. Nem um muito pobre, que poderia estar dirigindo algo ainda mais velho e menos glamouroso. E o Volvo? É um carro de família, sugerindo um tipo de homem muito diferente do que poderia estar acelerando ao máximo num Lamborghini. Tudo que aprendemos sobre Malcolmson confirmará nossa primeira impressão. Ele anda um pouco sem sorte, bebendo um pouco demais. Foi casado (nos seus dias de Volvo), mas agora está divorciado e vai passar o domingo em que tem direito à visita desfrutando seu "acesso às crianças".

Mesmo aqueles escritores que podemos considerar acima dos detalhes, aqueles que parecem mais preocupados com estranhezas de linguagem e estados aberrantes de consciência que em criar cenas naturalísticas e diálogos plausíveis, mesmo Samuel Beckett escreveu — quase com as mesmas palavras que Tchekhov usou meio século antes: "No particular está contido o universal." Os detalhes das 16 pedras que Molloy transfere de um bolso para outro à medida que tenta chupar todas igualmente, e as muletas que amarra à sua bicicleta, destacam-se como ilhas com picos altos naquele romance deprimente e hilariante que é *Molloy*.

Como muitos escritores, Tchekhov encheu seus cadernos não só com extensas observações sobre filosofia e a vida em geral — ideias do tipo que nunca aparece em seus contos, exceto na mente de um personagem, o pomposo, o crédulo, o desapontado, ou o esperançoso prestes a ser desapontado — mas também com bagatelas minúsculas que poderiam ter figurado em um de seus contos ou peças. "Um quarto. O luar que entra pela janela é tão claro que até os botões de sua camisola são visíveis" e "um pequenino escolar chamado Tractenbauer". Suas cartas enfatizam a importância do detalhe único, bem escolhido.

> Em minha opinião, uma verdadeira descrição da natureza deveria ser muito breve e ter o caráter da relevância. Lugares-comuns como "o sol poente banhava as ondas do mar escuro, derramava sua luz dourada etc." — "as andorinhas voando sobre a superfície da água trinavam alegremente" — esses lugares-comuns têm de ser abandonados. Em descrições da natureza devemos nos agarrar a pequenos pormenores, agrupando-os de tal maneira que, na leitura, quando fechamos os olhos, temos a imagem.

Por exemplo, você obterá o pleno efeito de uma noite de luar se escrever que, na represa do moinho, um pontinho cintilava no gargalo de uma garrafa quebrada, e a sombra preta e redonda de um cão ou de um lobo emergiu e correu etc...

Na esfera da psicologia, os detalhes são também o que importa. Deus nos livre dos lugares-comuns. O melhor é evitar descrever o estado de espírito do herói; você deve tentar deixá-lo claro a partir das suas ações.

Você compreende imediatamente quando digo: "O homem sentou-se na relva." Compreende porque é claro e não faz nenhuma exigência à atenção. Por outro lado, não se entende facilmente se escrevo: "Um homem alto, de peito estreito, com uma barba ruiva, sentou-se na relva verde, já pisoteada por pedestres, ficou sentado em silêncio, acanhado, e olhou timidamente à sua volta." Isto não é imediatamente apreendido pela mente, ao passo que a boa escrita deveria ser apreendida de uma vez – num segundo.

Não podemos pensar nos contos de Tchekhov sem pensar em seus detalhes: um dos mais famosos é a talhada de melancia que Gurov come no hotel de Ana Sergueievna em "A senhora do cãozinho". Há também, nesse mesmo conto, o detalhe das sobrancelhas da mulher de Gurov; do lornhão que Ana perde durante o serão que passa com Gurov; do esturjão que o amigo de Gurov diz estar um pouco "passado"; dos numerosos toques com que Tchekhov descreve o teatro da cidadezinha onde Gurov vê Ana novamente; do cabelo grisalho que Gurov percebe quando olha a própria imagem no espelho; da cerca em volta da casa de Ana, e assim por diante.

Alguns de seus contos menos importantes têm os detalhes mais assombrosos, por exemplo, a tábua de passar, o ferro e a batata cozida na cena culminante de "O assassino". Matvei, um pobre operário de fábrica e fanático religioso, andou discutindo por causa de dinheiro e religião com o primo Iakov, um pobre dono de taberna e outro tipo de fanático religioso. Matvei mora na taberna com Iakov, a mulher deste, Aglaia, e sua filha retardada, Dachutka, todos os quais detestam Matvei e são detestados por ele. Em certa altura da história, vemos Matvei na cozinha, descascando umas batatas cozidas "que provavelmente guardara da véspera". Uma página depois, Iakov passou por uma breve, mas histérica, crise espiritual sobre o tema da fé, da dúvida e do arrependimento, e novamente encontramos Matvei, "sentado na cozinha diante de uma tigela de batatas, comendo. ... Entre o fogão e a mesa a que Matvei se sentava, estava aberta uma tábua de passar; sobre ela via-se um ferro frio."

Matvei pede à mulher de Iakov, Aglaia, um pouco de azeite para regar suas batatas, um pedido bastante simples, se não fosse a Quaresma e o azeite não fosse uma das coisas restringidas pelo jejum. Iakov grita que Matvei não pode pôr azeite na comida; eles se chamam um ao outro de hereges e pecadores e um ordena ao outro que se arrependa. Segue-se um tumulto, e a mulher de Iakov, pensando que o marido está em perigo, passa a mão na garrafa de azeite:

... e com toda a sua força baixou-a direto sobre o crânio do primo que detestava. Matvei cambaleou, e num instante seu rosto tornou-se calmo e indiferente. Iakov, respirando pesadamente, alvoroçado e sentindo prazer com o gorgolejo que a garrafa fizera, como uma coisa viva, ao atingir a cabeça, evitou que ele caísse e várias vezes (lembrou-se disso muito nitidamente) ordenou a Aglaia com o dedo que pegasse o ferro; e só quando o sangue começou a escorrer por suas mãos e ele ouviu o gemido alto de Dachutka, e quando a tábua de passar caiu com estrondo, e Matvei desabou pesadamente sobre ela, Iakov parou de sentir raiva e compreendeu o que tinha acontecido.

"Deixe-o apodrecer...", exclamou Aglaia ... ainda com o ferro na mão. O lenço branco manchado de sangue escorregou-lhe sobre os ombros e seu cabelo grisalho caiu em desordem. "Ele teve o que merecia!"

Tudo foi terrível. Dachutka sentou-se no chão perto do fogão com o fio nas mãos, soluçando e vergando-se sem parar, emitindo de cada vez um som arfante. Mas nada pareceu tão terrível a Iakov como a batata no sangue, em que tinha medo de pisar, e havia mais uma coisa terrível que o oprimia como um sonho mau e parecia o pior perigo, embora ele tenha levado um minuto para entendê-la. Era o garçom, Serguei Nikanoritch, de pé na soleira com o ábaco na mão, muito pálido, contemplando com horror o que acontecia na cozinha.

"Pensamos em generalidades", escreveu Alfred North Whitehead. "Mas vivemos no detalhe." Ao que eu poderia acrescentar: lembramos em detalhe, reconhecemos em detalhe, identificamos, recriamos — policiais raramente pedem da testemunha ocular descrições vagas e gerais do criminoso. Certa vez, quando ainda estava no primário, meu filho tentava se lembrar de um mito grego e ficou se referindo à história das sementes de romã, até que descobrimos que ele tinha em mente a história de Perséfone: esqueça o sequestro por Plutão, a metade da vida no inferno, os meses embaixo da terra, esqueça a dor da mãe, intensa o bastante para fazer as estações mudarem. Meu filho estava se referindo a um detalhe que eu mesma havia esquecido: o número de meses que Perséfone concordou em passar com o marido nas entranhas da terra foi determinado pelo número de sementes de romã que comeu enquanto estava lá.

Uma marca do escritor extremamente habilidoso e competente, mas não de primeira ordem, é que podemos lembrar vividamente um detalhe de seu romance, mas não o resto do livro, ou mesmo o título. Podemos lembrar da cena de um thriller de Elmore Leonard em que a mãe de Teddy Majestyk alimenta seu papagaio com comida tirada da própria boca, sem conseguir lembrar se foi nesse livro que tantos personagens parecem ser empurrados de janelas altas.

Se duvidamos por um momento de quanto nossa memória para detalhes pode ser confiável e usada para nos revelar o sentido de uma história, basta considerar o detalhe do chapéu da mãe de Julian em "Everything that rises must converge": "Era um chapéu pavoroso. Uma aba de veludo roxo descia de um lado e subia do outro; o resto era verde e parecia uma almofada sem enchimento." Novamente, é o detalhe perfeito, o chapéu perfeito para a mãe de Julian, e, tal como ela (Julian conclui), "menos cômico que vistoso e patético". Todas as esperanças e sonhos dela estão concentrados nesse chapéu, todos os seus esforços desesperados para manter alguma aparência de estilo e posição social, para se apresentar como uma aristocrata decaída e obrigada a viver entre camponeses. Afinal, ela é a orgulhosa neta de um homem que tinha uma fazenda com duzentos escravos, em "melhor situação" que os negros com quem ela tem de ir de ônibus para a aula de emagrecimento na ACM e que, ela pensa, "deveriam melhorar de vida, sim, mas do seu próprio lado da cerca".

Um pouco mais tarde na história, nossa atenção é novamente dirigida para "o chapéu ridículo" que ela usa "como uma bandeira de sua dignidade imaginária". Assim, quando uma mulher negra entra no ônibus com "um chapéu horrendo. Uma aba de veludo roxo descia de um lado e subia do outro; o resto era verde e parecia uma almofada sem enchimento", captamos a significação da coincidência alguns momentos antes disto:

> A visão dos dois chapéus, idênticos, iluminou [Julian] com o esplendor de um brilhante nascer do sol. Seu rosto se alegrou de repente. Não podia acreditar que a Sorte impingira à mãe tamanha lição. Deu um riso alto para que ela olhasse para ele e visse o que via. Ela voltou os olhos para ele devagar. O azul neles parecia ter se tornado de um roxo de hematoma. Por um momento ele teve uma desconfortável percepção de sua inocência, mas isso só durou um segundo antes que o princípio o salvasse. A justiça o autorizava a rir. Seu sorriso endureceu até dizer para ela tão claramente quanto se estivesse falando em voz alta: "Sua punição é perfeitamente adequada à sua mesquinharia. Isto deveria lhe servir de lição para sempre."

E, é claro, a lição que a mãe de Julian está prestes a aprender dificilmente poderia ser mais definitiva.

Mas os detalhes não precisam ser extremos ou inusitados — uma batata ensanguentada ou um chapéu pavoroso — para enriquecerem um conto ou romance. Henrietta, a garotinha em *The House in Paris*, de Elizabeth Bowen, carrega um macaco de pelúcia. Como isso é banal, poderíamos pensar. Mas o macaco, cujo nome vem a ser Charles, torna-se um personagem, sempre presente, provocando uma variedade de reações nos outros. E a relação de Charles com Henrietta nos diz algo sobre certos aspectos de sua vida que nenhuma outra coisa revela.

> Mas miss Fischer, fazendo um esforço, tocou em uma das patas costuradas do macaco.
> "Você deve gostar do seu macaco. Brinca com ele, suponho?"
> "Hoje em dia não muito", respondeu Henrietta polidamente. "Só o levo para todo lado."
> "Como companhia", disse miss Fisher, lançando para o macaco um olhar pensativo, ausente.
> "Gosto de pensar que ele aprecia as coisas!"
> "Ah, então você brinca com ele!"
> Henrietta não teve condições de dizer: "Realmente não podemos discutir isso agora."

Se quisermos escrever algo memorável, talvez convenha prestar atenção ao que lembramos e como lembramos. Os detalhes são o que permanece conosco, como compreendi após assistir a um notável documentário intitulado *Mob Stories*, um filme em que cinco mafiosos se revezam contando a história de suas carreiras. Cada história era precedida por um título — "Família", "Motim", "Vingança" etc.

Depois, lembrei-me dos seguintes detalhes. Tentando explicar como seu chefe era "mórbido", um homem disse: "Ele costumava ler sobre *serial killers* e ficar muito impressionado com a maneira como o sujeito conseguia escapar impune depois de liquidar 28 pessoas. Sabe como é, quando você anda com sujeitos bons da cabeça, nunca vê ninguém admirando *serial killers*..." Um sósia de Rodney Dangerfield atuou como advogado de si mesmo e de seus amigos e venceu o caso conquistando a simpatia do júri com piadas sujas sobre sua mulher. Agora ele voltou para a cadeia sob outra acusação, e a câmera mostra esse homenzarrão fazendo graciosos exercícios de tai chi chuan no jardim da prisão.

O último homem contou como costumava cometer atos brutais para ganhar as boas graças dos chefes para os quais trabalhava como um humilde cobrador de dívidas. Aos 40 anos, ele se casou e se apaixonou pela mulher, teve dois filhos e deu novo rumo à sua vida; conseguiu levantar um quarto de milhão para comprar sua saída da quadrilha e agora era um pregador renascido.

O detalhe a que ele retornava a todo momento era a pior coisa que costumava fazer: acorrentava um sujeito, algum caloteiro, no para-choque traseiro de seu carro e o arrastava pela rua. Repetiu esse detalhe várias vezes, espantado com seu eu anterior, com a vida que levava, e com aquela ponta de nostalgia que sempre acompanha a lembrança. E foi esse detalhe — o homem, a corrente, o para-choque — que me fez acreditar em cada palavra da história de pecado e arrependimento desse sujeito.

Relendo este capítulo, fiquei horrorizada com os detalhes. Uma esquiadora sem uma perna, uma mordida de gato gangrenada, um duelo de histórias, uma foto recortada de revista ao lado da cama de um inseto gigante, uma batata ensanguentada no chão da cozinha, um sujeito são dirigindo pela estrada com um caloteiro amarrado a seu para-choque.

Mas por que eu deveria estar surpresa? Não é somente Deus que está nos detalhes, mas o tempo em que vivemos. Os detalhes não são apenas os tijolos com que uma história é construída, são também as pistas para algo mais profundo, chaves não apenas para nosso subconsciente, mas para nosso momento histórico.

Há mais um detalhe, um detalhe final, que sinto-me obrigada a acrescentar. Vários meses depois que a oficina do Esalen terminou, e algumas semanas antes de meu amigo me contar o caso do duelo de histórias, ele recebeu uma carta da esquiadora de uma perna só. Ela lhe contou que na véspera do Ano Novo tinha ido para o deserto, jogado a cabeça para trás e gritado com todas as suas forças; queria lhe contar isso e dizer que estava se sentindo muito melhor.

# 9

## Gesto

Passando aleatoriamente pelos canais da tevê certa noite, assisti aos últimos vinte minutos de um filme feito para televisão sobre uma moça do interior que engravida, dá seu bebê e abandona o namorado. Décadas depois, ela volta a se encontrar com o pai de seu filho quando este (já crescido, pastor, prestes a se tornar pai) localiza os dois e os reúne. No fim do filme, os pais adolescentes separados por tanto tempo (agora na meia-idade) são casados pelo filho, o reverendo, após uma breve cena em que o noivo sai do carro e vai apanhar a noiva.

O noivo aperta a gravata, passa a mão no cabelo, anda compassadamente, verifica seu reflexo no espelho do carro, endireita a gravata, alisa o cabelo, arruma a gravata de novo. Não é que um homem nessa situação *não* tenda a endireitar a gravata e alisar o cabelo, mas a familiaridade dos gestos, amplificada pela repetição, rasgou o já frágil véu de ilusão que envolvia essa terna cena.

Talvez eu deva dizer que minha definição de gesto abrange pequenas ações físicas, muitas vezes inconscientes ou semirreflexas, até a chamada linguagem corporal, e exclui ações maiores, mais definidas ou significativas. Eu não chamaria pegar um revólver e atirar em alguém de gesto. Por outro lado, a linguagem — isto é, a escolha de palavras — pode funcionar como um gesto: o modo como certas pessoas casadas referem-se aos cônjuges como *ele* ou *ela* é um tipo de gesto, comunicando posse, intimidade, orgulho, aborrecimento, tolerância ou uma combinação dessas coisas.

Clichês físicos e gestos batidos abundam na escrita medíocre. Abrindo ao acaso um thriller para consumo em massa, leio:

> Apertando os punhos com tanta força que pode sentir as unhas se cravando nas palmas das mãos, ela se força a caminhar em direção a ele ... Ela se aconchegou junto de Larry ao sentir seus braços enlaçarem-na e sua respiração suave aquecer-lhe a nuca ... Ela ajeitou o gorro enquanto esmagava o cascalho do caminho ... Tom mordeu o lábio.

Todas essas são frases perfeitamente aceitáveis, descrevendo gestos comuns, mas parecem genéricas. Não são descrições de uma resposta muito particular de um indivíduo a um evento específico, mas uma referência abreviada a estados psíquicos comuns. Ele mordeu o lábio, ela apertou os punhos — nossos personagens estão nervosos. O ajuste do gorro é cauteloso e determinado, o casal é íntimo, e assim por diante.

Escritores cobrem páginas com reações habituais (seu coração bateu forte, ele torceu as mãos) para situações habituais. Mas, a menos que o personagem faça algo inesperado ou inusitado, ou verdadeiramente importante para a narrativa, o leitor suporá essa reação, sem precisar ser informado sobre ela. Ao ouvir que seu sócio acabou de cometer assassinato, um homem poderia ficar inteiramente transtornado, e podemos intuir isso sem precisar ouvir sobre a rapidez de seus batimentos cardíacos ou a umidade de suas palmas. Por outro lado, se ele fica contente ao saber que o sócio foi pego, ou se ele próprio é o assassino, e sorri... bem, isso é outra história.

Com demasiada frequência, gestos são usados como marcadores, para criar batidas e pausas numa conversa que, tememos, poderia se precipitar depressa demais sem elas.

"Olá", disse ela, pegando um cigarro.

"Olá", respondeu ele.

"Como vai você?" Ela acendeu o cigarro.

"Bem." Ele encheu dois copos de vinho.

Poderíamos perguntar por que precisamos nos deter nessa conversa, por que não nos é simplesmente permitido lê-la em dois tempos, embora eu suponha que os gestos (cigarro, vinho) pretendem comunicar certo suspense. Ou coisa parecida. De todo modo, o catálogo de gestos não será muito melhorado se ficarmos sabendo que a mão dela tremeu quando acendeu o cigarro, mas poderia ter ficado um pouco mais afiado se nos fosse dito que ele encheu um copo de vinho, depois se lembrou e encheu o segundo, ou pôs muito mais vinho no próprio copo — ou no dela.

Se um personagem vai acender um cigarro, ou quase acender um cigarro, isso deveria *significar* alguma coisa, como ocorre nesta cena do conto de ZZ Packer "Drinking coffee elsewhere". Uma entrevista tensa com um universitário deixa um psiquiatra nervoso o bastante para pegar um cigarro, e a questão de se ele pode acendê-lo ou não leva a um diálogo em que o estudante assume o controle por um breve tempo, e o médico o retoma com igual rapidez.

"Fale-me sobre os seus pais."

Pensei no que ele já teria em seus arquivos. A pasta era grossa, embora eu não tivesse dito uma palavra significativa desde o primeiro dia.

"Meu pai era um imbecil e minha mãe parecia gostar dele."

Ele apalpou os bolsos, procurando os cigarros.

"Isso é forte. Como você se sente em relação ao seu velho?" O homem não era capaz de dizer a palavra "pai". "Você vê seu velho com frequência?"

"Odeio meu pai quase tanto quanto odeio a palavra 'velho'."

Ele começou a dar batidinhas em seu cigarro.

"Não pode fumar aqui."

"Tem razão", disse ele, e enfiou o cigarro de volta no maço. Sorriu, arregalando os olhos vivamente. "Nunca comece."

Muita coisa sobre a relação entre idade e juventude, posição social e desconfiança é revelada pela hesitação ansiosa dos fregueses no conto de Junot Diaz, "Edison, New Jersey", sobre rapazes que trabalham entregando mesas de baralho e de sinuca.

> Às vezes o freguês tem de dar um pulo numa loja para comprar comida de gato ou um jornal, enquanto estamos no meio do serviço. Tenho certeza de que vocês ficarão bem, dizem. Nunca parecem muito seguros. É claro, respondo. Basta nos mostrar onde está a prataria. Os fregueses rá-rá-rá e nós rá-rá-rá e eles ficam na maior aflição, sem saber se saem ou não, demoram-se junto da porta da frente, tentando memorizar o que possuem, como se não soubessem onde nos encontrar, para quem trabalhamos.

Poderíamos dizer que tudo que acontece em *Adeus, Columbus*, de Philip Roth, pode ser previsto, mais ou menos precisamente, a partir da sucessão de gestos rápidos que abre o romance. Grande parte do que precisamos saber sobre os amantes que estão no centro do livro é sucintamente comunicado pela justificada despreocupação, sexualmente confiante, com que a privilegiada Brenda Patimkin pede ao narrador do romance — um estranho que está simplesmente passando um dia em seu clube de campo — que segure seus óculos para que ela mergulhe na piscina, e depois, sabendo que ele está olhando, ajeita o maiô:

> A primeira vez que vi Brenda, ela me pediu para segurar seus óculos. Então foi até a ponta do trampolim e, apertando os olhos, mirou a piscina; se estivesse vazia, Brenda não perceberia o fato, míope que era. Deu um belo mergulho e um instante depois voltava nadando para a beira da piscina, mantendo a cabeça, de cabelos avermelhados cortados curtos, erguida à frente, como se fosse uma rosa de caule longo. Rapidamente chegou à borda e veio ter comigo. "Obrigada", disse, os olhos cheios d'água, mas não da piscina. Estendeu a mão para pegar os óculos, porém só os pôs no lugar depois que me deu as

costas e se afastou. Fiquei vendo-a ir embora. Suas mãos de repente apareceram atrás dela. Segurou a bainha do maiô com o polegar e o indicador e enfiou no devido lugar o pouco de carne que estava aparecendo. Meu sangue ferveu.*

Uma opulência de informação muito diferente nos chega através de gestos numa cena descrita por Raymond Chandler, ocorrida em 1940, quando os homens costumavam usar chapéus: um homem e sua mulher sobem num elevador. A porta se abre. Uma jovem bonita entra. O homem tira o chapéu. E observe quanto é transmitido pelo momento em *Ressurreição*, de Tolstoi, quando uma mulher de sociedade, consciente de que está envelhecendo e desesperada por parecer jovem, desvia-se a todo momento de seu almoço festivo para olhar para a janela, através da qual um raio de luz pouco lisonjeiro começara a brilhar.

Gestos adequadamente usados — plausíveis, nada teatrais ou extremos, mas singulares e específicos — são como janelas abrindo-se para nos deixar ver a alma de uma pessoa, seus desejos, medos ou obsessões secretos, as relações precisas entre essa pessoa e o eu, entre o eu e o mundo, bem como (no conto de Chandler) a complicada coreografia emocional, social e histórica homem—mulher que é instantaneamente compreensível, mesmo nestes tempos sem chapéu.

Embora possamos associar Henry James a frases complexas, prolixas, uma das viradas cruciais da trama em *Retrato de uma senhora* ocorre sem nenhuma necessidade de palavras. Acontece durante a famosa cena em que Isabel Archer entra em sua sala de estar e se depara com o marido, Gilbert Osmond, conversando com madame Merle. A postura e os gestos dos dois finalmente fazem Isabel ver que a "amizade" entre eles era mais íntima do que imaginara. E nós também compreendemos exatamente o que está se passando, mesmo que não vivamos numa época em que, se um cavalheiro está recostado enquanto uma mulher está de pé, ela é sua

---

* Philip Roth, *Adeus, Columbus*, trad. Paulo Henriques Britto. São Paulo, Companhia das Letras, 2006.

mãe, sua irmã, sua mulher, ou, no caso de madame Merle, sua amante e mãe do seu filho.

> Madame Merle estava lá de chapéu, e Gilbert conversava com ela; por um minuto não perceberam sua entrada. Isabel vira isso muitas vezes antes, sem dúvida; mas o que não vira, ou pelo menos não notara, era que o colóquio dos dois havia se convertido por um momento numa espécie de silêncio familiar, a partir do qual ela percebeu instantaneamente que sua entrada os sobressaltaria. Madame Merle estava de pé no tapete, a pouca distância da lareira; Osmond estava numa poltrona funda, recostado e olhando para ela. A cabeça dela estava ereta, como de costume, mas seus olhos estavam baixados sobre ele. O que primeiro a impressionou foi que ele estava sentado enquanto madame Merle estava de pé; havia nisso uma anomalia que lhe chamou a atenção. Depois percebeu que eles haviam chegado a uma pausa em sua troca de ideias e estavam refletindo, frente a frente, com a liberdade de velhos amigos que por vezes trocam ideias sem as pronunciar. Não havia nada de chocante nisso; eles eram de fato velhos amigos. Mas aquilo produziu uma imagem, que durou um só instante, como um clarão repentino. Suas posições relativas, seu absorto olhar mútuo, impressionaram-na como uma descoberta. Mas tudo terminara assim que ela o percebera claramente. Madame Merle a vira e a cumprimentara sem se mover; seu marido, por outro lado, ficara de pé instantaneamente.

Mesmo numa história surreal, como *O veredicto*, de Kafka, o gesto pode ser usado para ancorar a ficção num contexto humano reconhecível. Enquanto o pai de Georg Bendermann não para de encolher e crescer, ganhando e perdendo poder pessoal, seus gestos (brincar com a corrente do relógio, arrancar a roupa de cama) nos mantêm a par de sua condição aumentada ou diminuída, ao mesmo tempo em que os gestos de Georg são os de um homem que tenta permanecer calmo e sensato e levar da melhor forma uma situação extremamente esquisita.

Ele levou o pai nos braços para a cama. Durante os poucos passos que deu, notou com uma sensação terrível que o pai, deitado contra o seu peito, brincava com a corrente do seu relógio. Não conseguiu pô-lo na cama imediatamente, tal era a força com que ele se agarrava a essa corrente.

Mas, mal ele estava na cama, tudo pareceu bem. Ele se cobriu e puxou o cobertor extra até os ombros. Lançou a Georg um olhar pouco amistoso.

"Então, está começando a se lembrar, não está?", perguntou Georg, acenando a cabeça para encorajá-lo.

"Estou bem coberto agora?", perguntou o pai, como se não pudesse ver bem se seus pés estavam propriamente cobertos.

"Então já está se sentindo bem confortável na cama", disse Georg, e arrumou a roupa de cama mais firmemente em volta dele.

"Estou bem coberto?", perguntou ele de novo, e pareceu esperar a resposta com especial interesse.

"Não se preocupe, está bem coberto."

"Não!", gritou o pai, fazendo a resposta ressoar contra a pergunta, e jogando o cobertor para trás com tal força que por um instante ele se desenrolou no ar; depois sentou-se ereto sobre a cama. Equilibrou-se delicadamente com uma mão contra o teto. "Você queria me cobrir, sei disso, seu patifezinho, mas ainda não estou todo coberto."

Um dos gestos mais tocantes, sintéticos e comunicativos de toda a literatura ocorre em "O bispo", de Tchekhov. Nosso herói, o bispo, está morrendo. Apesar de sua elevada posição na Igreja, apesar de seus criados e de seu entourage eclesiástico, está morrendo sozinho, distanciado de sua família, de suas origens humildes e especialmente de sua mãe que — por mero acaso — vem visitá-lo, após longa separação. Nesta cena o bispo almoça com a mãe e a neta dela de oito anos, sua sobrinha Kátia. Um gesto — o incidente com os copos — transmite o constrangimento social de sua mãe, sua perplexidade na presença desse estranho importante e bem-sucedido que é seu filho, e uma história muito condensada da mobilidade ascendente do bispo.

> Ele podia ver que ela estava constrangida, como se não soubesse se devia lhe falar de maneira formal ou familiar, rir ou não, e que se sentia mais como a mulher de um diácono que como sua mãe. E Kátia olhava sem piscar para o tio, sua santidade, como se tentasse descobrir que tipo de pessoa ele era. Seu cabelo brotava sob o pente e a fita de veludo sobressaía como um halo; tinha nariz arrebitado e olhos astutos. A criança quebrara um copo antes de se sentar para o almoço, e agora sua avó, enquanto falava, afastou dela primeiro uma taça de vinho e depois um copo. O bispo ouvia a mãe e se lembrava como muitos, muitos anos antes ela costumava levá-lo, com os irmãos e irmãs, para visitar parentes que considerava ricos.

Mais tarde, deitado na cama, o bispo ouve no quarto vizinho o som de louça quebrando, quando Kátia deixa cair uma xícara ou um pires, ação que nos faz pensar se o que observamos foi o nervosismo não só da avó, mas da neta também. Finalmente a menina reúne toda a sua coragem e pede algum dinheiro ao bispo porque a família é muito pobre. Assim, talvez sua falta de jeito não seja simplesmente um traço de caráter, ou mesmo o reflexo de sua juventude, mas antes uma reação situacional à sua própria ansiedade sobre como abordar esse delicado assunto com o tio ilustre.

Outro gesto literário famoso encerra a cena inicial de "Os mortos", de Joyce — o diálogo primorosamente constrangido entre o presunçoso Gabriel Conroy, que chega à casa de sua tia idosa para a festa anual de Natal, e a empregada da tia, Lily.

> "Diga-me, Lily", perguntou num tom amistoso, "você ainda vai à escola?"
>
> "Oh, não, senhor", respondeu ela. "Faz mais de um ano que terminei a escola."

"Oh, nesse caso", disse Gabriel alegremente, "suponho que qualquer dia desses iremos a seu casamento, com seu namorado, hein?"

A moça lançou-lhe um olhar por sobre o ombro e disse com grande amargura.

"Os homens de hoje são só conversa fiada e o que conseguem arrancar da gente."

Gabriel corou como se sentisse que cometera um erro e, sem olhar para ela, arrancou as galochas e bateu energicamente com o cachecol nos sapatos de verniz...

Depois de lustrar os sapatos, levantou-se e apertou mais o colete contra o corpo roliço. Depois tirou rapidamente uma moeda do bolso.

"Oh, Lily", disse, pondo-a na mão dela, "é Natal, não é? É só... aqui está uma pequena..."

Caminhou depressa para a porta.

"Oh não, senhor!", exclamou a moça, seguindo-o. "Realmente, senhor, não vou aceitar."

"É Natal! É Natal!", disse Gabriel, quase correndo rumo à escada e acenando para ela, numa censura.

A moça, vendo que ele já chegara à escada, exclamou atrás dele:

"Bem, obrigada, senhor."

O gesto desajeitado de Gabriel de dar a moeda a Lily é a culminação do diálogo canhestro dos dois; sublinha a inadequada conotação sexual de sua pergunta um tanto coquete sobre o namorado, sua atitude condescendente, a consciência que ambos têm da diferença de classe, poder, gênero etc. E nos prepara para o que veremos Gabriel fazer ao longo de todo o conto: assumir o tom errado, compreender mal, tirar a conclusão errada. Os gestos menores que pontuam a conversa de Gabriel com Lily — polir os sapatos, apertar o colete — não são tiques triviais frequentemente usados (como no filme para a tevê) para indicar ansiedade, mas os reflexos naturais da ansiedade de um homem cuja principal luta é contra a fragilidade da própria vaidade, um homem que mal é capaz de ver o mundo além de seu amor-próprio defensivo. É também uma representação sublimemente precisa do modo como, após algum embaraço ou depois de cometer uma gafe, podemos nos pegar correndo para o espelho para ver *quem* é a pessoa que pode ter feito tal coisa e, se possível, melhorar ligeiramente a face que ela apresenta ao mundo.

Gabriel reflete (como todos nós fazemos) sobre as implicações mais amplas de seu pequeno erro social e tenta reparar seu orgulho com os consolos de sua própria importância:

Ele esperou junto à porta da sala de estar até que a valsa terminasse... Continuava desconcertado pela resposta amarga e súbita da moça. Ela lançara sobre ele um desânimo que tentou dissipar arranjando os punhos e o laço da gravata. Em seguida tirou um papelzinho do bolso do colete e deu uma olhada nos tópicos que anotara para seu discurso. Estava indeciso acerca dos versos de Robert Browning, pois temia que estivessem acima do alcance de seus ouvintes... O indelicado estalar dos saltos dos sapatos dos homens e o arrastar de suas solas lembravam-no de que tinham um grau de cultura diferente do seu.

A economia com que o gesto revela a aguda consciência de classe social me faz lembrar um caso que ouvi sobre uma trupe de teatro alemã. Era o ensaio de uma cena em que um chefe entregava um documento a um operário. O ator que interpretava o operário insistia que não estava conseguindo captar bem a cena, que havia algo de errado no modo como estava recebendo o documento do chefe. Nessa altura, o diretor — Bertold Brecht, na versão que ouvi — chamou a faxineira do teatro. Poderia ela ajudá-los e segurar aquele documento por um instante? A faxineira limpou as mãos no avental e só depois estendeu uma delas para o papel, demonstrando assim para o ator o que estivera faltando e o que era necessário.

Diferentemente do diálogo, o gesto pode delinear um personagem quando ele está sozinho numa sala. "The cures for love", de Charles Baxter, começa com um gesto que ilumina a situação doméstica e romântica do protagonista:

No dia em que ele partiu para sempre, ela pôs um dos seus bonés, que se encaixou confortavelmente sobre seu cabelo castanho-claro. O boné tinha o nome do fabricante da caminhonete dele em alto-relevo sobre a pala, em letras douradas. Ela o usou de trás para diante, como ele fizera uma vez enquanto ela preparava o jantar. Usou-o durante o banho aquela noite. Quando se recostou na banheira, a pala roçando os azulejos, pôde sentir o cheiro de suor que vinha da faixa interna, mais forte que o cheiro do sabonete. O suor dele sempre tivera cheiro de peixe recém-grelhado.

"A mosca", de Katherine Mansfield, gira em torno de um único gesto feito na solidão, ou pelo menos sem a presença de outro ser humano, uma ação que à primeira vista parece óbvia em seu sentido e importância, mas que se torna mais complexa à medida que pensamos nela. O protagonista, identificado apenas como "o chefe", é visitado por um amigo que casualmente menciona o túmulo do filho do chefe, morto seis anos antes, na Primeira Guerra Mundial — uma morte que ele nunca menciona e sobre a qual tenta não pensar. Tomado de angústia, o chefe nota de repente que uma mosca caiu em seu tinteiro:

> O chefe pegou uma caneta, tirou a mosca do tinteiro e jogou-a num pedaço de mata-borrão. Por uma fração de segundo ela ficou imóvel na mancha escura que se espalhava à sua volta. Depois as patas dianteiras agitaram-se, firmaram-se, e, erguendo seu corpinho encharcado, ela deu início à imensa tarefa de limpar a tinta de suas asas. Por cima e por baixo, por cima e por baixo, uma pata passava ao longo de uma asa como a pedra de afiar passa por cima e por baixo da foice. Depois houve uma pausa, quando a mosca, parecendo ficar nas pontas dos pés, tentou abrir primeiro uma asa e depois a outra. Finalmente conseguiu e, sentando-se, começou, como um minúsculo gato, a limpar a cara. Agora era possível imaginar que as patinhas dianteiras esfregavam-se ligeiramente uma contra a outra, alegres. O horrível perigo fora superado; ela escapara; estava pronta para a vida novamente.

Justamente nesse instante, porém, o chefe teve uma ideia. Mergulhou a caneta de novo na tinta, apoiou o pulso grosso no mata-borrão e, quando a mosca experimentava as asas, uma gota grande e pesada caiu. O que podia ela fazer diante disso? O quê, realmente! A pequena indigente pareceu absolutamente intimidada, atordoada, com medo de se mexer por causa do que aconteceria em seguida. Mas depois, como se penosamente, arrastou-se para frente. As patas dianteiras agitaram-se, firmaram-se, e, desta vez mais lentamente, a tarefa começou do começo.

Mas ele é um diabinho destemido, o chefe, e sentiu uma real admiração pela coragem da mosca. Era assim que se devia enfrentar as coisas; aquele era o espírito correto. Nunca desanime; era somente uma questão de... Mas a mosca terminara de novo sua laboriosa tarefa, e o chefe teve o tempo exato para encher de novo a caneta e sacudir mais uma gota escura bem em cima do corpo recém-limpo. Como seria desta vez? Seguiu-se um penoso momento de suspense. Mas veja, as patas dianteiras agitavam-se de novo; o chefe sentiu uma onda de alívio. Debruçou-se sobre a mosca e disse-lhe ternamente: "Sua sem-vergonha astuta." E teve mesmo a brilhante ideia de soprar sobre ela para ajudar o processo de secagem. Apesar disso, havia algo de tímido e fraco em seus esforços agora, e o chefe decidiu que esta seria a última vez, enquanto mergulhava a pena fundo no tinteiro.

Foi. A última gota caiu sobre o mata-borrão embebido, e a mosca enlameada ficou ali imóvel. As patas traseiras estavam coladas ao corpo; as dianteiras não podiam ser vistas.

"Vamos", disse o chefe. "Mexa-se!" E instigou-a com a caneta – em vão. Nada aconteceu ou poderia acontecer. A mosca estava morta.

O chefe ergueu o cadáver sobre a ponta do corta-papel e jogou-o na cesta de lixo. Mas um sentimento tão opressivo de desolação tomou conta dele que ficou positivamente amedrontado. Avançou e tocou a campainha para chamar Macey.

"Traga-me mata-borrão novo", disse severamente, "e rápido." E enquanto o velho cão se afastava pôs-se a se perguntar sobre o que estivera pensando antes. Fora isso? Fora... Puxou o lenço e passou-o dentro do colarinho. Não conseguiu se lembrar por mais que tentasse.

É fácil interpretar esse gesto com demasiada simplicidade: a dor do chefe o impeliu a agredir uma mosca inofensiva. Mas as delicadas variações nas emoções do chefe e suas reações à luta da mosca nos fazem ir além dessa leitura de superfície para considerar as distrações da crueldade casual, os prazeres de brincar de Deus como um meio de conciliar nosso próprio senso de impotência, e o desejo perverso de impingir dor a qualquer um — qualquer coisa — que seja mais fraco e mais indefeso que nós.

Embora ambas as cenas envolvam a morte de insetos, o encontro fatal do chefe com a mosca não poderia ser mais diferente deste episódio perto do início de *Some Hope*, de Edward St. Aubyn. Este massacre está sendo promovido pelo sádico pai do jovem herói, o doutor David Melrose, e observado pela criada da família, Yvette, que carrega uma pesada pilha de roupas passadas por ela na noite anterior.

Com seu roupão azul, e já usando óculos escuros embora ainda fosse cedo demais para que o sol de setembro tivesse se levantado acima da montanha de calcário, ele dirigiu um grosso jorro de água da mangueira que tinha na mão para a coluna de formigas que se movia diligentemente pelo cascalho a seus pés. Sua técnica era bem estabelecida: deixava as sobreviventes lutarem sobre as pedras molhadas e recuperarem sua dignidade por algum tempo, antes de jogar a água ribombante de novo sobre elas. Com a mão livre, tirou um charuto da boca, a fumaça subindo através dos anéis de cabelo castanho e grisalho que cobriam os ossos salientes de sua testa. Depois estreitou o jato de água com o polegar para machucar com mais eficácia uma formiga que estava inteiramente decidido a matar.

Yvette teve apenas de transpor a figueira e pôde entrar furtivamente na casa sem que o doutor Melrose soubesse que tinha chegado. O costume dele, porém, era chamá-la sem levantar os olhos do chão exatamente quando ela pensava que fora encoberta pela árvore. Ontem ele lhe falara tempo suficiente para que seus braços ficassem exaustos, mas não tanto que pudesse deixar a roupa branca cair. Ele media essas coisas com muita precisão.

Diferentemente do chefe, que só começa sua batalhazinha espontânea com a mosca depois que ela sofreu um lamentável acidente, o doutor Melrose (e nesta altura o leitor atento terá admirado a maneira que St. Aubyn encontrou para nos informar a idade e a classe social do médico) está empregando uma técnica estabelecida. As formigas nada fizeram para merecer seu destino, nem suas lutas despertam nele o tipo de admiração sentido pelo chefe no conto de Mansfield. Na verdade, ele prolonga e intensifica a morte delas, que "está inteiramente decidido" a provocar. Assim, não chegamos a nos surpreender quando, no parágrafo seguinte, vemos que ele se cansa de seu jogo com as formigas e redireciona sua crueldade para mais acima na escala evolucionária, atormentando um ser humano enquanto calcula o comprimento exato de conversa exigido para que os braços de Yvette doam com a pesada pilha de roupa branca que carrega, sem fazer porém com que a derrube.

Em geral, pensamos em diálogo e descrição física como as principais maneiras de criar personagens, mas há alguns escritores que — quando analisamos suas estratégias narrativas — revelam recorrer intensamente ao gesto e à ação semiconsciente, especialmente quando estão lidando com personalidades fictícias semirracionais e irracionais. No primeiro capítulo do romance *Wise Blood*, de Flannery O'Connor, Hazel Motes, o pregador obsedado por Deus, encontra-se entre viajantes os mais comuns no vagão-restaurante de um trem. Observe como o diálogo é usado para pontuar o longo catálogo de pequenas ações, como serve de conclusão para as piadas rápidas armadas por gestos:

O camareiro de bordo acenou, mrs. Hitchcock e as mulheres entraram e Haze as seguiu. O homem o deteve e disse "Somente dois", e o empurrou de volta para o vão da porta.

O rosto de Haze ficou de um vermelho feio. Ele tentou se enfiar atrás da pessoa seguinte e depois tentou passar pela fila para voltar ao vagão de onde viera, mas havia gente demais amontoada na entrada. Teve de ficar ali enquanto todos à sua volta o fitavam. Ninguém saiu por algum tempo. Finalmente uma mulher no outro extremo do vagão levantou-se e o camareiro sacudiu a mão. Haze hesitou e viu a mão sacudir-se de novo. Seguiu cambaleando pelo corredor, caindo contra duas mesas no caminho e molhando a mão no café de alguém. O camareiro o sentou junto a três moças vestidas como papagaios.

As mãos delas descansavam sobre a mesa, vermelhas nas pontas. Ele se sentou e limpou a mão na toalha de mesa. Não tirou o chapéu. As mulheres haviam acabado de comer e fumavam cigarros. Pararam de conversar quando ele se sentou. Ele apontou para a primeira coisa no cardápio e o camareiro, inclinando-se sobre ele, disse "Anote isso, filhinho", e piscou para uma das mulheres; ela fungou. Ele escreveu o pedido e o camareiro saiu com o papel. Ficou olhando diante de si, taciturno e tenso, o pescoço da mulher do outro lado. A intervalos a mão dela, segurando o cigarro, passava por esse ponto do pescoço; saía de seu campo de visão e depois passava de novo, voltando para a mesa; num segundo, uma linha reta de fumaça batia em seu rosto. Depois de três ou quatro baforadas, ele olhou para ela. Seu rosto tinha uma expressão atrevida de franga, e seus olhos pequeninos apontaram diretamente para ele.

"Se a senhora foi redimida", disse ele, "eu não gostaria de ser." Em seguida virou a cabeça para a janela. Viu seu pálido reflexo com o espaço escuro e vazio de fora atravessando-o. Um vagão de carga passou, cindindo o espaço vazio em dois, e uma das mulheres riu.

"Acha que eu acredito em Jesus?", perguntou ele, inclinando-se para ela e falando quase como se estivesse sem fôlego. "Bem, eu não acreditaria mesmo que Ele existisse. Mesmo que Ele estivesse neste trem."

"Quem disse que deveria acreditar?", perguntou ela com uma venenosa fala do Leste.

Ele recuou.

O garçom trouxe seu jantar. Ele começou a comer lentamente a princípio, depois mais depressa enquanto as mulheres se concentravam em observar os músculos que sobressaíam em sua mandíbula quando mastigava. Estava comendo alguma coisa pintalgada com ovos e fígados. Terminou, tomou seu café e puxou o dinheiro. O camareiro o viu, mas não foi fechar a conta. Cada vez que passava pela mesa, piscava para as mulheres e olhava para Haze... Finalmente o homem veio e fechou a conta. Haze empurrou-lhe o dinheiro e acotovelou-o para sair do vagão.

Muitas vezes, gestos revelam o inconsciente, mas de fato há muitos casos em que estamos extremamente conscientes de nossos gestos — e também essa consciência é uma espécie de revelação. Na obra de Beckett, os personagens são penosamente conscientes de cada movimento que fazem ou deixam de fazer, assim como são conscientes de tudo — e de nada — acerca de si mesmos. E grande parte da novela *Primeiro amor*, de Turguêniev, é contada através dos gestos dos personagens, um sem-número de minúsculas ações que o narrador é jovem e inocente demais para interpretar ou compreender corretamente.

A primeira vez que o narrador vê Zinaida, sua vizinha, uma bonita moça por quem se apaixonará, ela está cercada por quatro pretendentes. Está lhes dando batidinhas na testa com pequeninas flores cinza, um gesto que define seu caráter (pelo menos naquele momento) e suas relações com os homens que a adoram.

> Os rapazes apresentavam suas testas com tanta avidez, e havia nos movimentos da jovem ... algo tão fascinante, imperioso, acariciador, zombeteiro e encantador que quase soltei um grito de admiração e deleite, e acredito que teria dado tudo no mundo naquele momento para ter aqueles lindos dedos dando batidinhas em minha testa também.

Naquela noite, o menino recém-apaixonado se vê, sem saber por quê, rodopiando três vezes antes de ir para a cama. Logo depois, sua amizade com Zinaida se aprofunda — ela o atrai para a teia, por assim dizer — quando ela lhe pede que segure a meada de lã vermelha que está enovelando.

Numa cena sem palavras, o narrador, passeando pelo jardim, tosse para atrair a atenção da linda vizinha, depois a observa pôr de lado o livro que está lendo para ver o pai dele passar. No dia seguinte, Zinaida e a mãe chegam para jantar, e durante a refeição a forte corrente de atração entre Zinaida e o pai do narrador fica evidente para todos, exceto o rapaz. Novamente, nada precisa ser dito, nenhum diálogo é requerido ou relatado. Basta à mãe do narrador observar a maneira como a jovem convidada e seu anfitrião se comportam à mesa para conceber uma antipatia instantânea por Zinaida:

> Meu pai sentou-se ao seu lado durante o jantar e entreteve a vizinha com sua cortesia habitual, refinada e calma. De tempo em tempo lançava-lhe um olhar, e ela também olhava para ele de vez em quando, mas tão estranhamente, quase com hostilidade. Conversavam em francês; lembro que fiquei surpreso com a pureza da pronúncia de Zinaida.

Mais tarde, todos os gestos de Zinaida — sorrisos misteriosos, suspiros enigmáticos, apertos de mão febris — serão examinados pelo narrador à procura de sinais de amor e predileção, ainda que o leitor saiba que eles são os atos de uma mulher apaixonada pelo pai de um menino cujos olhos lhe lembram os desse pai. E quando o menino conta ao pai sobre uma visita a Zinaida, lemos um subtexto semelhante na reação deste:

> Ele me ouviu entre atento e distraído, sentado num banco e desenhando na areia com a ponta do cabo de seu chicote de montaria. Volta e meia dava uma risadinha, olhava para mim de uma maneira animada e divertida, e instigava-me com breves perguntas e réplicas.

Naquela noite, o narrador visita Zinaida, que se recusa a vê-lo e apenas o contempla de seu quarto, fecha a porta suavemente e se recusa a responder quando a mãe a chama. O destino do narrador está selado: "Minha paixão começou naquele dia."

Zinaida morde uma folha de grama, quer ouvir poesia lida em voz alta, cora a um verso, torce o cabelo do narrador até doer, pede-lhe que salte de um muro alto, joga sua sombrinha na poeira, cobre-lhe o rosto de beijos, abaixa a persiana de sua janela tarde da noite depois que o narrador viu o pai desaparecer rumo à casa dela. Sem que o menino o saiba, cada um desses gestos mapeia a trajetória de seu caso com o pai dele. E tudo isso culmina na célebre cena que o narrador observa à distância, em silêncio. O interlúdio transcorre quase como se estivesse sendo encenado em pantomima, conduzido inteiramente através de gestos, exceto por uma linha de diálogo ouvida por acaso.

Ele começa quando o menino observa o pai parado junto da janela aberta de uma casinha de madeira, falando com Zinaida, que está do lado de dentro:

> Meu pai parecia estar insistindo em alguma coisa. Zinaida não concordava. ... Ela não erguia os olhos, só sorria, submissa e obstinadamente. Foi apenas por esse sorriso que reconheci minha Zinaida. Meu pai deu de ombros e enfiou o chapéu bruscamente na cabeça, o que nele era sempre um sinal de impaciência. Depois ouvi as palavras: "*Vous devez vous séparer de cette...*" Zinaida empertigou-se e estendeu a mão. ... De repente algo inteiramente inacreditável aconteceu diante dos meus olhos; meu pai ergueu subitamente o cabo do chicote, com que estivera batendo a poeira das abas do casaco, e ouvi um som de golpe brusco contra o braço dela, nu até o cotovelo. Mal consegui me impedir de gritar, enquanto Zinaida teve um sobressalto, olhou para o meu pai sem pronunciar uma palavra, e, levando o braço aos lábios, beijou a mancha rubra que aparecia nele. Meu pai jogou longe o chicote e, subindo os degraus rapidamente, entrou na casa. Zinaida virou-se, jogou a cabeça para trás, e, com os braços esticados, também se afastou da janela.

O narrador se dá conta de que é esse gesto — Zinaida beijando o vergão em seu braço — que permanecerá para sempre gravado em sua memória, juntamente com a reconciliação sexualmente carregada sugerida pela pressa do pai e os braços estendidos da amante. E é isso certamente o que fica com o leitor.

Mesmo os maiores escritores podem usar gestos triviais ou empregar mal o gesto. Dickens por vezes inclui gestos que são menos revelações de personalidade que truques mnemônicos jeitosos, destinados a nos ajudar a não perder de vista um grande elenco de personagens: este pestaneja, aquele outro se contorce, este coxeia, aquele repete a mesma expressão vezes sem fim. E, é claro, é possível escrever sem descrever gestos. Podemos perceber quão raramente — quase nunca — Jane Austen usa o gesto físico: talvez sua atenção esteja tão sintonizada com as alterações na sensibilidade de um personagem que simplesmente não pode se dar ao trabalho de baixar o olhar e registrar as revelações tolas ou sem sentido que suas mãos e pés, joelhos e cotovelos estão fazendo.

Se vamos usar gestos — e por que não usaríamos esse prático instrumento, esse atalho, esse meio elegante de contornar cérebro e boca e ir direto ao coração? —, como fazê-lo da maneira mais eficiente? Em primeiro lugar, é importante, como com cada palavra que escrevemos, ser cuidadoso e econômico. Se um gesto não está iluminando algo, simplesmente elimine-o, ou tente cortá-lo e ver se mais tarde sente falta dele ou mesmo se lembra que ele desapareceu. Você realmente precisa daquele cigarro aceso, daquele copo de vinho cheio? É ele simplesmente uma maneira de passar o tempo, de criar um espaço no diálogo, de comunicar estado de espírito e emoção? Conta-nos alguma coisa específica sobre o personagem ou a situação que estamos tentando recriar na página?

E como encontramos esses gestos eficazes? A resposta é, simplesmente, por observação: prestando atenção ao mundo. Observe as pessoas, observe-as atentamente, e anote ou memorize o que vê. (Seria possível afirmar que vale mais a pena usar nosso caderno vazio para registrar pequenos gestos que a Grande Ideia.) Observe aquela mulher à sua frente no metrô, que apalpa compulsivamente o pequenino, quase imperceptível, pneu de carne em sua cintura. Observe o jovem casal no carro parado ao lado do seu no sinal, o homem dançando um elaborado balé com a cabeça e as mãos ao som do rap que toca no rádio, a mulher de costas para ele, olhando pela janela.

Em busca do que chamou de "a poesia do gesto", Proust cultivou o que sua governanta, Celestine Albert, chamou de seus

> ... fabulosos poderes de observação e uma memória tenaz. Por exemplo, cada uma das duas ou três vezes em que ele olhou pela janela da cozinha da rua Hamelin para mme. Standish e sua família jantando, fez apenas uma breve aparição, como se estivesse apenas de passagem. Mas em trinta segundos tudo era registrado, e melhor do que se fosse com uma câmera, porque atrás da própria imagem havia muitas vezes toda uma análise de caráter baseada em um único detalhe — o modo como alguém pegava um saleiro, uma inclinação da cabeça, uma reação que ele captara no voo.

Como comecei criticando maus atores e seus gestos teatrais, talvez deva concluir louvando bons atores que são, afinal de contas, estudiosos do movimento físico. Atores estão sempre observando, e escritores podem aprender observando atores: os gestos muito diferentes que, digamos, Robert De Niro usa para retratar Jake La Motta ou Travis Bickle ou qualquer dos amáveis padres que ele sempre acaba representando. Um ator me contou certa vez que anos antes observara um velho surpreendido por um aguaceiro sem guarda-chuva, e que mais tarde usara o andar curvado, defensivo daquele velho ao retratar um pai vergado sob a dor da morte súbita de um filho.

Finalmente, gostaria de citar uma história sobre gesto, sobre a atenção que um diretor pode dar ao modo como os seres humanos revelam seus segredos em cada movimento que fazem. É interessante comparar a história, tomada de memórias da atriz Isabella Rossellini, com uma situação similar na ficção, encontrada no romance *The Go-Between*, de L.P. Hartley. Em ambos os casos, o uso de gestos envolve uma ação e revela ou oculta um caso de amor secreto.

A passagem de Hartley conclui uma cena em que uma aristocrática jovem inglesa, após um jogo de críquete, acompanha ao piano uma serenata cantada por um fazendeiro local que, sem que os outros convidados o saibam, é seu amante:

> Terminada a canção, houve um brado para a acompanhante, e Marian deixou o banco para partilhar os aplausos com Ted. Virando-se parcialmente, fez-lhe uma ligeira saudação. Mas ele, em vez de responder, duas vezes virou a cabeça em direção a ela e depois para o outro lado, como um comediante ou um palhaço brincando com o parceiro. A audiência riu e ouvi lorde Trimingham dizer: "Não muito galante, não é?" Meu companheiro foi mais enfático. "Que aconteceu com nosso Ted", ele sussurrou por sobre mim com nosso outro vizinho, "para ser tão tímido com as damas? É porque ela vem do Solar, é por isso." Nesse meio tempo Ted havia se recuperado o bastante para fazer uma mesura a Marian. "Assim está melhor", comentou meu companheiro. "Se não fosse pela diferença, que belo par eles fariam!"

Rossellini, em contraposição, descreve como uma demonstração *exterior* de afeição (em vez de restrição) pode ser empregada para ocultar uma paixão. Chocada e infeliz por ter sido abandonada pelo amante David Lynch, a atriz telefonou para o ex-marido, Martin Scorsese, para lhe contar o que acontecera:

> "Martin, David me deixou", disse eu ao telefone.
>
> "Eu sabia", anunciou ele para minha completa surpresa.
>
> "Sabia como? Nenhum de nós sabia — nenhum de meus amigos, ninguém de minha família esperava aquilo, e era a última coisa em que eu teria pensado. Como você sabia?"

"Eu soube quando vi você e David no noticiário, no Festival de Cinema de Cannes. Quando David ganhou a Palma de Ouro por *Coração selvagem*, ele a beijou na boca na frente da imprensa."

"E daí?"

"Bem, vocês dois foram tão discretos sobre sua relação, embora todo mundo soubesse que estavam juntos — não houve nenhuma foto, nenhuma declaração. Se David optou por exibir seu amor por você diante da imprensa depois dos cinco anos que vocês passaram juntos, obviamente tinha alguma coisa a esconder."

## 10

# Aprender com Tchekhov

No FIM DOS ANOS 1980, lecionei em uma faculdade que ficava a duas horas e meia de minha casa. Viajava até lá uma vez por semana, passava a noite, voltava. Durante quase todo o inverno, viajei de ônibus. A pior parte era esperar na estação de New Rochelle. Como o ônibus se atrasava frequentemente, eu acabava passando ali, em média, quarenta minutos por semana.

Embora a estação de ônibus fosse uma loja de esquina envidraçada, nenhuma das janelas se abria, assim o ar só se movia quando alguém entrava pela porta. Havia um balcão de venda de passagens, uma parede com revistas masculinas, um telefone, uma prateleira de doces empoeirados. A estação nunca estava cheia, o que não chegava a ser um consolo quando metade das pessoas ali dava a impressão de que estourariam meus miolos com prazer pela chance de encontrar um ou dois Valiums em minha bolsa.

Em geral, eu comprava um refrigerante e um biscoito doce gorduroso para me animar e lia a revista *People*, porque tinha medo de perder contato com meu ambiente por mais tempo que o necessário para ler um artigo daquele tipo. Atrás do balcão trabalhavam um homem de cerca de 60 anos e uma mulher de cerca de 50, e durante todo o tempo que passei ali nunca os vi trocar uma palavra que não fosse sobre o serviço. Atrás deles havia uma televisão, constantemente ligada, e vou lhes dar uma ideia do tipo de inverno que passei ao dizer que foi na tevê da estação de ônibus que vi a *Challenger* explodir as primeiras dez vezes. Eu passava por um período difícil em minha vida, e cada minuto a mais longe de casa e da minha família era penoso.

Por fim o ônibus chegava, com um dos dois motoristas que se revezavam — o mais jovem e detestável, que parecia mergulhar numa espécie de transe entre Newburgh e New Palz e avançava cada vez mais devagar pela rodovia, e o mais velho e mais amável que parecia o vilão de um melodrama vitoriano e gostava de um spray que cheirava como mistura de bala de cereja e repelente. O ônibus gastava meia hora parando em pontos em Westchester antes mesmo de entrar na estrada.

Assim que eu me instalava e terminava meu refrigerante, meus biscoitos e a revista, começava a ler os contos de Anton Tchekhov. Era o meu ritual e a minha recompensa. Eu retomava onde havia parado na semana anterior, através de volume após volume das traduções de Constance Garnett. E nunca precisei ler mais do que uma ou duas páginas para começar a pensar que talvez as coisas não fossem tão más. Os contos eram não apenas profundos e belos, mas também envolventes, de modo que eu terminava um e me via, miraculosamente, cerca de uma hora mais perto de casa. No entanto, havia mais do que a distração, o tempo passado de maneira tão indolor e agradável. Uma sensação de conforto me tomava, como se naqueles trinta minutos tivessem me embarcado numa nave espacial e me mostrado o mundo todo, um mundo cheio de sofrimentos, ao mesmo tempo diferente e muito parecido com o meu próprio, e também cheio de promessa. Era como se me tivesse sido permitido partilhar uma inteligência ampla o bastante para abarcar motoristas de ônibus e drogados de estação, uma visão tão penetrante que eu poderia ter continuado a ver aqueles astronautas muito depois que seu penacho de fogo tivesse desaparecido da tela. Comecei a pensar que talvez nada fosse um desperdício, que um dia eu poderia fazer alguma coisa com o que estava me acontecendo, usar até a estação de ônibus de New Rochelle, de algum modo, em meu trabalho.

Lendo Tchekhov, eu me sentia não exatamente feliz, mas tão perto da felicidade quanto eu sabia que poderia chegar. E ocorreu-me que esse era o prazer e o mistério da leitura, bem como a resposta aos que dizem que os livros vão desaparecer. Por enquanto, os livros continuam sendo a melhor maneira de levarmos a grande arte e seus consolos conosco em um ônibus.

Na primavera, na última aula do curso que eu viajava para dar, meus alunos me perguntaram: se eu tivesse uma mensagem final a lhes dar sobre a escrita, qual seria ela? Falavam um pouco de brincadeira, em parte porque nessa altura sabiam que sempre que eu dizia algo sobre a escrita, e muitas vezes quando passávamos para outro assunto completamente diferente, eu frequentemente fazia restrições e até apresentava contraexemplos, provando que o contrário podia ser igualmente verdadeiro. Até certo ponto, contudo, falavam a sério também. Havíamos avançado bastante. De vez em quando, minha impressão era que, às nove horas da manhã de toda quarta-feira, naufragávamos e íamos dar juntos em alguma ilha. Agora eles queriam uma lembrança, um fragmento de concha para levar para casa.

Ainda assim, pareceu quase impossível desencavar aquele último conselho. Muitas vezes, desejei entrar em contato com ex-alunos e dizer: "Lembra-se de tal e tal coisa que lhe disse? Bem, retiro aquilo, eu estava errada!" Dada a dificuldade de fazer qualquer declaração simples verdadeira, decidi que poderia igualmente dizer a primeira coisa que me viesse à cabeça, que foi isto: o mais importante, eu lhes disse, era observação e consciência. Mantenha os olhos abertos, veja com clareza, pense sobre o que vê, pergunte a si mesmo o que isso significa.

Depois vieram as restrições e os contraexemplos: eu não estava sugerindo que a arte devia ser necessariamente descritiva, literal, autobiográfica ou confessional. Tampouco se deveria negligenciar a imaginação como instrumento investigativo. "A distância da Lua", conto de Italo Calvino sobre um tempo mítico em que era possível chegar à Lua subindo por uma escada na Terra, sempre me pareceu uma obra de aguda observação e precisão. Se a perceptividade – no sentido literal – fosse o critério da genialidade, que deveríamos fazer com relação a Milton? Ainda assim, na maioria dos casos continua sendo um fato: quanto mais amplo e mais profundo o seu escopo de observação, melhor, mais interessante e mais verdadeiro será o que você vai escrever.

Meus alunos olhavam para mim e bocejavam. Era de manhã cedo; eles tinham ouvido aquilo antes. E talvez eu não o tivesse repetido, ou ao menos não com tanta convicção, se não tivesse passado o ano lendo todo aquele Tchekhov, todos aqueles contos iluminados com a mais profunda e mais ampla observação da vida — ao mesmo tempo compassiva e desapaixonada — que conheço.

Já descrevi o que a leitura dos contos de Tchekhov fazia por mim, um pouco daquilo de que me salvavam e o que me proporcionavam. Mas o que tenho a acrescentar agora é que, depois de algum tempo, comecei a perceber uma coisa estranha. Digamos que eu tivesse acabado de dizer a um aluno de criação literária que uma possível razão para a turma ter tido dificuldade em distinguir seu dois personagens principais era que eles se chamavam Mikey e Macky. Não estava dizendo que os dois grandes amigos em seu conto *não podiam* ter nomes parecidos. Mas, dada a ausência de outras características distintivas, talvez fosse melhor — tendo em vista a clareza — chamar um de Frank, ou Bill. O aluno pareceu gostar dessa solução simples para um problema difícil. Fiquei feliz por ter ajudado. Mais tarde, quando meu ônibus arrancou de La Rochelle, comecei a ler "Os dois Volódias", de Tchekhov.

Nesse conto, uma jovem chamada Sofia se ilude com a ideia de que está apaixonada por seu velho marido, Volódia, depois se convence de que está apaixonada por um amigo de infância, também chamado Volódia. No final, nós a vemos ser consolada por uma irmã adotiva que se tornou freira, e que lhe diz que "nada disso teve importância, tudo isso passaria e Deus a perdoaria". Que os dois homens tenham o mesmo nome não é o ponto central do conto. Aqui, como em toda a obra de Tchekhov, nunca há exatamente um "ponto central". O que sentimos é antes que estamos compreendendo o coração dessa mulher, e o que ela percebe como sua "desgraça intolerável". Que esteja apaixonada — ou não — por dois homens chamados Volódia é simplesmente um fato em sua vida.

Na semana seguinte, sugeri a outra aluna que o que tornava seu conto tão confuso eram as múltiplas mudanças de ponto de vista. É apenas uma história de cinco páginas, disse. Não *Rashomon*. E naquela tarde li "Gussev", de Tchekhov, que fala de um marinheiro que morre no mar. O conto começa do ponto de vista do marinheiro, depois se transforma em longos trechos de diálogo entre ele e outro homem moribundo. Quando Gussev morre — uma outra "regra" que fiquei feliz por não ter ensinado a meus alunos era que não se pode escrever uma história em que o narrador ou personagem de cujo ponto de vista ela é contada morre —, a perspectiva muda para a dos marinheiros que o sepultam no mar e depois para a do peixe-piloto que vê seu corpo cair, depois para a do tubarão que vem investigar, até que finalmente, como escreveu certa vez um aluno meu, temos a impressão de estar vendo através dos olhos de Deus. É quase impossível descrever ou resumir o final desse conto. Assim citarei os últimos parágrafos para mostrar o que provavelmente não precisa ser mostrado: quanto teria sido perdido se Tchekhov seguisse as "regras":

Afundou rapidamente. Terá chegado ao fundo? Até o fundo, dizem, é quase uma légua. Ao cabo de oito ou dez braças, começou a descer mais devagar, balançando de forma ritmada, como que hesitando, e, arrastado por uma corrente, deslizou mais para o lado do que para baixo.

Encontrou então pelo caminho um cardume de peixes a que chamam pilotos. Ao verem o corpo escuro, os peixes estacaram petrificados e, todos juntos, deram meia-volta e desapareceram. Em menos de um minuto eles voltaram, velozes como flechas, e começaram a ziguezaguear na água em torno de Gussev.

Depois disso, outro corpo escuro apareceu. Um tubarão. Nadou por debaixo de Gussev lenta e dignamente, sem demonstrar interesse, como se não o notasse; depois afundou um pouco mais, virou-se de barriga para cima, refestelando-se na água morna e transparente, e abriu preguiçosamente as mandíbulas com duas fileiras de dentes. Os peixes-pilotos estão encantados; param para ver o que virá a seguir. Depois de brincar um pouco com o corpo, o tubarão, indiferente, toca-o ligeiramente com os dentes e a lona se rasga em toda a extensão, da cabeça aos pés; um dos pesos se solta, assustando os pilotos, bate nas costelas do tubarão e vai rapidamente para o fundo.

Lá em cima, neste momento, as nuvens se acumulam do lado onde o sol se põe; uma parece um arco do triunfo, outra um leão, uma terceira uma tesoura... De trás das nuvens um raio se projeta, largo e verde, e se estende até o meio do céu; pouco depois, outro raio, violeta, estende-se ao lado do verde; ao lado deste, um dourado, e depois um rosado. O céu tinge-se de um lilás suave. Olhando esse céu maravilhoso e como que encantado, o oceano fica, a princípio, aborrecido, mas pouco depois ele próprio adquire cores suaves, alegres, apaixonadas, difíceis de nomear na língua humana.

Por volta da mesma época, eu disse a meus alunos que deveríamos, idealmente, ter alguma noção do tema de uma história — em outras palavras, como tantas vezes se diz em oficinas: essa é a história de quem? Oferecer ao leitor essa simples informação, disse eu, não era realmente dar muito. Um pouco de clareza de foco não custava nada ao escritor e era cem vezes lucrativa para o leitor. E foi mais ou menos nessa mesma ocasião que li pela primeira vez "Na ravina", em que não percebemos que a menina camponesa Lipa é a nossa heroína antes de chegar quase à metade do conto. Além disso, a história gira em torno da morte de um bebê, exatamente o tipo de incidente que aconselho meus alunos a evitar, por ser tão difícil escrever bem sobre ele, sem sentimentalismo. Aqui está — não tenho nenhuma desculpa pedagógica para citar este trecho, incluo-o apenas por admirá-lo tanto — a cena extraordinariamente encantadora em que Lipa brinca com a criança:

Lipa brincava com o bebê que lhe nascera antes da Quaresma. Era uma criança pequena, magra, de dar pena, e era até estranho que pudesse berrar, olhar em torno, ser considerada um ser humano, e, até, chamar-se Nikifor. Ele ficava deitado no berço e Lipa afastava-se até a porta e dizia-lhe, inclinando-se numa cortesia:

"Bom dia, Nikifor Anissimitch!"

Depois corria para ele e cobria-o de beijos. Voltava para a porta, fazia outra saudação e tornava a dizer:

"Bom dia, Nikifor Anissimitch!"

O bebê levantava as perninhas vermelhas, e seu choro era entremeado de riso, como o do carpinteiro Elizarov.

Nessa altura eu havia aprendido minha lição. Comecei a dizer aos meus alunos para ler Tchekhov em vez de me dar ouvidos. Invocava o nome de Tchekhov com tanta frequência que uma aluna, desagradada, acusou-me de tentar *forçá-la* a escrever como ele. Não satisfeita, declarou que estava enjoada de Tchekhov, que havia muitos escritores melhores que ele e, quando lhe perguntei quem, respondeu Thomas Pynchon. Eu disse que considerava ambos os escritores muito bons, reprimindo um intenso desejo de correr até o corredor e perguntar a todos os professores quem era melhor, Tchekhov ou Pynchon, e só não o fiz porque — pelo menos é o que gostaria de pensar — a experiência de ler Tchekhov, além de iluminadora, ensinava a humildade.

Ainda assim, havia algumas coisas que eu pensava saber. Semanas mais tarde, sugeri a outro aluno que ele talvez devesse repensar a decisão de mostrar seu personagem pegando um revólver no último parágrafo do conto e estourando a própria cabeça sem nenhuma razão para isso. Não era que algo assim não pudesse acontecer, mas parecia tão inesperado, tão melodramático... Talvez se ele preparasse o leitor, mesmo muito ligeiramente, se insinuasse que seu personagem, mesmo que não pensasse em suicídio, era pelo menos capaz disso... Algumas horas depois, entrei no ônibus e li o final de "Volódia":

Volódia enfiou o cano do revólver na boca, encontrou o que lhe pareceu ser o gatilho e apertou... Depois, sentiu outra saliência, e tornou a apertar. Tirou o cano da boca, limpou-o na gola do casaco e examinou a trava; nunca antes tivera uma arma nas mãos...

"Parece que é preciso levantar isto...", pensou. "Sim, parece que é isto..."

Volódia voltou a enfiar o cano na boca, prendeu-o com os dentes e apertou algo com um dedo. Ouviu-se o estrondo de um tiro. Algo bateu com muita força em sua nuca, e ele caiu sobre a mesa de cara contra os copos e garrafas. Depois viu seu pai usando uma cartola com uma larga fita preta, de luto por uma senhora de Menton, abraçá-lo com os dois braços, e ambos caíram de cabeça em um precipício muito fundo, muito escuro...

Depois tudo ficou borrado e desapareceu.

Até esse momento, não tivéramos nenhuma indicação de que Volódia estava preocupado com alguma coisa além da perspectiva dos exames escolares e uma paixonite comum de adolescente por uma coquete mulher mais velha. Nem tínhamos ouvido falar muito de seu pai, exceto pelo fato de que Volódia culpa sua frívola mãe de ter esbanjado o dinheiro dele.

O que parecia estar em jogo aqui era muito mais sério que uma questão de nomes parecidos e pontos de vista divergentes. Pois, como qualquer pessoa que tenha frequentado uma aula de criação literária sabe, o essencial em uma oficina de ficção é a motivação. Queixamo-nos, criticamos, dizemos não entender por que esse ou aquele personagem diz ou faz alguma coisa. Como atores que seguem a técnica de atuação realista de Strasberg, perguntamos: qual é a motivação? Tudo isso se baseia, é claro, na suposição reconfortante de que as coisas, na ficção como na vida, são feitas por uma razão. Mas aqui estava Tchekhov, contando-nos que, como talvez já tivéssemos notado, as pessoas muitas vezes fazem coisas terríveis e irrevogáveis sem absolutamente razão alguma.

Mal eu havia assimilado esse fragmento crítico de informação, por acaso li "Uma história enfadonha", que me convenceu de que eu estivera não só superestimando como também supersimplificando a profundidade e as complexidades da motivação. Como eu poderia ter pedido para saber exatamente como certo personagem se sente em relação a outro quando, como o narrador de "Uma história enfadonha" revela a cada página, nossos sentimentos pelos outros podem ser vagos, mutáveis, contraditórios, ocultos nos mais hábeis disfarces até de nós mesmos?

Tchekhov estava me ensinando a ensinar, mas eu continuava muito lenta em aprender. Os erros e as revelações continuaram. Eu sempre supusera, e provavelmente até dissera, que a insanidade não é um estado especialmente feliz. E talvez em geral isso seja verdade, mas como Tchekhov está sempre nos lembrando, "em geral" não é "sempre".

Para Kovrin, o herói de "O monge negro", as visitas de um monge imaginário são os momentos mais doces, acolhidos com maior alegria em sua vida sob outros aspectos insatisfatória. E que dizer sobre a suposição de que, na vida e na ficção, um personagem louco deveria "agir" como louco, ou pelo menos fazer algo capaz de sugerir algum grau de desequilíbrio? Não Kovrin, que, afora esses ataques alucinatórios e um episódio juvenil de "transtorno nervoso", é um professor universitário, um marido, um membro atuante da sociedade, um homem cuja consciência da própria "mediocridade" só é aliviada por suas conversas com o monge fantasmagórico, que lhe assegura que ele é um gênio.

Lendo outro conto, "O marido", lembro de ter me perguntado: qual é o sentido de escrever uma história em que tudo é pútrido, todos os personagens são terríveis e praticamente nada acontece, nada muda? No conto, Shalikov, o coletor de impostos, observa sua mulher desfrutando um breve momento de prazer ao dançar numa festa, tem um ataque de ciúme e a chantageia para que deixe o baile e volte à prisão de suas vidas partilhadas. Assim termina o conto:

> Ana Pavlovna mal podia andar... Continuava sob a influência da dança, da música, da conversa, das luzes e do barulho; perguntou a si mesma enquanto caminhava por que Deus a fizera sofrer assim. Sentia-se infeliz, insultada e sufocando de raiva enquanto ouvia os passos pesados do marido. Estava calada, tentando pensar na palavra

mais ofensiva, cáustica e maldosa que pudesse lançar a ele, ao mesmo tempo em que tinha plena consciência de que nenhuma palavra podia penetrar sua couraça de coletor de impostos. Que importância dava ele às palavras? Seu inimigo mais cruel não poderia ter tramado para ela uma posição mais impotente.

Enquanto isso a orquestra tocava, e a escuridão estava cheia das músicas mais vibrantes, mais embriagadoras.

O "sentido" — e, novamente, não há "sentido" convencional — é que, num pequeno número de páginas, a cortina que oculta essas vidas foi puxada, revelando-as em toda sua impotência, raiva e rancor. O sentido é que a vida continua, inalterada; por que então a ficção deveria insistir que grandes reviravoltas devem sempre, convenientemente, ocorrer?

E, finalmente, esta revelação: num ataque de irritação, eu disse a meus alunos que os sofrimentos dos pobres são mais impressionantes e dignos de nossa atenção que os vagos dissabores dos ricos. Assim, foi com certa mortificação que li "O reino de uma mulher", um delicado e comovente conto sobre uma mulher rica e solitária — nada menos que a proprietária de uma fábrica — que se vê atraída por seu capataz, até que um comentário casual de um membro de sua própria classe a desperta para a impossibilidade da situação. Quando terminei o conto, senti que havia sido contestada, não só em minhas afirmações mais petulantes sobre ficção, como também em minhas suposições mais básicas sobre a vida. A verdade era algo que Tchekhov havia visto e que eu — com toda minha conversa vã sobre observação — tinha de algum modo deixado passar: se você fere uma mulher rica, ela sangra exatamente como uma pobre. O que não quer dizer que Tchekhov não soubesse, e muito bem, que, sendo o mundo como é, os pobres são feridos com mais frequência e mais profundamente.

E agora, já que estamos falando da vida, uma breve digressão sobre Tchekhov. Quando morreu de tuberculose, aos 44 anos, Tchekhov havia escrito, além de suas peças de teatro, cerca de 600 contos. Era também médico. Supervisionou a construção de clínicas e escolas, foi atuante no Teatro de Arte de Moscou, casou-se com a famosa atriz Olga Knipper, visitou a famigerada prisão da ilha Sakhalin e escreveu um livro a respeito. Uma vez, quando alguém lhe perguntou qual era seu método de composição, Tchekhov pegou um cinzeiro: "Este é meu método de composição", disse. "Amanhã vou escrever um conto chamado 'O cinzeiro'."

Suas cartas estão cheias de reflexões reveladoras e imensamente úteis sobre a escrita em geral e, em particular, sobre a objetividade que o escritor precisa ter, a importância de ver com clareza, sem julgar, certamente sem prejulgar, sobre como o escritor precisa ser "um observador imparcial".

> Que o mundo "fervilha com escória masculina e feminina" é perfeitamente verdadeiro. A natureza humana é imperfeita. Mas pensar que a missão da literatura é colher o grão puro no monte de estrume é rejeitar a própria literatura. A literatura artística é assim chamada porque descreve a vida como realmente é. Sua meta é a verdade — incondicional e genuína. Um escritor não é um confeiteiro, nem um comerciante de cosméticos, nem um artista do teatro de variedades; é um homem compelido pela necessidade de cumprir seu dever e por sua consciência. Para um químico, nada na terra é sujo. Um escritor deve ser tão objetivo quanto um químico.

> Parece-me que o escritor não deveria tentar resolver questões como as de Deus, do pessimismo etc. Sua obrigação é apenas descrever aqueles que têm falado ou pensado sobre Deus e o pessimismo, como e em que circunstâncias. O artista não deveria ser o juiz de seus personagens e de suas conversas, mas apenas um observador imparcial.

> Você está certo ao exigir que um artista tome uma atitude inteligente em relação à sua obra, mas está confundindo duas coisas: resolver um problema e formulá-lo corretamente. Só esta segunda coisa é obrigatória para o artista.

Você ataca minha objetividade, chamando-a de indiferença pelo bem e o mal, falta de ideias e ideais, e assim por diante. Você gostaria que eu, ao descrever ladrões de cavalos, dissesse: "Roubar cavalos é um mal." Mas isso é sabido desde sempre, sem que eu precise dizê-lo. Deixemos que o júri os julgue; cabe-me simplesmente mostrar que tipo de gente eles são. Eu escrevo: vocês estão lidando com ladrões de cavalos, portanto permitam-me dizer-lhes que não são mendigos, mas gente bem alimentada, e gente de um naipe especial, e que roubo de cavalos não é simplesmente roubo, mas paixão. É claro que seria agradável combinar arte com um sermão, mas para mim pessoalmente isso é impossível, dadas as condições da técnica. Você vê, para descrever ladrões de cavalos em 700 linhas preciso falar e pensar o tempo todo em seu tom e sentir em seu espírito. De outro modo, o conto não seria tão compacto como todo conto deve ser. Quando escrevo, confio inteiramente no leitor para acrescentar por si próprio os elementos subjetivos que faltam à história.

E agora, uma citação final, que, dado o número de vezes em que fiz afirmações e fui obrigada a me retratar uma semana depois, impressionou-me especialmente:

É hora de os escritores admitirem que nada neste mundo faz sentido. Só tolos e charlatães pensam que sabem e compreendem tudo. Quanto mais estúpidos são, mais amplos supõem ser seus horizontes. E se um artista decide declarar que não entende nada do que vê — isto por si só constitui uma considerável clareza na esfera do pensamento e um grande passo adiante.

Todo grande escritor é um mistério, ainda que apenas porque algum aspecto de seu talento permanece para sempre inefável, inexplicável e assombroso. A simples população da imaginação de Dickens, a arquitetura fantástica que Proust constrói a partir de momentos minuciosamente examinados. Perguntamos a nós mesmos: como pôde alguém fazer isso? E, é claro, diferentes qualidades da obra assombrarão diferentes pessoas. Para mim, o mistério de Tchekhov é antes de mais nada de conhecimento: como pode ele saber tanto? Ele sabe tudo que nos orgulhamos de ter aprendido, e muito mais. "Festa do santo do dia", uma história sobre uma mulher grávida, é cheia de observações sobre a gravidez que eu pensava serem segredos que só grávidas conheciam.

O segundo mistério é como, sem jamais ser direto, ele comunica o fato de que não está descrevendo o mundo, ou como as pessoas deveriam ver o mundo, ou como ele, Anton Tchekhov, vê o mundo, mas apenas o mundo que um ou outro personagem habita durante certo espaço de tempo. Quando os personagens são desprovidos de atrativos, nunca sentimos o autor se escondendo atrás deles e espichando a cabeça para o lado para dizer: "Isto não sou eu, isto não sou eu!" Nunca sentimos que Gurov, o herói de "A senhora do cãozinho", é Tchekhov, embora, por tudo que sabemos, nada o impeça de ser. O que sentimos é, antes, que estamos vendo a vida de Gurov — e sua vida transformada. Tchekhov está sempre, como diz em suas cartas, trabalhando do particular para o geral.

Para mim, porém, o maior mistério é essa questão a que ele está sempre aludindo em suas cartas: a necessidade de escrever sem julgamento. Não dizer: "Roubar cavalos é um mal." Não ser o juiz dos próprios personagens e de suas conversas, mas sim o observador imparcial. Certamente Tchekhov não vive sem julgamento. Não sei se alguém o faz, ou se isso é sequer possível, exceto para psicóticos e monges zen que se exercitaram para suspender toda reflexão, seja moral ou de outros tipos. Minha impressão é que viver sem julgamento é provavelmente uma má ideia. E, mais uma vez, nada disso é exigido do escritor. Balzac julgava todas as pessoas e achava que quase todas deixavam a desejar; a mesquinhez delas e a ferocidade de seu ultraje é parte da grandeza de sua obra. Mas Tchekhov acreditava — e punha essa ideia em prática mais do que qualquer escritor em que eu possa pensar — que julgamento e preconceito são incompatíveis com certo tipo de arte literária. É por isso que, por razões que ainda não posso realmente explicar, sua obra me reanimava de maneiras que a de Balzac simplesmente não conseguia.

Antes de terminar, gostaria de citar o resumo que Vladimir Nabokov fez de sua leitura do conto "A senhora do cãozinho", de Tchekhov:

> Todas as regras tradicionais para a narrativa de histórias foram violadas neste maravilhoso conto de cerca de vinte páginas. Não há nenhum problema, nenhum clímax, nenhum sentido no fim. E é um dos contos mais magníficos jamais escritos.
>
> Repitamos agora as diferentes características tipicamente presentes neste e em outros contos de Tchekhov:
>
> Primeiro: A história é contada da maneira mais natural possível, não ao pé do fogo após o jantar, como em Turguêniev ou Maupassant, mas do modo como uma pessoa conta a outra as coisas mais importantes da vida, devagar mas sem interrupção, numa voz ligeiramente sussurrada.
>
> Segundo: A caracterização exata e rica é alcançada mediante cuidadosa seleção e cuidadosa distribuição de traços diminutos, mas surpreendentes, com absoluto desprezo pela descrição constante, a repetição e a ênfase forte de autores comuns...
>
> Terceiro: Não há nenhuma moral especial a ser extraída e nenhuma mensagem especial a ser recebida.
>
> Quarto: A história é baseada num sistema de ondas, nas tonalidades desse ou daquele estado de ânimo. Em Tchekhov, obtemos um mundo de ondas em vez de partículas de matéria.
>
> Quinto: O contraste entre prosa e poesia enfatizado aqui e ali com tanta perspicácia e humor é, no fim das contas, um contraste apenas para os heróis. Na realidade, sentimos — e, mais uma vez, isso é típico do gênio autêntico — que para Tchekhov o sublime e o vil não são diferentes, que a talhada de melancia, o mar violeta e as mãos do governador da cidade são aspectos essenciais da beleza e da compaixão do mundo.
>
> Sexto: O conto não termina realmente, pois, enquanto as pessoas estão vivas, não há conclusão possível e definida para seus infortúnios, esperanças ou sonhos.

Sétimo: O narrador parece estar a todo momento se dando ao trabalho de aludir a bagatelas, cada uma das quais, em outro tipo de história, significaria uma indicação clara de uma virada na ação. Mas exatamente por não terem nenhum sentido, tais bagatelas são de extrema importância para dar a atmosfera real dessa história particular.

Permita-me repetir uma frase que me parece particularmente significativa: "sentimos ... que para Tchekhov o sublime e o vil não são diferentes, que a talhada de melancia, o mar violeta e as mãos do governador da cidade são aspectos essenciais da beleza e da compaixão do mundo." E o que eu poderia acrescentar: quanto mais lemos Tchekhov, mais sentimos isso. Muitas vezes pensei que os contos de Tchekhov não deveriam ser lidos isoladamente, mas como partes separadas de um todo. Pois, como a vida, apresentam ideias contraditórias, visões opostas. Lendo-os, pensamos: como a vida é ampla! Quantas maneiras há de viver! Neste mundo, onde tudo pode acontecer, quanta coisa é possível! Nossas vidas podem mudar inteiramente num instante. Ou: nada mudará jamais — especialmente o fato de que o mundo e o coração humano serão sempre mais vastos e profundos que qualquer coisa que possamos penetrar.

E isto é o que concluí sobre o que aprendi, sobre o que ensinei e sobre o que deveria ter ensinado: "Esperem!", eu deveria ter dito aos meus alunos. "Voltem! Cometi um erro. Esqueçam a observação, a consciência, a perceptividade. Esqueçam a vida. Leiam Tchekhov, leiam todos os contos. Admitam que não compreendem nada da vida, nada do que veem. Depois saiam e olhem para o mundo."

## 11

## Ler em busca de coragem

Quando pensamos quantas coisas aterrorizantes as pessoas são chamadas a fazer todos os dias ao combater incêndios, defender seus direitos, realizar cirurgias no cérebro, dar à luz, dirigir na via expressa e lavar janelas de arranha-céus, parece frívolo, comodista e presunçoso falar sobre escrever como um ato que requer coragem. O que poderia ser mais seguro do que estar sentado à sua escrivaninha, batendo de leve algumas teclas, empurrando sua cadeira para trás e fazendo uma pausa para contemplar o maravilhoso bocado de arte que seu cérebro produziu para diverti-lo?

No entanto, a maioria das pessoas que tenta escrever experimenta não só necessidade de coragem como desalento, à medida que as consequências reais ou imaginárias — falhas e humilhações, exposição e inadequação — dançam diante de seus olhos através da tela ou da página vazias. O medo de escrever mal, de revelar algo que gostaríamos de manter oculto, de cair no conceito dos outros, de violar nossos próprios padrões elevados, ou de descobrir algo sobre nós mesmos que preferiríamos ignorar são apenas alguns dos fantasmas amedrontadores o suficiente para levar o escritor a se perguntar se não haveria emprego disponível como lavador de janelas de arranha-céus.

Tudo isso gera mais uma razão para ler. A literatura é uma fonte inesgotável de coragem e confirmação. O leitor e o escritor iniciante podem estar certos de que serão animados por todas as obras corajosas e originais que foram escritas sem a menor preocupação com o que pudessem ter de estranho ou arriscado, ou com o que a mãe do escritor poderia pensar quando as lesse.

Muitas vezes, quando leciono, gosto de fazer uma lista de leituras indicadas composta inteiramente de obras-primas que, por uma razão ou outra, poderiam ter sido inteiramente rejeitadas pela crítica mais convencional de jornal ou pela oficina literária. Muitas das obras que mencionei até agora neste livro poderiam se ver em dificuldades com alguns dos críticos amadores ou profissionais de hoje. E, de fato, muito do que *nós próprios* consideramos indispensável para uma obra de ficção pode vir a se revelar supérfluo à medida que avançamos em nossas leituras. Se a cultura estabelece uma série de regras que o escritor é instruído a observar, a leitura nos mostrará como elas foram ignoradas no passado, e como isso teve um resultado feliz. Assim, permita-me repetir mais uma vez: a literatura não só infringe regras como nos faz compreender que *não existe regra alguma*.

Digamos que estivemos lutando para encontrar alguma maneira sutil de fazer nosso leitor saber qual é a aparência de um personagem. Deveríamos fazer a srta. X. admirar seu lindo cabelo louro no espelho? Ou deveria a vizinha do sr. Y. dizer: "Ah, sr. Y., como seus olhos parecem azuis esta manhã!" Ou deveríamos reler *A marquesa de O.* e concluir que cabelo e cor dos olhos podem ser Excesso de Informação?

Mas a aparência, como sabemos, é superficial. Que dizer sobre tudo aquilo que se situa sob a fachada visível, a camada superficial polida? Que acontece quando voltamos às nossas escrivaninhas após participar do seminário de literatura em que nossos colegas agiram como uma equipe de psiquiatras reunida para discutir o caso e o prognóstico de um personagem num conto? Que devemos pensar depois da oficina em que se pediu ao autor um currículo com todas as experiências profissionais de um personagem? Ou depois da reunião do grupo de escritores em que é salientado que não podemos esperar compreender nada que a sra. Z. faz se não soubermos como ela foi tratada pela mãe e o pai? Que adianta protestarmos que, na vida, precisamos a toda hora descobrir por que as pessoas agem como agem antes de ouvirmos uma palavra sobre sua infância? Nada. Tudo que podemos concluir é que fracassamos numa das tarefas mais elementares do escritor de ficção.

Como opção, podemos ler *Primeiro amor*, de Samuel Beckett, em que não somos informados de nenhum detalhe físico do narrador, cujo pano de fundo é igualmente sombrio e que resiste obstinadamente a qualquer tentativa de julgar sua personalidade ou seu comportamento por qualquer coisa que se assemelhe a normalidade. Por todas as pistas que nos são dadas sobre como visualizar nosso narrador, sua voz poderia ser a de um cérebro em formol, a falar conosco de dentro de um frasco de vidro. De fato, a história se recusa perseverantemente a nos fornecer qualquer das informações, dos consolos ou dos detalhes superficiais de estrutura e forma que estamos habituados a esperar da ficção.

O parágrafo inicial é notável por muitas razões, uma das quais a rapidez com que nos alerta para a estranheza da experiência de leitura que temos pela frente: "Associo, com ou sem razão, o meu casamento à morte do meu pai, no tempo. Talvez existam outras ligações, em outros planos, entre esses dois acontecimentos, é possível. Já me é difícil dizer o que julgo saber."*

O fato de nos depararmos com sexo e morte logo na primeira frase é, de certo modo, o de menos. O assustador é a voz, tão inquietante agora quanto devia ser quando o conto foi escrito em 1950, embora só tenha aparecido em tradução inglesa quase 25 anos depois. A esta altura, habituamo-nos a ver, na página, as operações da consciência humana, o rá-tá-tá que monitora o mundo e reage a ele. Mas raramente antes (uma exceção notável é Dostoievski) ouvimos uma voz que reconhecemos de nossas próprias horas mais sombrias, nossos próprios momentos mais incertos, dissociados e alienados, uma mente que, desde a frase de abertura, começa a se corrigir e a expressar dúvida sobre os fatos mais básicos. Até agora o narrador passou mais tempo nos dizendo o que não pode dizer e o que não sabe do que dizendo aquilo que sabe.

---

* Samuel Beckett, *Primeiro amor*, trad. Célia Euvaldo. São Paulo, Cosac & Naify, 2004.

Se a autoridade narrativa vem de nossa percepção de que o escritor está no controle da situação, parte do que é tão misterioso e estimulante em Beckett é quanta autoridade ele alcança no processo de nos contar sobre confusão e dúvida. E ele consegue tornar isso engraçado, fazer-nos ver a comédia na excentricidade, na misantropia, na solidão e no desespero. Sentimos que a voz vem de uma região da psique mais profunda que a autocensura; nunca ocorre ao narrador nos contar, em detalhe, por que gosta de passear em cemitérios.

> O cheiro dos cadáveres, que sinto nitidamente sob o cheiro da relva e do humo, não me desagrada. Talvez um pouco doce demais, um pouco estonteante, mas como é preferível ao dos vivos... E quando os restos de meu pai dão sua contribuição, mesmo que modesta, por pouco não me vêm lágrimas aos olhos. Por mais que eles se lavem, os vivos, por mais que se perfumem, eles fedem. Sim, como local de passeio, quando se é obrigado a sair, deixem-me os cemitérios e vão vocês passear nos jardins públicos, ou no campo. Meu sanduíche, minha banana, como-os com mais apetite sentado em cima de um túmulo, e se me vem vontade de mijar, como sempre vem, tenho muita escolha.*

A essa altura, teremos notado que uma das coisas que prendem nossa atenção — além do caráter afrontoso do que está sendo dito — é a precisão de linguagem e seu poder de criar esse narrador estranhamente fascinante. Frase por frase, sua personalidade emerge numa sequência de associações paradoxalmente esquizoides e astutas. Quase tudo que ouvimos contradiz qualquer impressão que estivéssemos formando. Num momento ele parece não saber a diferença entre constipação e diarreia e no momento seguinte conta-nos que leu romances em seis ou sete línguas, sob a orientação de um preceptor. Por mais esquisito que seu pensamento possa parecer, é um filósofo e tem ele próprio um pouco de escritor, embora se sinta "revoltado" com os próprios escritos. Chegou até a compor seu próprio epitáfio:

---

* Idem.

Aqui jaz quem daqui tanto escapou

Que só agora não escape mais

Há uma sílaba a menos no segundo e último verso, mas não importa, na minha opinião. Serei perdoado por mais do que isso, quando eu não existir mais. Então, com um pouco de sorte, topa-se com um verdadeiro enterro, com vivos de verdade de luto e às vezes uma viúva que quer se jogar na cova, e quase sempre essa história simpática com o pó, embora eu tenha notado que não há nada menos empoeirado que aqueles buracos, é quase sempre terra bem lamacenta, e o defunto também ainda não tem nada de especialmente pulverulento, a não ser que tenha morrido carbonizado. É simpática, assim mesmo, essa pequena comédia com o pó.*

Talvez o leitor esteja se perguntando se Beckett não estava preocupado com o que sua mãe e os amigos dela pensariam ao lerem isto. Será que eles concluiriam que Sam não era uma *pessoa agradável*? Podemos supor que Beckett, como seu mentor Joyce, ou punha esses demônios para dormir tempo bastante para escrever ou a necessidade de abafar suas vozes fornecia-lhe uma razão para escrever.

Isso traz à tona um assunto correlato: o nosso narrador é ou não agradável? Sobre isso, imagino, os leitores devem discordar entre si. Sem dúvida muitos desejarão fechar o livro e silenciar a voz desse sujeito que nos fala muito mais do que precisamos saber sobre seus fluidos corporais, um homem capaz de ter pensamentos tão vis no cemitério. Nesse caso, o que diz sobre mim o fato de que gosto tanto de passar meu tempo em sua companhia? Uma das coisas que isso pode significar é que li a história até o fim, quando esse indivíduo exótico, com atitudes tão desagradáveis sobre sexo, mulheres, amor e relações humanas, é mostrado como capaz de sentir dores e desgostos profundos. Ou talvez seu humor e inteligência me pareçam atraentes, para não falar de sua franqueza simplória e seu dom da loquacidade. Se o considero agradável, talvez seja em última

---

* Idem.

análise porque ele parece tantas vezes falar na voz daquela parte secreta do eu que preferiríamos manter em silêncio.

Não muito tempo atrás, conheci dois jovens escritores que haviam coescrito um primeiro romance de muito sucesso. No processo de publicar esse livro e um romance subsequente, foram chamados para reuniões com editores em que, segundo contaram, eram constantemente instados a reescrever seus personagens para torná-los mais *agradáveis*.

Essa é uma das coisas que os escritores ouvem com mais frequência ultimamente: seus personagens deveriam ser *agradáveis* e *simpáticos* para que o leitor possa gostar deles. E que significa exatamente gostar? Receio que, com demasiada frequência, isso esteja sendo usado como sinônimo de *identificar-se*. Mas o que é ainda mais perturbador é que, para que nos identifiquemos com eles, espera-se que os personagens na ficção moderna sejam pessoas boas, como nós, tendo exatamente as mesmas experiências que tivemos. Queremos ler sobre um estudante secundarista, talvez com alguns problemas, que esteja se saindo precisamente como nós nos saímos no secundário. Consequentemente, simpatizamo-nos. Sentimo-nos identificados. Gostamos.

De fato, a maioria dos escritores gostaria que nos identificássemos e nos solidarizássemos com seus personagens, mesmo que não queiramos exatamente isso. *A morte de Ivan Ilitch*, de Tolstoi, opera sua aterrorizante magia aproximando-nos cada vez mais de seu protagonista, atraindo-nos dos seguros degraus do tribunal em que a história começa para os confins abafados do quarto de doente de Ivan Ilitch. À medida que o mundo se afasta em estágios, como o faz para os moribundos, penetramos mais profundamente na psique do herói. De modo que, quando por fim ele se pergunta se teria conduzido toda a sua vida erradamente, o calafrio viscoso que sentimos ocorre em parte por sermos obrigados a nos imaginar em situação semelhante. E nossa reação nada tem a ver com o quanto Ivan Ilitch é *simpático*.

É sempre agradável ser tocado pelo destino de um personagem, mesmo que isso signifique ser levado à tristeza. Lembro-me de quanto tempo me custou dar cabo das últimas cem páginas de *O amor nos tempos do cólera*, de Gabriel García Márquez; a todo momento eu tinha de pôr o livro de lado porque meus olhos não paravam de se encher de lágrimas.

Ler a literatura do passado é ser lembrado que, embora sempre tenhamos gostado de personagens ficcionais e simpatizado com eles, a *insistência* em que o façamos é relativamente nova. Pareceria absurdo rejeitar *Moby Dick* porque o distante e reservado Ishmael nunca nos diz uma palavra sobre si mesmo além do estritamente necessário. E será que não conhecemos o suficiente sobre as origens de Queequeg para gostar dele? Será que nos identificamos com o vingativo e monomaníaco capitão Ahab?

O que poderia animar o escritor iniciante que se sente compelido a criar uma sucessão de heróis e heroínas encantadores é que há obras-primas que sobrevivem e nas quais que tudo o que se espera de nós é que nos sintamos *interessados* pelos personagens, envolvidos com seu destino, intrigados por sua complexidade, curiosos acerca do que acontecerá com eles a seguir. Além disso, se lemos esses romances, começamos a ver que os escritores muitas vezes consideraram um pouco *fácil* demais fazer o leitor simpatizar com personagens bonitos, verdadeiros e bons, um pouco fácil demais fazer com que gostemos dos inocentes e dos caridosos.

Como é mais desafiante tentar o que Dostoievski realizou em *Crime e castigo*. Poderíamos não tender automaticamente a sentir empatia por Raskolnikov, um estudante que mata brutalmente duas velhas. Que proeza representa, então, fazer-nos não só gostar dele como nos vermos alimentando a esperança de que seja redimido, tal como ele mesmo. A leitura em sequência de todos os romances de Patricia Highsmith, como fiz em um verão, proporciona uma descida constante, fascinante pelas gretas escuras das mentes de um grupo de psicopatas aterradores. Li um livro, depois outro, com pena de ver cada um chegar ao fim. Nem por um segundo me ocorreu parar de ler porque seus protagonistas são não só pessoas solitárias e desajustadas, mas assassinos de sangue-frio. William Trevor é outro escritor que nos mergulha nas psiques dos marginais e dos dementes; o herói de seu romance *The Children of Dynmouth* é um adolescente voyeur que chantageia os vizinhos para que o ajudem a realizar seus desejos antissociais.

Ao mesmo tempo, ler nos faz compreender que os escritores talvez sempre tenham sentido que poderiam ser mais populares e bem-sucedidos caso se afastassem desses personagens detestáveis e desagradavelmente "reais" e os reescrevessem, tornando-os *simpáticos*. Gogol, que criou ele próprio um longo rol de tipos excêntricos e estapafúrdios (um homem que perde o nariz e depois o vê caminhando em sua direção pela rua; outro cuja vida é arruinada por um capote), meditou em *Almas mortas* sobre os destinos muito diferentes de escritores que criam anjos e os que descrevem seres humanos:

> Feliz é o escritor que omite esses personagens tediosos e repulsivos que nos perturbam por serem tão penosamente reais... O delicioso fumo do incenso que ele queima obscurece os olhos humanos; o milagre de sua bajulação mascara todos os sofrimentos da vida e descreve apenas a bondade do homem... Ele é chamado de grande poeta universal, elevando-se muito acima de todos os outros gênios do mundo, assim com uma águia eleva-se acima de outras criaturas de voo alto. O mero som de seu nome faz vibrar jovens e ardentes corações; todos os olhos o saúdam, cheios de brilho e lágrimas comovidas...
>
> Contudo, um quinhão diferente e outro destino aguardam o escritor que ousou evocar todas essas coisas que estão constantemente diante dos nossos olhos ... o chocante pântano de ninharias que obstruiu nossas vidas, e a essência de personagens frios, friáveis, triviais de que nosso caminho terreno, ora amargo, ora enfadonho, está repleto... Não será para ele o aplauso, lágrimas de gratidão ele não verá ... Não correrá para ele uma menina de dezesseis anos, a cabeça turbilhonando com heroico fervor. Nem será para ele aquele doce enlevo, quando um poeta nada ouve senão as harmonias que ele próprio engendrou; e, por fim, ele não escapará ao julgamento de seu tempo: o julgamento de contemporâneos hipócritas e insensíveis, que acusarão as criaturas geradas por sua mente de vis e sem valor, lhe concederão um canto desprezível na galeria dos autores que insultam a humanidade, lhe atribuirão a moral de seus próprios personagens e lhe negarão tudo, coração, alma, e a chama divina do talento.

Flaubert poderia ter concluído algo semelhante quando sua madame Bovary recebeu a seguinte crítica do estimado crítico literário Sainte-Beuve:

> Não há nenhuma bondade no livro. Nenhum personagem a representa. Nessas existências provincianas, que abundam em brigas, perseguições tacanhas, ambições mesquinhas e alfinetadas de toda sorte, podem também ser encontradas almas boas e belas... Por que não indicá-las também? Filho e irmão de eminentes médicos, M. Gustave Flaubert empunha a pena como outros empunham o escalpelo. Anatomistas e fisiologistas, eu os encontro a cada página!

Ler pode nos dar coragem para resistir a todas as pressões que a cultura exerce sobre nós para escrever de determinada maneira, ou para seguir uma forma prescrita. Pode até nos persuadir de que talvez não seja necessário dar ao nosso romance ou conto um final feliz. No filme de Robert Altman *O jogador*, um produtor vulgar diz do que um filme precisa para ser feito em Hollywood: "Astros, risadas, violência, nudez, sexo e finais felizes. Especialmente finais felizes." E como a indústria editorial se parece cada vez mais com Hollywood, ou tenta parecer, pode se tornar mais importante aumentar o volume da música de fundo e mostrar o feliz casal unido num beijo. Provavelmente, o final feliz é dado como certo numa reunião editorial em que os autores são solicitados a rever seus personagens para torná-los mais agradáveis. Primeiro você cria uma heroína agradável e em seguida a joga debaixo de um trem?

Ocasionalmente, uma revista literária ou de resenhas pede a vários autores que reescrevam os finais de obras famosas da literatura. Muitas vezes, essas revisões fantasiosas envolvem o tipo de ilusão que salva os personagens de qualquer destino triste que tenham encontrado no livro e os faz viver felizes para sempre. Anna Karenina volta a ser feliz após a perda de Vronsky, Romeu e Julieta se casam e têm dois filhinhos. No entanto, o fato é que é desses finais — o suicídio de Anna Karenina, as mortes de Romeu e Julieta — que nos lembramos, em contraposição às soluções mais felizes que algum revisionista engenhoso tenha sugerido. O que não significa que a ficção seja *melhor* por terminar em desastre. Queremos, merecemos, aqueles casamentos reconfortantes com que terminam os romances de Jane Austen.

Tampouco é necessário, você pode descobrir, ter um final em que cada fio solto é caprichosamente amarrado, cada problema resolvido e os personagens acompanhados no futuro até onde os olhos da mente possam ver. Para citar Tchekhov mais uma vez, aqui está o final de "A senhora do cãozinho", um final que, eu sempre pensei, poderia servir como as últimas linhas de toda obra de ficção moderna. Quando a história se conclui, os amantes adúlteros já envelhecidos contemplam o futuro: "Parecia que em pouco tempo encontrariam a solução, e que uma nova e gloriosa vida começaria; e estava claro para ambos que o fim ainda estava longe, e que o mais complicado e difícil havia apenas começado."

Ler pode nos mostrar o quanto a ficção é vasta e elástica, quanta coisa ela pode acomodar, e como foi expandida além do caminho reto e estreito que liga o ponto A ao ponto B. Juntamente com o conto de Beckett, gosto de analisar com os alunos a curta novela de Juan Rulfo, *Pedro Páramo*. A atmosfera do livro (para não falar de sua "trama") é tão difícil de transmitir quanto a de um poema, embora você possa ter uma ideia dela a partir do surpreendente início:

> Vim para Comala porque me disseram que meu pai, um certo Pedro Páramo, estava morando aqui. Foi minha mãe que me contou, e prometi-lhe que iria vê-lo assim que ela morresse. Apertei-lhe a mão para que ela soubesse que o faria, mas ela estava morrendo e eu, disposto a lhe prometer qualquer coisa. "Não deixe de ir visitá-lo", ela me disse. "Sei que ele vai gostar de vê-lo." Assim, não me restou outra coisa senão ficar lhe dizendo que o faria, e fiquei dizendo isso até que tive de desprender minha mão de seus dedos mortos.
>
> Antes ela me dissera: "Não lhe peça nada que não é seu. Só o que ele devia ter me dado e não deu. Faça-o simplesmente pagar pela maneira como nos esqueceu."

"Está certo, Mãe."

Eu não pretendia cumprir a promessa. Mas depois comecei a pensar sobre o que ela me contou, até que não conseguia parar de pensar e chegava a sonhar com isso, construindo um mundo inteiro em torno daquele Pedro Páramo. Foi por isso que vim para Comala.

Eram os dias de canícula, quando o vento quente de agosto está envenenado pelo cheiro pútrido da saponária, e a estrada subia e descia, subia e descia. Dizem que uma estrada sobe ou desce segundo a gente esteja indo ou voltando. Se estamos indo, ela sobe, mas desce se estamos voltando.

"Qual é o nome da aldeia ali embaixo?"

"Comala, señor."

"Tem certeza que é Comala?"

"Sim, señor."

"Por que parece tão morta?"

"Eles passaram por tempos difíceis, señor."

Eu esperava que ela fosse como nas lembranças de minha mãe. Ela estava sempre suspirando por Comala, tinha saudade e queria voltar, mas nunca voltou. Agora eu estava de volta à sua terra natal e lembrei-me do que ela dissera: "Há uma vista bonita quando a gente chega a Los Colimotes. Você verá uma planície verde... É amarela quando o trigo está maduro. Você pode ver Comala dali. As casas são todas brancas e à noite fica tudo iluminado." Sua voz era suave e velada, quase um sussurro, como se ela estivesse falando para si mesma.

"E por que vai para Comala?", eu o ouvi perguntar.

"Para ver meu pai."

"Oh", disse ele.

E ficamos em silêncio de novo.

Estávamos caminhando morro abaixo, ouvindo o trote firme dos burros. Tínhamos os olhos semicerrados, estávamos muito cansados e sonolentos no calor de agosto.

"Eles lhe farão uma bela festa", disse ele. "Ficarão contentes por ver alguém de novo. Faz anos que ninguém vem aqui."

Depois acrescentou: "Calhou de ser o senhor, então ficarão felizes por vê-lo."

O calor tremeluzia na planície como um lago transparente. Havia uma linha de montanhas além da planície, e além dela, nada senão a distância.

"Como é o seu pai?"

"Não sei", respondi. "Só sei que se chama Pedro Páramo."

"Oh."

Mas a maneira como disse isso foi quase um grito sufocado. Eu disse: "Pelo menos foi assim que me disseram que ele se chamava."

Ouvi-o dizer "Oh" de novo.

Eu o encontrara em Los Encuentros, onde três ou quatro estradas se reúnem. Eu estivera esperando ali quando finalmente ele chegara com seus burros.

"Para onde vai?", eu havia lhe perguntado.

"Naquela direção, señor", dissera ele, apontando.

"Sabe onde fica Comala?"

"É para lá que eu vou."

Então eu o segui. Fui andando atrás dele, acompanhando seus passos, até que ele compreendeu que eu o seguia e começou a andar um pouco mais devagar. Dali em diante caminhamos lado a lado, nossos ombros quase se tocando.

Ele disse: "Pedro Páramo é meu pai também."

Um bando de corvos voou através do céu vazio, crocitando.

Depois de cruzar o espinhaço começamos a descer o morro de novo. Deixamos o ar morno lá em cima e penetramos no puro calor sem um sopro de ar. Tudo parecia estar à espera de alguma coisa.

"É quente aqui", disse eu.

"Isto não é nada. Espere um pouco, vai sentir muito mais calor quando chegar a Comala. Aquela cidade é o lugar mais quente do mundo. Dizem que quando alguém morre em Comala, depois que chega ao Inferno volta para pegar o cobertor."

"Conhece Pedro Páramo?", perguntei-lhe. Ousava lhe fazer perguntas porque tinha a impressão de que podia confiar nele.

"Quem é ele?", perguntei.

"Ele é ódio. É puro ódio."

Chicoteou os burros, embora não precisasse, porque estavam adiante de nós na encosta.

Eu levava o retrato da minha mãe no bolso da camisa e podia sentir que ele aquecia o meu coração, como se ela estivesse suando também. Era um retrato velho, todo desbeiçado, mas era o único de que eu tinha conhecimento. Encontrei-o na cozinha, numa caixa cheia de ervas, e está comigo desde então. Minha mãe detestava tirar retrato. Dizia que fotografias eram para bruxaria, e talvez tivesse razão, porque a fotografia estava cheia de buracos, como buracos de agulha. Perto do coração havia um buraco tão grande que dava para enfiar o dedo médio nele.

É o mesmo retrato que tenho comigo agora. Espero que ele me ajude com Pedro Páramo quando ele reconhecer quem é.

"Veja", disse ele, parando. "Está vendo aquela montanha, aquela que parece uma bexiga de porco? Isso. Agora olhe para lá. Está vendo a crista daquela montanha? Agora olhe para lá. Está vendo aquela montanha lá longe? Bem, tudo isso é a Media Luna, tudo isso que você consegue enxergar. E tudo isso pertence a Pedro Páramo. Ele é nosso pai, mas nós nascemos em uma esteira no chão. E o engraçado é que ele levou cada um de nós para ser batizado. Levou você, não levou?"

"Não sei."

"Vá para o inferno."

"Que disse?"

"Disse que estamos quase chegando, señor."

"Eu sei. Mas que me diz da aldeia? Parece deserta."

"Não parece. Está. Ninguém mais mora lá."

"E Pedro Páramo?"

"Pedro Páramo morreu há muito tempo."

Lendo mesmo que apenas essa breve passagem, você pode começar a intuir uma das coisas estranhas da novela, que é que não se sabe exatamente se os personagens estão vivos ou mortos, ou se isso faz alguma diferença. Do princípio ao fim, as curvas e desvios na estrada se sucedem tão rapidamente quanto o fazem nesse trecho, perturbando o que quer que pensássemos saber sobre a premissa da novela ou seus personagens, levando-nos a repensar questões básicas como se os habitantes de Comala são fantasias ou reais, presenças ou lembranças. Com estas palavras, posso dar a impressão de que a novela se assemelha a uma obra de ficção científica ou de realismo mágico, mas isso não é verdade. É uma obra de arte, e não há nada que se lhe compare.

Mas o primeiro capítulo de *Pedro Páramo* não o ajudará necessariamente num dia de escrita difícil, ou depois de você passar alguns dias lutando constantemente com o que William Burroughs descreveu como a tentação de rasgar seu trabalho em pedacinhos e jogá-lo na cesta de lixo de outra pessoa. E ler uma obra-prima pode ser menos consolador ainda quando descobrimos pela primeira vez, ou somos lembrados pela milésima vez, quanto *trabalho* a escrita envolve, quanta paciência e solidão ela exige do escritor que quer escrever bem, e como a compulsão de passar longas horas escrevendo pode deformar uma vida "normal". E, por mais medonhas que sejam, essas dúvidas e terrores empalidecem ao lado da questão de se sua escrita servirá para alguma coisa, ou se você, para começar, conseguirá levá-la a cabo. Esses são momentos em que pode ser útil ler as biografias e cartas de grandes escritores.

Na mesma entrevista em que fala sobre o relâmpago da quebra do parágrafo, Isaac Bábel tem o seguinte a dizer sobre o árduo trabalho da revisão:

Trabalho como uma besta de carga, mas isso é minha própria opção. Sou como um escravo de galé acorrentado pelo resto da vida ao remo, mas que gosta dele. Tudo sobre ele... reviso cada frase, muitas vezes. Começo cortando todas as palavras que posso dispensar. É preciso prestar atenção, porque as palavras são muito matreiras, as inúteis se escondem e você tem de procurá-las – repetições, sinônimos, coisas que simplesmente não significam nada... Reviso cada imagem, metáfora, comparação, para ver se são originais e precisas. Se você não consegue encontrar o adjetivo certo para um substantivo, esqueça-o. Deixe o substantivo sozinho. Uma comparação pode ser tão precisa quanto uma régua de cálculo e tão natural quanto o cheiro de funcho... Retiro todos os particípios e advérbios que posso... Advérbios são mais leves. Podem até nos dar asas, de certo modo. Mas em excesso tornam a linguagem frouxa... Um substantivo precisa de um único adjetivo, o melhor. Só um gênio pode se permitir dois adjetivos para um substantivo... A linha é tão importante na prosa quanto na gravura. Tem de ser clara e dura... Mas a coisa mais importante de todas ... é não matar a história trabalhando-a. Senão todo o seu trabalho terá sido em vão. É como caminhar numa corda bamba. Bem, é isso... Deveríamos todos prestar um juramento de não estragar nosso trabalho.

A carreira literária de Bábel coincidiu com o auge da loucura de Stálin. A atenção que sua obra atraiu era, por definição, excessiva, e talvez ele tenha apressado a própria ruína envolvendo-se como escritor com a polícia secreta. Sob pressão do governo para ser um porta-voz da propaganda do Partido (em um discurso ao Congresso de Escritores Soviéticos de 1934 ele elogiou o estilo literário de Stálin), passou a escrever cada vez menos. Referiu-se a si mesmo como um mestre no gênero do silêncio. Em 1939 foi preso pela polícia secreta e morreu (segundo foi dito) em um campo de trabalhos forçados alguns anos depois. Hoje sabemos que Bábel nunca foi enviado para um campo desse tipo, e sim fuzilado na prisão após ser detido, fato que o governo ocultou da família até décadas depois.

Parece um alto preço a pagar pela liberdade de sentar-se em seu quarto e pensar sobre metáforas e quebras de parágrafo. Mas o crime de Bábel e seu castigo tiveram algo a ver com o fato de que a arte implica um tipo de liberdade: a liberdade de escolha, de possibilidade, a da imaginação individual. É por isso que os ditadores — e as grandes corporações — tendem a não gostar da arte e dos artistas, exceto aqueles de um tipo extremamente previsível e maleável. Se a arte exigiu a vida de Bábel, podemos certamente enfrentar qualquer inconveniência ou esforço que pareça exigir de nós.

Isaac Bashevis Singer disse certa vez: "Se Tolstoi morasse do outro lado da rua, eu não iria até lá para conhecê-lo." E você sabe o que ele quer dizer. A obra é a obra, o que existe na página é o que importa, e não precisamos tomar chá com o escritor para compreender e amar seus escritos. Mas quer possamos ou não compreender e amar a obra de Tolstoi sem o conhecer, há muito de encorajador em sua vida. Ler sua biografia é observar um escritor destruindo as placas tipográficas de *Anna Karenina* porque queria fazer algumas revisões de última hora, e um escritor que começara imaginando o romance como algo mais perto de um sermão contra uma adúltera. As partes menos admiráveis de sua biografia — o longo e horripilante casamento, o ideólogo egoísta que se tornou, a maneira cruel (para sua família) como escolheu morrer — também têm, estranhamente, um aspecto libertador: como nossas próprias vidas parecem ordeiras e ponderadas, em comparação.

Não precisamos também conhecer pessoalmente Flaubert para ler suas cartas e ser aquecidos pelo calor da mania obsessiva com que considerou cada detalhe de *Madame Bovary*, enquanto lutava com a impressão de ser "como um homem que toca piano com bolas de chumbo presas aos dedos". Sua correspondência é uma ladainha de sofrimento e queixas, como o que se segue: "Sinto-me estéril como um cadáver, completamente entorpecido. Minha maldita Bovary me atormenta e desconcerta... Há momentos em que isso tudo me faz querer morrer como um cachorro." Nas cartas de Dostoievski, podemos vê-lo dar-se conta de que simplesmente desperdiçara um ano de sua vida com algo que não valia nada. E podemos ler as cartas de Flannery O'Connor em que ela finalmente se dá por vencida e vai a Lourdes, porque sua mãe espera um milagre que cure a esclerose múltipla da filha. Quando chega lá, acaba rezando pelo êxito de seu romance. Como a obra desses escritores, detalhes desse tipo fornecem pequenas sacudidelas de inspiração — isto é, se você for uma pessoa para quem o tormento de outras é inspirador.

Ler pode até proporcionar coragem ao escritor durante aqueles momentos em que (dada a quantidade de sofrimento que há no mundo, os perigos que assomam à nossa volta) o próprio ato de escrever começa a parecer suspeito. Quem pode ser salvo por um magnífico soneto? A quem podemos alimentar com um conto?

Por vezes, perguntas como essas me remeteram diretamente ao poema "Cinco homens", de Zbigniew Herbert.

1.
Eles os levaram de manhã
para o pátio de pedra
e os puseram contra o muro

cinco homens
dois deles muito jovens
os outros de meia-idade
nada mais
pode ser dito sobre eles

2.
quando o pelotão
aponta seus fuzis
tudo aparece de repente
à luz berrante
da obviedade

o muro amarelo
o azul frio
o arame preto no muro
em vez de um horizonte

esse é o momento
em que os cinco sentidos se rebelam
eles escapariam de bom grado
como ratos de um navio que afunda

antes que a bala chegue a seu destino
o olho perceberá o voo do projétil
o ouvido registrará o sussurro afiado

as narinas se encherão de fumaça cáustica
uma pétala de sangue roçará o palato
o toque se contrairá e depois afrouxará
agora jazem no chão
cobertos de sombra até os olhos
o pelotão se afasta
suas abotoaduras
e capacetes de aço
estão mais vivos
que os homens prostrados junto ao muro

3.
Não aprendi isto hoje
Sabia antes de ontem

por que então andei escrevendo
poemas sem importância sobre flores
sobre o que falaram os cinco
na noite antes da execução
de sonhos proféticos
de uma escapada num bordel
de peças de automóvel
de uma viagem por mar
de como quando ele tinha a sequência de espadas

não a devia ter aberto
de como vodca é o melhor
depois do vinho você tem dor de cabeça
de moças
de frutas
de vida
assim podemos usar em poesia
nomes de pastores gregos
podemos tentar captar a cor do céu da manhã
escrever sobre amor
e também
mais uma vez
com completa gravidade
oferecer ao mundo desiludido
uma rosa

Recentemente, uma amiga me disse temer que seus medos e preocupações acerca do atual estado do mundo estivessem tornando mais difícil para ela escrever. Mandei-lhe por e-mail uma cópia do poema de Herbert e sugeri que ele talvez a ajudasse com o problema, mesmo que só um pouco.

Algumas horas depois ela me telefonou. "Mas esse *é* o problema", disse. "Ele está falando de uma rosa. Mas como saber se criamos uma rosa, ou só uma erva daninha?"

Ela está certa. Esse *é* o problema. Assim, uma razão final para ler é enfrentar esse problema de rosas versus ervas daninhas na companhia de gênios, e com o prazer de contemplar as rosas que eles realmente produziram, contra todas as probabilidades. Se queremos escrever, faz sentido ler — e ler como um escritor. Se quiséssemos cultivar rosas, haveríamos de querer visitar roseirais e tentar vê-los como um cultivador de rosas os vê.

# LIVROS PARA LER IMEDIATAMENTE*

୧୬

Akutagawa, Ryunosuke. *Contos fantásticos*
Alcott, Louisa May. *Mulherzinhas*
Anônimo. *A canção de Rolando*
Austen, Jane. *Orgulho e preconceito*
Austen, Jane. *Razão e sensibilidade*
Bábel, Isaac. *O exército de cavalaria*
Baldwin, James. *Vintage Baldwin*
Balzac, Honoré de. *Prima Bette*
Barthelme, Donald. *Sixty Stories*
Brodkey, Harold. *Quatro histórias ao modo quase clássico*
Baxter, Charles. *Believers: A Novella and Stories*
Beckett, Samuel. *The Complete Short Prose, 1929-1989*
Bowen, Elizabeth. *The House in Paris*
Bowles, Jane. *Duas senhoras bem-comportadas*
Bowles, Paul. *Paul Bowles: Collected Stories and Later Writings*
Brontë, Emily. *O Morro dos Ventos Uivantes*
Calvino, Italo. *As cosmicômicas*
Carver, Raymond. *Where I'm Calling From: Selected Stories*
Carver, Raymond. *Catedral*

---

* Os títulos aqui traduzidos referem-se a obras já editadas em língua portuguesa. (N.E.)

Cervantes, Miguel de. *Dom Quixote*
Chandler, Raymond. *O sono eterno*
Cheever, John. *The Stories of John Cheever*
Díaz, Junot. *Afogado*
Dickens, Charles. *Bleak House*
Dickens, Charles. *Dombey and Son*
Dostoievski, Fiodor. *Crime e castigo*
Dybek, Stuart. *I Sailed With Magellan*
Eisenberg, Deborah. *The Stories (So Far) of Deborah Eisenberg*
Eliot, George. *Middlemarch*
Elkin, Stanley. *Searches and Seizures*
Fitzgerald, F. Scott. *O grande Gatsby*
Fitzgerald, F. Scott. *Suave é a noite*
Flaubert, Gustave. *Madame Bovary*
Fox, Paula. *Desesperados*
Franzen, Jonathan. *As correções*
Gallant, Mavis. *Paris Stories*
Gaddis, William. *The Recognitions*
Gates, David. *The Wonders of the Invisible World: Stories*
Gibbon, Edward. *Declínio e queda do Império Romano*
Gogol, Nikolai. *Almas mortas*
Green, Henry. *Doting*
Green, Henry. *Loving*
Hartley, L.P. *O mensageiro*
Hemingway, Ernest. *Paris é uma festa*
Hemingway, Ernest. *O sol também se levanta*
Herbert, Zbigniew. *Selected Poems*
James, Henry. *Retrato de uma senhora*
James, Henry. *A volta do parafuso*
Jarrell, Randall. *Pictures from an Institution*
Johnson, Denis. *Angels*
Johnson, Denis. *Jesus' Son*
Johnson, Diane. *Le Divorce*

Johnson, Diane. *Persian Nights*
Johnson, Samuel. *The Life of Savage*
Joyce, James. *Dublinenses*
Kafka, Franz. *O processo*
Kafka, Franz. *Veredicto e Na colônia penal*
Kafka, Franz. *A metamorfose*
Le Carré, John. *Um espião perfeito*
Mandelstam, Nadezdha. *Hope against Hope: A Memoir*
Mansfield, Katherine. *Collected Stories of Katherine Mansfield*
Márquez, Gabriel García. *Cem anos de solidão*
Márquez, Gabriel García. *O outono do patriarca*
McInerney, Jay. *Bright Lights, Big City*
Melville, Herman. *Bartleby, o escrivão*
Melville, Herman. *Benito Cereno*
Melville, Herman. *Moby Dick*
Milton, John. *Paraíso perdido*
Munro, Alice. *Selected Stories*
Nabokov, Vladimir. *Lectures on Russian Literature*
Nabokov, Vladimir. *Lolita*
O'Brien, Tim. *The Things They Carried*
O'Connor, Flannery. *É difícil encontrar um homem bom*
O'Connor, Flannery. *Collected Stories*
O'Connor, Flannery. *Sangue sábio*
Packer, ZZ. *Drinking Coffee Elsewhere*
Paustovsky, Konstantin. *Years of Hope: The Story of a Life*
Price, Richard. *Freedomland*
Proust, Marcel. *No caminho de Swann*
Pynchon, Thomas. *O arco-íris da gravidade*
Richardson, Samuel. *Pamela: Or Virtue Rewarded*
Roth, Philip. *Pastoral americana*
Roth, Philip. *Philip Roth: Novels and Stories 1959-1962*
Rulfo, Juan. *Pedro Páramo & Chão em chamas*
Salinger, J.D. *Franny e Zooey*

Shakespeare, William. *Rei Lear*
Shteyngart, Gary. *O pícaro russo*
Sófocles. *Édipo rei*
Spencer, Scott. *A Ship Made of Paper*
St. Aubyn, Edward. *Mother's Milk*
St. Aubyn, Edward. *Some Hope: A Trilogy*
Stead, Christina. *O homem que amava crianças*
Steegmuller, Francis. *Flaubert and Madame Bovary: A Double Portrait*
Stein, Gertrude. *A autobiografia de Alice B. Toklas*
Stendhal. *O vermelho e o negro*
Stout, Rex. *Plot it yourself*
Strunk, William e E.B. White. *The Elements of Style*
Taylor, Peter. *A Summons to Memphis*
Tchekhov, Anton. *A Life in Letters*
Tchekhov, Anton. *Contos de Tchekhov*
Tolstaya, Tatiana. *Sleepwalker in a Fog*
Tolstoi, Liev. *Anna Karenina*
Tolstoi, Liev. *A morte de Ivan Ilitch*
Tolstoi, Liev. *A Sonata a Kreutzer*
Tolstoi, Liev. *Ressurreição*
Tolstoi, Liev. *Guerra e paz*
Trevor, William. *The Children of Dynmouth*
Trevor, William. *The Collected Stories*
Turguêniev, Ivan. *Primeiro amor*
Twain, Mark. *As aventuras de Huckleberry Finn*
Von Kleist, Heinrich. *A marquesa de O— e outras histórias*
West, Rebecca. *The Birds Fall Down*
West, Rebecca. *Black Lamb and Grey Falcon: A Journey through Yugoslavia*
Williams, Joy. *Escapes*
Woods, James. *Broken Estate: Essays on Literature and Belief*
Woolf, Virginia. *On Being Ill*
Yates, Richard. *Revolutionary Road*

# POSFÁCIO À MODA DA CASA
*por Italo Moriconi*

*Entre o universal e o local*

O espaço deste posfácio pertence à literatura brasileira. Espaço para revisitar alguns modelos válidos em nossa língua, escritos por autores nossos, mestres para quem deseja tornar-se escritor ou escritora. Aperfeiçoar-se como escritor é sobretudo aperfeiçoar-se como leitor, esta a mensagem do livro de Francine Prose. Escrever é ofício e ofício se aprende com quem já o exerce antes de nós: há o mestre, há o aprendiz — termos aqui utilizados num sentido que pouco tem a ver com escola na acepção comum da palavra, embora a escola seja por excelência lugar de contato (ou de primeiros contatos) com modelos e exemplos literários. Aqui a relação mestre/aprendiz está sendo tomada no sentido de arte, artesanato. No sentido em que a leitura é a oficina básica do escrever. Atividade produtiva, aquisição de capital. Leitura dos mestres do passado, visando extrair lições práticas. Leitura dos contemporâneos, dos autores mais recentes, para apreciar, invejar, divergir, desenvolver acuidade crítica. Finalmente, a leitura desenvolvida naquele círculo íntimo de leitores que são os interlocutores diretos do autor: o passar de mão em mão, a troca de textos entre componentes de uma oficina de criação, o pedido de opinião feito a alguém próximo, não necessariamente profissional do ramo ou figura pública, mas cujo discernimento crítico pessoalmente respeitamos ou admiramos.

É possível ao aprendiz de escritor no Brasil expandir seu talento e crescer no domínio técnico de sua arte apenas com a leitura de autores brasileiros? Certamente não. Os parâmetros do como contar histórias por escrito e do como operar o uso expressivo da linguagem são patrimônio universal. A cultura literária brasileira não existe num vácuo. Como leitores, nos vemos tão atraídos pelos sofrimentos de Iracema e pelas aventuras de Rodrigo Cambará quanto por lendas míticas de povos distantes; tão atraídos pelos sonhos de Policarpo Quaresma e pelo ciúme fatal de Paulo Honório quanto pelos enredos elaborados dos clássicos maiores da cultura ocidental, de trágicos gregos a Shakespeare, de Flaubert a Jorge Luis Borges. Não há dúvida que os clássicos estrangeiros, lado a lado com os brasileiros, são referenciais indispensáveis para quem está interessado em crescer como leitor e escritor. Deve-se apenas esperar que os mestres universais da literatura estejam publicados no Brasil, e publicados em traduções decentes, algo que vem ocorrendo cada vez mais, para sorte nossa.

Francine Prose mostra não padecer de exclusivismo anglo-saxônico, pois comenta autores estrangeiros via traduções em inglês, em pé de igualdade com os autores de sua língua nativa, entre clássicos e contemporâneos. Dois de seus autores favoritos são russos, de épocas bem diferentes — Tchekhov, a quem dedica um capítulo inteiro, e Isaac Bábel. Entre americanos, ingleses e russos, somos levados ao tema do cosmopolitismo versus provincianismo. Nessa dualidade reside talvez a primeira linha demarcatória entre bons e maus escritores. É difícil que um escritor de formação provinciana possa vir a se tornar escritor de primeira linha. Não me refiro aqui a provincianismo temático, no sentido de localismo ou regionalismo, mas ao nível do conhecimento que se tem da arte do romance e do conto, até onde já chegaram, para onde podem ir. Como tema ou ambiente de uma história, o provincianismo pode dar obras-primas. Mas mesmo nesse caso, a formação cosmopolita ajuda a tornar o texto provinciano capaz de interessar ao leitor universal. Pode-se escrever sobre a província de maneira local, pensando em ser lido apenas por seus vizinhos, ou de maneira universal, dirigindo-se ao leitor em geral, que é todos e nenhum em particular, o leitor voraz, curioso de tudo, faminto de mundo.

A maioria dos autores de língua inglesa discutidos por Prose possui um alcance que os torna a priori relevantes para o aprendiz de escritor em qualquer latitude do globo. Basta pinçar, a título de exemplo, nomes como o das irmãs Brontë, George Eliot, Henry James e, dentre os modernos comentados pela autora, um James Baldwin, um Philip Roth, além de outros mais recentes, como Raymond Carver. A leitura de qualquer um desses faz parte da formação cosmopolita do escritor-leitor, independente de onde tenha nascido ou de que língua use para se comunicar. É claro que a importância no mundo de uma literatura nacional decorre da própria pujança cultural da língua em que se exprime, a qual, por sua vez, expande-se à medida que se expande o poder econômico a ela ligado.

O inglês tem sido uma das línguas dominantes na cultura global há vários séculos, pelo menos desde o século XVI de Shakespeare. Já no século XIX, os Estados Unidos davam ao mundo escritores do quilate de Edgar Allan Poe, Herman Melville, Mark Twain (este um provinciano temático), sem falar no acima mencionado Henry James. O século XX trouxe os escritores pós-coloniais de língua inglesa: indianos como Salman Rushdie, afro-britânicos como Doris Lessing, caribenhos como V.S. Naipaul. Cabe porém perguntar: com todo esse esplendor e universalidade, a literatura de língua inglesa seria autossuficiente? Bastar-se-ia ela a si própria? Seria possível a um autor de língua inglesa viver na ignorância de grandes textos produzidos originalmente em francês, russo, espanhol, alemão, italiano?

Em *Aspects of the Novel*, E.M. Forster respondeu a essa pergunta com um rotundo não. Para Forster, mesmo um escritor de língua inglesa, caso se limitasse a buscar como mestres apenas autores desse idioma, cairia fatalmente em provincianismo de formação. Provincianismo no sentido de desconhecimento da superioridade artística de obras em outras línguas. Para Forster, escrevendo em 1927, nenhum autor em língua inglesa podia equiparar-se a Tolstoi, Dostoievski e Proust, cada um desses por motivos diferentes. Seu critério para definir a superioridade de um ficcionista dizia respeito à capacidade demonstrada por este de realizar coisas com a linguagem, com o pensamento, com a forma de fabulação, inalcançadas por outros.

Trinta anos depois, Antonio Candido, decano da crítica literária brasileira do século XX, afirmava, na introdução à sua erudita *Formação da literatura brasileira*, que talvez até fosse possível a um inglês, um francês, um russo ou um alemão desenvolverem conhecimento sólido da arte literária restringindo-se apenas à prosa ficcional escrita em sua própria língua. No caso brasileiro, ele achava impossível. Era como se estivéssemos condenados ao cosmopolitismo — não por possuirmos poder na arena global, mas, ao contrário, justamente por não podermos prescindir das conquistas de culturas mais letradas que a nossa, inclusive por causa de nossa posição periférica no mundo, como nação e como língua.

Fazia sentido na época. Estávamos nos anos 50 do século passado. Antes de Candido, Machado de Assis já dissera algo na mesma linha, afirmando ser imprescindível o que chamou de "influxo externo" em nossa literatura. Não terá sido, pois, por mera coincidência que Machado, tendo humildemente reconhecido a dívida de nossa cultura literária em relação às culturas europeias mais desenvolvidas, acabou por produzir uma obra que rompeu barreiras e fez dele um dos poucos autores brasileiros incluídos pela crítica especializada internacional entre os maiores. Os imperdíveis. Na obra de Machado, a vida estreita e provinciana de uma longínqua capital no Atlântico Sul adquire as cores vívidas da mais autêntica e complexa comédia humana. A vida tacanha do Rio oitocentista logra abarcar em si o mundo.

Ao mesmo tempo que Candido retomava a constatação machadiana, Guimarães Rosa publicava os dois monumentos literários que acabaram fazendo dele outro de nossos autores de inconteste relevância universal. Esses monumentos são o conjunto de novelas de *Corpo de baile* e o romance *Grande sertão: veredas*.\* O grau de universalidade e cosmopo-

---

\* O livro *Corpo de baile* é hoje dividido, editado em três volumes autônomos: *Manuelzão e Miguilim*; *No Urubuquaquá, no Pinhém* e *Noites do sertão*.

litismo da arte de Guimarães não se vê em nada diminuído pelo caráter profundamente regionalista da temática, da linguagem e da ambiência sertanejas de sua obra. *Grande sertão: veredas* é um romance de jagunçagem, que registra ao longo de suas 600 páginas a fala autobiográfica de Riobaldo, agora aposentado do banditismo e muito bem instalado em sua fazenda ao lado da esposa Otacília, depois do ambíguo relacionamento de vida inteira com a disfarçada donzela guerreira Diadorim. Nesse romance, Guimarães junta o mundo fechado do sertão brasileiro ao tema universal do pacto com o diabo, que atormenta Riobaldo de culpas e dúvidas e dá a suas memórias o caráter de uma densa reflexão existencial.

Hoje devemos incluir Clarice Lispector e José Saramago no time seleto dos autores em português que efetivamente impactaram a cena global, tornando-se autores cult de prestígio internacional, assim como os populares Jorge Amado e, agora, Paulo Coelho. Além disso, um bom número de autores contemporâneos brasileiros vem sendo traduzido para diversas línguas nos últimos 30 anos, de tal maneira que se pode prever uma situação em que, como cultura, já não poderemos ser encarados de maneira tão periférica ou dependente quanto postularam Machado de Assis e Antonio Candido.

Podemos assinalar um traço de personalidade muito presente na formação literária brasileira. Trata-se da crônica como gênero de prosa artística em pé de igualdade com o conto, na grande família das narrativas curtas. Como leitores brasileiros, todos nós começamos lendo as crônicas de Fernando Sabino, Carlos Drummond de Andrade, Rachel de Queiroz, Rubem Braga, entre muitos outros. Mais recentemente, um Luis Fernando Verissimo, um Caio Fernando Abreu, um Ignácio de Loyola Brandão — entre tantos e tantas, do Oiapoque ao Chuí. A crônica é o ar que a arte da prosa respira no Brasil. Fomos alimentados por crônicas na escola e buscamos cronistas em nossas primeiras incursões autônomas pelo mundo da leitura.

*Posfácio à moda da casa*

Em princípio, no princípio, sendo texto jornalístico assinado, a crônica se define por trazer um comentário, uma opinião ou a expressão confessional ou figurada de um sentimento pessoal do cronista sobre os fatos do dia a dia reportados pela imprensa. Sem distinção de assuntos, mas com particular preferência pelo pitoresco cotidiano, em busca do poético, do insólito, do engraçado. Tudo comprimido num espaço de pouquíssimas laudas, ocupando uma coluna no jornal. Essa crônica sem adjetivos é parenta da crônica política, da crônica policial, da crônica social, da crônica esportiva, da crônica teatral, etcétera. Ela se distingue das primas pela total liberdade temática concedida a seu autor. Inclusive a liberdade de ocupar seu espaço com uma dramatização ou uma ficcionalização a partir de fatos da hora.

Ora, dramatização implica criação de personagens-em-diálogo, reais ou fictícios. Já é técnica literária. Ficcionalizar é inventar história. Pronto, estamos inteiros no campo da pura literatura. Daí para o passo seguinte é um piscar de olhos: nasce o livro de crônicas, essa instituição editorial tão brasileira. Na imprensa, crônica é gênero jornalístico. Reunida em livro, em compilações e seleções que usualmente realçam a ultrapassagem de fronteiras entre ela e o conto curto ou curtíssimo, a crônica torna-se literatura. Numa palavra, a crônica é *sketch* narrativo. Como gênero literário, digna de sair das folhas descartáveis do jornal para as páginas mais duradouras do livro, pouco importa se a origem remota ou imediata do fato contado tenha acontecido na realidade ou não. O que importa é a verossimilhança, sua capacidade de transmitir ao leitor de qualquer época o sabor de uma cena rápida, como fotografia ou cápsula de sentido extraída do cotidiano vivido.

Na qualidade de *sketch* narrativo, a crônica tem sido praticada e estudada com proveito por quem busca aperfeiçoar-se na escrita literária. Dentre as várias possibilidades apresentadas pelo gênero, destaquem-se as crônicas constituídas unicamente por diálogo ou que se sustentam num texto que é quase só diálogo. As crônicas têm constituído rico manancial de ideias ao escritor aprendiz sobre como fazer do diálogo veículo de uma narrativa ágil, tanto na forma do diálogo direto quanto do indireto, e também através do uso do discurso indireto livre — aquele em que o autor entra na cabeça do personagem, narrando seus pensamentos através da terceira pessoa.

⁂

São muitas as boas crônicas que poderiam ilustrar o que vai aqui dito. Fiquemos com uma de autoria de Carlos Drummond de Andrade. Por ser um dos maiores, se não o maior poeta brasileiro do século passado, sua condição de excelente prosador fica muitas vezes esquecida. Não na esfera do romance, que Drummond nunca chegou até aí. Mas ele foi cronista dos melhores em sua época, cronista fidedigno e irônico-sentimental do cotidiano de sua adotada terra carioca. Na crônica a seguir, "A viúva do viúvo",* sugiro aos leitores que observem a importância dramática assumida por um simples fragmento de diálogo, por uma única frase, neste texto em que o sentido é construído através do contraponto vertiginoso entre uma terceira pessoa, neutra mas colada à interioridade da personagem, e o diálogo intercalado. Nada pode sobrar ou faltar numa crônica. Ela funciona como excelente exercício de medida para o prosador.

> Conheceram-se, namoraram, amaram, casaram, tiveram filhos, desamaram, separaram-se, depois de tanto verbo conjugado em comum. Ele sumiu por aí, no anonimato sem responsabilidades. Ela ficou criando a trinca sem pai. Sem notícia um do outro, tempo passando, acontecimentos acontecendo, vida no corre-corre. Ela até nem se lembrava mais de que fora casada. Eis que o marido reaparece na lembrança, quando uma filha lhe diz:
> — Mãe, o pai está no hospital.

---

* Carlos Drummond de Andrade, "A viúva do viúvo", in *Poesia e prosa*. Rio de Janeiro, Nova Aguilar, 6ª ed. 1988.

Que pai? Não sabia de pai nenhum, o seu morrera há tanto tempo, depois de dar tanto trabalho. (Descansa em paz, deixando a família descansada.) Há outros pais vivos por aí? De quem?

— O meu, uai.

Ah, sim. O pai dessa moça que está à sua frente, essa moça que é sua filha, e que antigamente tivera um pai. Um pai que fora seu marido, e que nunca mais aparecera, jogando sobre suas costas a obrigação de criar e educar os filhos. Como as coisas emergem de um poço escuro, de repente! Pois não é que o ex-marido voltava à tona, com seus sinais particulares, seu modo de falar, seu jeito de ser e viver? Tão antigo, tão inexistente — mas ali.

Ela parecia não dar mais atenção ao que a filha ia dizendo.

— Escutou o que eu disse?

— Hem?

— O pai está no hospital.

— Que é que ele foi fazer lá? Vender seguro de vida aos doentes? (Agora se recordava de que ele fora corretor de seguros.)

— Está doente.

— Como você sabe?

— Mandou me avisar. Não tem ninguém com ele, só a gente do hospital.

Então estava sozinho, depois de muitos anos, e se lembrava da filha para ter companhia no hospital. Não chegou a ter pena. Estavam tão distanciados os dois, que era como se soubesse que um japonês em Yamagata sofria de dor de dentes. A filha esperava um comentário, uma reação.

— Vai lá, querida.

Mais do que isso não poderia dizer, porque não havia nada mais a exprimir. Amores fanados não reverdecem, quando a vida caprichou em esmagá-los bem. Se alguma coisa tivesse ficado exposta à luz, se um gesto dele, mínimo que fosse, ao longo de tanto tempo, alimentasse um resto possível de sentimento, ela agora teria pena. Mas pena de quê? de quem? se nem de si mesma sentia mais pena, conformada que estava com o irremediável das coisas, e refugiada, também, no pequeno mundo que se construíra e em que convivia com artistas obscuros do passado, através de estudos e pesquisas que eram uma fonte de prazer, compensador de alegrias que não tivera no casamento?

— Vai, minha filha, e vê o que ele precisa.

A filha foi e voltou contando que ele estava mal, parece que dessa não escapava. Como de fato não escapou. Sem pessoa alguma para cuidar do enterro, nem bens que pudessem custear a despesa, quem tomaria providências?

Então a ex-esposa, pessoa decidida, acostumada a fazer na hora certa o que é necessário fazer, decidiu presentear o ex-marido com o enterro decente que não tinha merecido, e que a ela custaria uma nota desarrumadora do seu orçamento modesto. Procurou a funerária, disse que pagaria tudo.

O empregado perguntou-lhe, entre xereta e reticente:

— A senhora era companheira do falecido?

— Companheira? Sou viúva dele.

— Perdão, mas o falecido, quando se internou no hospital, declarou que era viúvo. A senhora quer ver? Vamos lá na Secretaria.

— Pois eu sou a viúva do viúvo, entende? E não estou fazendo nada para ficar com a herança dele, que não deixou um tostão de seu, além de me matar no papel. E vamos com esse serviço depressa, que eu preciso cuidar da minha vida de viúva-desquitada há muito tempo, tá bom?

Depois de apresentada a história de vida de um ex-casal em algumas poucas linhas, pela sequência veloz de verbos no passado, a situação abordada pela crônica será narrada através da mencionada alternância entre trechos em terceira pessoa e trechos de diálogo. Logo no primeiro parágrafo fica estabelecido o foco da terceira pessoa que conta a história, ou seja, o ponto de vista da narrativa: a história será contada da perspectiva de "ela", que depois veremos ser "a mãe". A situação a ser narrada entra pelo fragmento de diálogo, via voz da filha: "Mãe, o pai está no hospital." Teremos então, ao longo da crônica, o jogo entre, de um lado, o diálogo de mãe e filha e, de outro, a junção dos tempos passado e presente nas frases em terceira pessoa que narram as mudanças de humor e comportamento da mãe.

Antes de perceber o sentido geral da história (ou historieta), chama-nos atenção a maneira como o primeiro parágrafo está escrito, levando em conta simplesmente o nível mais micro das palavras e frases. A sequência de verbos justapostos e rimados exprime e resume o passado — "Conheceram-se, namoraram, amaram, casaram, tiveram filhos, desamaram, separaram-se ..." — de uma vida conjugal que depois se transformou no presente contínuo de uma outra vida para a parte "ela". Uma segunda vida que anulou a primeira, empurrada para o passado remoto. Vejamos o tempo contínuo: "Ela ficou criando a trinca sem pai. ... tempo passando, acontecimentos acontecendo ..." Em seguida, o passado remoto: "Ela já nem se lembrava mais de que fora casada." E, enfim, o efeito de presentificação reforçado pela interpelação da filha em diálogo direto. Instala-se a situação. Diálogos diretos presentificam narrativas. "Eis que o marido reaparece na lembrança, quando uma filha lhe diz: — Mãe, o pai está no hospital." Trata-se do jogo entre o aqui-agora e a lembrança. O aqui-agora é a situação do ex-marido no hospital, comunicada pela filha, em confronto com a lembrança desse homem no passado da mãe.

Vale observar que Drummond, nessa crônica-conto, não perdeu a oportunidade de brincar com as palavras, como era de seu feitio, tanto em prosa quanto em poesia. Aqui, ele explorou as ressonâncias de som e significado entre as palavras *conjugal* e *conjugado*, no sentido de conjugação verbal. Ecoando o jogo com os tempos do passado — passado simples, passado remoto (mais-que-perfeito) — e do presente — presente contínuo (gerúndio) e presente imediato —, o passado conjugal da personagem acaba sendo descrito como "tanto verbo conjugado em comum". O que era vida virou verbo. Assim, ao mesmo tempo que conta uma história, Drummond comenta a maneira pela qual a história está sendo contada, trazendo à baila, de maneira lúdica, termos de gramática e vocabulário. O nome escolar da brincadeira é "comentário metalinguístico". Drummond era useiro e vezeiro em fazer comentários desse tipo em suas crônicas, explorando aspectos curiosos e revelando riquezas insuspeitadas nas palavras e na linguagem coloquial brasileira. Nada como ler Drummond para expandir vocabulário.

O dado principal de mestria nessa crônica, porém, está em apresentar uma completa história de vida, um perfil integral de mulher, pelo filtro de uma única situação dramática. A intercalação de diálogo e narrativa estabelece o paralelismo textual, em si dotado de dramaticidade e criador de suspense. Nos trechos narrativos, é apresentada toda a complexidade do drama existencial vivido por essa mulher separada, que teve de criar sozinha os três filhos, num tempo em que ainda não existia o divórcio.

Enquanto a filha vai dando a notícia de que o sumido pai reapareceu doente e mandou-lhe do hospital um SOS de internado solitário, a voz narrativa recupera para o leitor o processo de vida inteira que fez a ex-esposa e mãe de três esquecer o ex-marido e conformar-se a levar uma vida de estudos e pesquisas, compensadora "de alegrias que não tivera no casamento". A reaparição súbita do fantasma a pega de surpresa e é preciso que a filha repita a informação para que a ficha caia definitivamente, embora de maneira ainda parcial. A ex-esposa, diante da notícia, parece tão aturdida que não lhe passa pela cabeça que o ex-marido pudesse estar no hospital por motivo de doença, e sim para vender apólices de seguros, sua antiga ocupação. Em matéria de ex-marido, o tempo para ela parou desde o dia em que ele foi embora. Sua figura ficou congelada, no mais fundo e inacessível subterrâneo da memória dela.

A primeira parte da crônica levanta a possibilidade de um ressentimento da mulher, apesar de só bater na tecla do esquecimento. O esquecimento é tematizado pelo narrador como um conformar-se às coisas, uma aceitação pragmática daquilo que de ruim a vida nos reservou e que depois de um certo tempo deixa de ser ruim ou bom, simplesmente "é". Sem maiores emoções. A frase que provoca a virada da crônica é surpreendente, por definir num golpe sucinto o perfil da mulher, reintroduzindo o afeto. Nessa curta e única frase, dita pela mulher para a filha, apreendemos quem ela é. Na verdade, a frase da mãe é em si um gesto. Depois de vencer o embate em sua cabeça provocado pela volta do fantasma, que a impede de captar o que a filha está lhe comunicando, ela fala e age, age falando. E o que ela diz nessa fala-gesto transmite ao mesmo tempo ausência de ressentimento, espírito prático e carinho pela filha: "Vai lá, querida."

O restante da crônica vai nos revelar tal espírito prático, desprovido de maus sentimentos, revestido de uma amorosidade bem-humorada, nascida desse modo de ser distanciado e pragmático com que Drummond constrói em tão poucos traços (mas tão carregados de significado) o perfil de sua protagonista. No desenrolar final, a crônica se torna humorística, com a revelação de que o ex-marido, finalmente falecido, se declarara viúvo ao dar entrada no hospital. Não ficamos sabendo se esse gesto fora por desaforo ou por um conformar-se pragmático e desenganado simétrico ao da mulher. A solidão radical do ex-marido revelara-se com crueza na hora de adoecer e morrer. A ponto de pedir socorro à filha que abandonara. Pois sua ex-mulher, a heroína da crônica (o cotidiano é feito de heroísmos anônimos), é tão desprendida, generosa, resolvida, que mesmo não sendo rica propõe-se a pagar as despesas do enterro. Não recua sequer diante da notícia de que fora "assassinada" pelo dito-cujo. De certo modo, a morte do ex-marido, de quem nunca se desquitara oficialmente, representa para ela uma libertação e um encontro mais intenso com a verdade de sua situação. Toda essa sabedoria despachada, psicologicamente saudável, já tinha sido na verdade antecipada (e simbolizada) pela carinhosa frase dirigida à filha, que divide a crônica em duas metades narrativas: "Vai lá, querida." Através do relato preciso, referente a uma situação singular muito bem delineada, Drummond cria não apenas um retrato de mulher, mas produz uma imagem forte desse novo tipo de personagem social surgido no século XX: a mulher separada (hoje a divorciada ou solteira por opção), profissional independente e chefe de família.

## Do clássico ao cult

Originadas em qualquer tempo, clássicas são as obras imperdíveis, aquelas que sabemos que vale a pena ler, mesmo não as tendo ainda lido. E vale a pena lê-las a qualquer momento, antes ou depois de outras mais antigas, muito anteriores, pouco anteriores ou posteriores. Vale até mesmo lê-las em resumos e adaptações, como aperitivo para mergulhos futuros na obra original e completa, a "coisa em si". Adaptações infantis ou juvenis de grandes clássicos podem ser boas colaboradoras na formação de leitores, embora de jovens bem escolarizados se espere que possam ler a obra original.

Clássicos são eternos, mas alguns envelhecem. Com o tempo, alguns são esquecidos, perdem o apelo, deixam de ser clássicos. Saem das prateleiras e vão para o fundo do baú. A queda de um ou outro clássico no esquecimento mostra que o desgaste natural, assim como peças pregadas por ironias da história, fazem com que o cânone literário de uma língua, nação ou cultura seja algo dinâmico, que sofre alterações. Ocorre não só a eliminação de obras que de repente passam a ser encaradas como caducas demais ou irrelevantes, mas também a agregação de outras, "redescobertas" e "resgatadas" da poeira de velhos arquivos e bibliotecas. Alguns autores perdem modernidade, outros a recuperam, tal como aconteceu com Oswald de Andrade nos anos 1960. Ele, que andava esquecido desde sua morte dez anos antes, foi reposto em circulação pela onda tropicalista. Algo semelhante aconteceu com João do Rio nos anos 1980, retirado pela república dos professores do limbo em que seu nome jazia havia décadas. Houve também uma redescoberta e revalorização das histórias de Nelson Rodrigues (para além de seu teatro) entre os anos 1980 e 90, capitaneadas pelas adaptações televisivas.

Cabe lembrar os bons autores que não alcançaram influência ou repercussão semelhantes às dos que a história ungiu com a auréola de grandes mestres, mas nem por isso deixaram de marcar a formação de alguns escritores em particular. Se o escritor em gestação é leitor voraz, não será um consumidor meramente passivo das opiniões estabelecidas sobre livros. À medida que se apura no corpo-a-corpo da leitura, o leitor voraz acaba por construir sua lista muito pessoal de autores preferidos. Os seus dez mais. Os seus cem mais. Nesse caso, pode-se dizer que o discípulo escolhe seus mestres, e não o oposto. E assim nasce, nas prateleiras, o cantinho dos autores cult. O *meu* favorito, só meu. Preferência personalizada do leitor talvez idiossincrático, certamente exigente. Autores contemporâneos em processo de consagração situam-se geralmente no cantinho cult.

    Prazer intelectual intenso. Emoção poderosa porém contida, contida porque poderosa. Fascínio pelo bem-feito da coisa lida, contemplada. Seja clássico, seja cult, é nesses três elementos subjetivos — prazer, emoção e fascínio — que se ancora o excelente em literatura. Já a verossimilhança e o suspense são atributos que precisam estar presentes em *qualquer* obra, seja ela excelente, muito boa ou apenas regular. Por verossimilhança, entenda-se a capacidade de convencer o leitor de que sua história faz sentido, mesmo quando fantástica ou alucinatória. O verossímil é o convincente. Por suspense, deve-se entender, de maneira bem geral, a capacidade de manter a motivação do leitor, de nele despertar a vontade de continuar o livro, de virar as próximas páginas, de deixá-lo um tanto ansioso para saber como as coisas vão se desenrolar e terminar. Se não há verossimilhança e se não há suspense (ou ao menos surpresas ao longo do enredo), a obra fracassa, será rejeitada por editores e leitores.

    O que o livro de Francine Prose nos lembra de maneira muito eloquente é que a verossimilhança depende mais do trabalho com a linguagem que de aspectos construtivos. Em outras palavras: a construção de uma história é uma construção de linguagem. Não basta ter uma boa história para contar. O xis da questão é *como* ela será contada. É o *como* que convence. A construção pela linguagem afasta-se necessariamente das fórmulas e clichês da linguagem de relatório ou da mera reportagem. Nas artes da palavra, o que seduz é o poder da verbalização. Por definição, a literatura vai além da mera reportagem.

    O "literário" é o que extrapola ou transcende o mero registro factual. Além desse e de outros atributos ligados a técnicas de narrar, o literário em um texto está relacionado aos elementos de linguagem que conferem ao enunciado a qualidade de uma *impressão* muito própria, muito pessoal ou mesmo íntima, dita de maneira nova, original, sedutora, forte, interessante, intrigante, curiosa, surpreendente etc. Impressão criada pelo autor e compartilhada por narrador e leitor. Uma boa história escrita promove o encontro entre a visão íntima elaborada no texto e a visão íntima do leitor, que imagina, vê e sente à medida que lê. Há portanto uma cumplicidade, uma solidariedade criada entre o olhar e o pensar do narrador e do leitor, do leitor e do autor.

A impressão literária transparece no *ponto de vista* da narrativa. É a partir da elaboração do ponto de vista que a linguagem vai deixando de ser linguagem de relatório e adquire as características e as potencialidades poéticas, sugestivas e analíticas do literário. Uma história é contada *por alguém* (o narrador criado pelo autor) para *outro alguém* (o leitor).

O narrador é, pois, a voz que conta a história. Pode ser a voz de um personagem (narrador em primeira pessoa), pode ser a voz de alguém indefinido que conta a história em terceira pessoa. São esses os dois tipos básicos. Há outros. E há sobretudo combinações diversas entre diferentes olhares de narrador dentro de uma mesma narrativa. Francine Prose faz questão de mostrar como as possibilidades são várias, indo muito além do que dizem os manuais de estrutura literária. A voz do narrador, em uma obra de ficção, é criação do autor, tanto quanto os personagens. A impressão literária cria um elo verbal-sensorial-imaginativo entre essa voz e o efeito sentido pelo leitor.

Há dois elementos, trabalhados por Francine Prose em dois de seus capítulos mais sugestivos, que são tão importantes quanto o ponto de vista na tarefa de dar ao narrador e à narrativa o poder de impressionar o leitor. São eles o detalhe (Capítulo 8) e o gesto (Capítulo 9). No terreno da literatura francesa, Roland Barthes analisou o detalhe como técnica fundamental na criação do "efeito de real" pela descrição realista. Entenda-se bem: chamo aqui de realista, em literatura, basicamente uma ficção que fala de coisas reais, portanto como o que se opõe às narrativas oníricas ou fantásticas. Uma ficção realista quer parecer real, apesar de totalmente inventada. Ora, o que tanto Barthes quanto Francine Prose enfatizam é que uma boa descrição realista não depende da exaustividade de inventário e sim da precisão no detalhe. Creio que o dado novo trazido por Prose nessa questão está no fato de chamar atenção não apenas para o efeito "de real", e sim para o sentido de efeito exercido por qualquer narrativa (ficcional ou real) sobre o espírito e o corpo do leitor.

Seja o texto realista ou não, seja a narrativa real ou ficcional, aquilo que fica mais rapidamente guardado na memória de quem lê ou ouve é o detalhe altamente significativo. Somente através do detalhe preciso se poderá criar uma cena perfeitamente visualizável pelo leitor. O detalhe é a alma do bom conto, da boa crônica, e pode ser a alma do bom capítulo de romance. Nas narrativas muito simbólicas, o detalhe significativo usualmente será também a porta de entrada para os múltiplos sentidos do texto. O mesmo tipo de lógica pode ser observado com relação ao gesto. O gesto altamente significativo, da parte de um personagem, pode ser tão ou mais importante para a criação de um efeito de significação que suas ações, descrições ou diálogos. Foi o que observamos na crônica de Drummond.

A importância do detalhe e do gesto fica evidente em um dos melhores contos produzidos pela safra mais recente de escritores brasileiros, aquela dos autores surgidos no cenário brasileiro nas duas últimas décadas, as gerações dos anos 1990 e 2000. O conto é "Céu negro", de autoria de Rubens Figueiredo.* Examinarei mais de perto esse conto, para mostrar um caso em que ocorre a presença do detalhe no sentido destacado por Francine Prose. Antes, porém, vale registrar a coragem do autor ao elaborar a história do encontro amoroso casual entre dois trabalhadores negros, moradores de favelas. Ele, um pedreiro já nos seus 70 anos. Ela, uma moça de profissão indefinida (talvez diarista), 25 anos de idade. Ao aventurar-se por esse terreno social, Rubens Figueiredo distingue-se entre os escritores

---

* Rubens Figueiredo, "Céu negro", in Nelson de Oliveira (org.). *Geração 90: Manuscritos de computador*. São Paulo, Boitempo, 2001.

de sua geração, por fazer uma aposta pesada na ficção de cunho realista. Ele, que não é negro, nem trabalhador, nem morador de favela, conta essa história confiando exclusivamente na capacidade de explorar e desenvolver um ponto de vista o mais próximo possível do que seriam a vivência e a intimidade do pensamento do pedreiro por ele inventado.

Tal opção singulariza-se no cenário literário contemporâneo, uma vez que a postura predominante hoje é o lastro autobiográfico. Nossos novos escritores escrevem sobre seus próprios mundos. Ferréz escreve sobre Capão Redondo porque ali nasceu e cresceu. Paulo Lins escreve sobre a Cidade de Deus porque ali nasceu e cresceu. Mulheres escrevem sobre mulheres, negros escrevem sobre negros, homossexuais escrevem sobre homossexuais. Longe vão os tempos em que Flaubert se orgulhava de dizer que sua personagem madame Bovary era na verdade ele próprio. Pois Rubens Figueiredo retoma a aposta ficcional radical da proposta clássica da literatura realista, baseada no fato de que podemos escrever sobre gentes e tempos muito diferentes de nós se a pesquisa for bem-feita, a imaginação utilizada com inteligência, a técnica narrativa adequada. Na aposta ficcional clássica, o que interessa é a verossimilhança do texto, e não a suposta autenticidade da experiência de vida do autor.

Não pretendo aqui entrar no mérito da discussão sobre a hipotética necessidade ou mesmo superioridade da presença de um lastro autobiográfico na arte literária contemporânea. Eis aí uma questão estética ligada ao problema maior das relações entre ficção e realidade no mundo atual, assunto que vem sendo discutido nas pós-graduações em letras e comunicação, e que provavelmente envolve uma reconsideração do papel e do lugar que ainda podem ser ocupados pela ficção literária na cultura das realidades virtuais e dos *reality shows*. Porém, a literatura, historicamente, tem resistido e sobrevivido a todas as investidas tecnológicas, na verdade alimentando as artes tecnológicas com a matéria-prima de seus enredos inventados. O conto de Rubens Figueiredo prova que uma boa história, realista mas puramente ficcional, ainda é possível.

"Céu negro" é uma história de amor sem amor. Alguns poderiam dizer que se trata de uma história de amor e desamor em tempos pós-modernos. Ou em situação de adversidade. Além de serem pobres — ela bem mais que ele (ele, Júlio; ela, "a moça") —, ambos estão em condições existenciais adversas. O homem, aos 70 anos de idade, sozinho na vida por vontade própria, mantém seu vigor e necessita de carinho de mulher. Ela, mãe solteira, mora numa favela de palafitas. Para suprir sua carência, Júlio depende de encontros casuais com mulheres mais moças. Ele nunca dá a si a chance de prolongar um relacionamento por mais de um ou dois encontros. Para evitar o perigo de envolvimentos maiores, despacha as amantes eventuais dando-lhes presentinhos, o que cria no conto uma tremenda ambiguidade sobre que tipo de relação esse homem pretende afinal estabelecer com as mulheres.

Ele mesmo se indaga se não estaria tratando as mulheres como prostitutas, o que não parece ser sua intenção. A maioria das mulheres que namora são mães solteiras e, na cabeça dele, estão sempre em busca de algum tipo de apoio. Para ele, uma mulher jovem que fica com um homem muito mais velho ou está querendo tirar alguma vantagem imediata ou está querendo casar para resolver sua própria situação de vida. O presentinho prometido no início e dado no final das "ficadas", Júlio encara como compensação pelo fato de não querer propiciar a elas a segurança maior que ele acha que procuram. E tudo funciona sempre assim. Sua vida se orienta por "regras" autoimpostas que ele tem por dogma jamais desobedecer. Júlio é um sujeito bastante calculista.

No encontro narrado no conto, porém, com essa moça jamais nomeada pelo narrador, tudo acontece de maneira diferente. O casual se revela portador do acaso. Acaso: força que embaralha esquemas predeterminados de vida. Sem saber muito bem por quê, ante a insistência dela, Júlio rompe uma de suas regras básicas. A de sempre levar as mulheres para dormirem com ele em sua casa. Na noite narrada em retrospecto no texto, Júlio concorda em ir dormir com a moça na casa dela. Na verdade, o ficar-juntos dos dois é precedido de intensa negociação. A moça mostra estar à altura de Júlio em teimosia, e por causa disso ele chega mesmo a se indagar se ela também teria regras próprias intransponíveis. Júlio paga amendoins e guaraná. Conta vantagem por morar numa boa casa de alvenaria, com vários eletrodomésticos, construída por ele próprio. E ainda promete, quem sabe, lhe dar de presente um liquidificador e um rádio. Tamanha prodigalidade revela um fundo de insegurança. Releiamos este passo:

> Júlio deixou no ar a ideia de que poderia ceder um liquidificador e, talvez, um rádio. Tudo pesava na balança, em vista daquilo que estava em jogo. Inclusive o fato de Júlio ter um corpo forte e aspecto saudável, para um homem que, poucos meses antes, havia completado setenta anos. Mas ele achou que o que decidiu de fato a moça foi aquele outro item: o liquidificador e o rádio.
> Júlio não se sentiu diminuído por isso. Para falar com franqueza — repetiu mais de uma vez para si mesmo —, seria até estupidez esperar outra coisa e, afinal, ele também dava bastante valor aos aparelhos.

Depois de um longo intervalo em que o assunto é o fato de a moça ser mãe de uma filha, a negociação do encontro é retomada. Júlio sabe que ela é forte, justamente por ser mãe. Júlio sabe que o poder de uma criança sobre a mãe pode ser um limite sobre o poder masculino do amante. Para sua surpresa, a moça busca inverter a situação usual, insistindo muito para que seja ele que vá à sua casa. É no processo dessa negociação que ele cede. Ao ceder, consegue dela, como contrapartida, a promessa de um segundo encontro em sua própria casa. Mas a negociação com ela é apenas uma face da moeda. Existe outra negociação, interna, dentro dele mesmo, com o impulso do desejo. Ele cede ao desejo. O conflito interno aparecia na passagem anterior e o vemos agora novamente, ao acertarem-se os termos do contrato:

> Pensou em desistir. Claro, era bom ter regras. Assim, a pessoa não rodava às cegas, não tateava dúvidas no escuro. Mas Júlio olhou para a moça bem de perto, achou que algo invisível fumegava entre a pe-

nugem transparente da sua pele e raciocinou que talvez ele não fosse ter na vida outra chance como essa. Havia vestígios de ira na teimosia da moça, é verdade, e Júlio farejou ali um perigo. Mas fez umas contas de cabeça, avaliou os anos que lhe restavam, mediu com realismo o caminho cada vez mais estreito à sua frente e, no final, o prejuízo provável pareceu menor do que o lucro ainda possível. Em troca, Júlio obteve da moça a promessa de ir depois à casa dele, garantindo assim, pelo menos em tese, dois encontros com ela.

Com o desenrolar da narrativa, o leitor verá que a frase "mediu com realismo o caminho cada vez mais estreito à sua frente" possui um valor de antecipação irônica do que está por acontecer.

Uma vez fechado o acordo, resta ao casal pegar o ônibus e rumar para onde ela mora, no outro extremo da cidade (claramente o Rio, mas não nomeado em momento algum). E assim chegamos à situação nuclear do conto, a experiência vivida por Júlio nessa noite, na casualidade e no acaso desse encontro amoroso. O trajeto no ônibus é uma viagem rumo ao desconhecido. Avançam na noite, penetrando em bairros estranhos, onde Júlio nunca esteve. Ele se sente desorientado, cada vez mais distante de seu espaço de segurança, por ele mesmo construído, sua sólida casa de cimento e alvenaria no topo do morro em que mora, como numa fortaleza solitária e autossuficiente.

Repentinamente, Júlio sente-se envolvido pelo cheiro de mar e lama, a moça puxa a cigarra, saltam do ônibus, Júlio passa a ser guiado por ela naquele mundo estranho. O caminho a ser percorrido antecipa o sufoco que Júlio passará quando já estiver dormindo no barraco da moça, depois do alumbramento diante de sua nudez e da provável transa, que Rubens Figueiredo, aqui também bastante a contrapelo da tendência dominante entre nossos ficcionistas, evita descrever graficamente, fazendo uma espécie de *fade out* puritano, decoroso, ressaltando o caráter afetivo do encontro sobre o caráter puramente erótico. O trajeto até o barraco de madeira é o trecho a seguir, em que as tábuas soltas saltam aos olhos do leitor como detalhe decisivo, altamente significativo na economia circular do conto:

Os dois saltaram. Mal deram dois passos sobre o barro e a grama queimada, quando o ônibus arrancou às suas costas, com uma guinada para o lado oposto, e sumiu no escuro. Júlio acompanhava a moça com cuidado para não tropeçar. Tomaram uma passagem entre casebres de tijolos, sem pintura nem reboco nas paredes do lado de fora. Quando Júlio voltava a cabeça um pouco para cima, percebia antenas de tevê que mostravam as garras enviesadas contra o céu. Contornaram uma pedra mais alta e então, de um só golpe, o cheiro de lodo e maresia, que pouco antes havia cruzado o ônibus, recolheu os dois em uma lufada morna. A umidade e também uma espécie de fermentação davam àquela aragem uma espessura diferente. Júlio pôde sentir o ar grosso escorrer ao longo dos braços, num contato de reconhecimento.

O cheiro era a marca do território. Quanto mais avançavam, mais aquele odor vinha soprar de raspão na sua pele, deslizar rente às narinas. Logo Júlio e a moça estavam pisando em tábuas frouxas, pranchas mal emendadas umas nas outras, ou apenas encostadas. Júlio pressentiu o vazio sob os pés. Adivinhou o ressoar de um espaço oco sob as tábuas que se entrechocavam e tremiam de uma ponta à outra a cada passo. Aqui e ali, apontavam estacas e traves na horizontal onde os dois podiam se apoiar com cuidado, em sua marcha. Júlio reparou que, ao contrário dele, a moça poucas vezes tinha necessidade de se escorar.

No vão entre as madeiras, ou nos intervalos mais largos que se abriam nas duas margens daquela passarela suspensa, Júlio pôde enxergar — três, quatro metros abaixo — a água negra do mangue, marcada em alguns pontos por trilhas de lixo. A massa líquida lá embaixo atirava, de vez em quando, nos olhos de Júlio, um reflexo cuspido de alguma lâmpada ou de um pedaço da lua que varava as nuvens.

Não havia mais terra. Tijolos e cimento eram partes de um mundo que tinha ficado para trás. Agora, era preciso confiar cada passo e o peso do corpo a um complicado andaime de madeira. Estacas finas iam se fincar no fundo da água negra. O tempo todo, um vão indefinido se alastrava embaixo dos pés de Júlio. Troncos, tábuas, ou folhas de compensado, pregadas ou mesmo amarradas umas nas outras, formavam o chão, as paredes, casas inteiras, suspensas alguns metros acima da água lamacenta.

O mundo de Júlio, mundo de concreto, de pedra, de regras intransponíveis, da solidez da casa de alvenaria no alto do morro e de sua própria constituição física, começa a liquefazer-se à medida que segue a moça cada vez mais para dentro da favela de palafitas. O construtor exímio vê desconstruir-se o mundo, experimenta uma desestabilização que só fará aumentar daqui para frente na narrativa. Tudo se desestabiliza, "Céu negro" conta a história de um episódio de desestabilização na vida de um homem. O processo começa com o cheiro de lodo e maresia. A precisão e a clareza são atributos desse trecho. Rubens não descreve o céu como uma paisagem estanque e sim como a paisagem percebida por Júlio. Somos levados a ver o céu junto com ele, nossos olhos de leitor penetram nos de Júlio como câmera superposta. Realiza-se assim o poder de impressão da escrita. O leitor não recebe a descrição da paisagem, ele recebe a percepção dela pelo personagem. Sólido é o ponto de vista dessa narrativa, toda ela escrita com base no olhar de Júlio, numa dinâmica virtuosística de aproximações e distanciamentos entre o narrador e aquilo que o personagem sente e pensa. A história é toda contada do ponto de vista da *interioridade reflexiva* de Júlio.

Se a viagem de ônibus na escuridão e a pancada do ar e do odor foram avisos, a desestabilização externa e interna de Júlio é marcada pelo detalhe das tábuas. Júlio está penetrando em um mundo de madeira, água, lama, mangue. Poderíamos dizer que está penetrando em território feminino, de uma umidade que envolve todo o seu corpo, mas ao mesmo tempo o ameaça, pois pode cair no mangue, dada a fragilidade do caminho de tábuas mal emendadas. "Adivinhou o ressoar de um espaço oco sob as tábuas que se entrechocavam e tremiam de uma ponta à outra a cada passo." A precisão no registro das tábuas adquire força simbólica, na medida em que a solidez interior de Júlio se esfrangalha enquanto ele penetra nesse universo desconhecido. Mais tarde, ele tremerá de medo, ao acordar no meio da noite com as pancadas de um homem na porta do barraco. O episódio narrado no conto de Rubens é de ameaça. Júlio vivencia uma situação ameaçadora: tem medo de cair no mangue, tem medo de ser agredido ou morto pelo homem que bate na porta com violência, tem medo de ser atacado pelo homem que surge do vazio quando ele de manhã cedo finalmente deixa o barraco da moça para voltar para casa.

As tábuas reaparecem como detalhe de relance no momento de clímax dessa noite ambígua de prazeres e perigos, marcado pela iniciativa da moça, que se mostra decidida, firme e esperta. Enquanto o homem bate à porta de madeira fechada a cadeado querendo entrar, dizendo saber que a moça está com alguém no barraco, ela e Júlio agem em silêncio. Ela se levanta da cama e vai até a porta conversar com o homem, mandando que Júlio fique encostado bem rente à parede, ao lado da porta. Apesar de ameaçado, Júlio fica feliz por ver que a moça acredita que ele pode agarrar o homem por trás caso ele entre abruptamente no barraco. Obedecendo aos gestos da moça, "Júlio colou o corpo à madeira áspera, onde surpreendeu, junto aos olhos, letras queimadas a fogo na superfície das tábuas: a marca de uma indústria ou de uma firma transportadora. Entendeu que as paredes eram remendadas também com pedaços de caixotes." As tábuas marcam momentos de intensificação da situação de ameaça, perigo e desconhecido.

O uso da linguagem nesse conto evidencia mestria técnica e pode servir como referencial para quem deseja escrever ficção realista, a mais difícil de todas. Mais difícil se torna a ficção realista quando busca acompanhar a reflexão interna dos personagens criados. Nos trechos aqui citados, destaco a clareza no uso da linguagem e a cuidadosa construção do ponto de vista, que permite a representação do processo interno de pensamento do personagem. A presença do detalhe altamente significativo é um andaime fundamental dessas qualidades, pois funciona como suporte de legibilidade, isto é, como apoio para a visualização da cena, trazendo para o leitor uma compreensão sensível do sentido da narrativa.

## Tramas da narrativa

No livro de Francine Prose, chama-nos atenção a presença do romance no Capítulo 5 (Narração) e no 6 (Personagem). Fazendo uma apreciação sintética das lições que esses capítulos nos passam, constatamos que o elemento central observado é o ponto de vista. Para contar uma história rica de nuances e análises subjacentes, é preciso elaborar o ponto de vista. Que tipo de olhar vamos lançar sobre o personagem? Que tipo de câmera guiará o olhar do leitor, aproximando-o e afastando-o da interioridade dos personagens, assim como de suas manifestações exteriores? Prose enfatiza a diversidade possível de olhares, para além dos básicos focos em primeira e em terceira pessoa. Ela também destaca o dinamismo possível do ponto de vista, comentando trechos que ilustram o deslizamento entre pontos de vista diferenciados, às vezes dentro de um único parágrafo. E aponta para a variedade possível do foco narrativo em primeira pessoa, que tendemos a ver como simplesmente um "eu" narrando, quando na verdade pode fazer parte de jogos mais sofisticados.

Em princípio, a terceira pessoa neutra, onisciente, reminiscente da memória épica ou portadora de uma vontade épica parece mais adequada para narrar histórias de envergadura, com conteúdo histórico, vocacionadas para o painel social ou, no caso de dramas de tipo mais psicológico ou sentimental, adequadas para narrativas envolvendo um número grande de personagens. Por trás do narrador onisciente em terceira pessoa está o "era uma vez" que é a base cultural profunda do impulso narrativo. Mas o narrador em primeira pessoa ganha importância à medida que a intimidade do ponto de vista afirma-se como componente decisivo no desejo de literatura na modernidade.

O narrador protagonista em primeira pessoa é frequente entre os maiores clássicos do romance brasileiro. Tomemos *Grande sertão: veredas*. Apesar de dirigido a um interlocutor, o discurso de Riobaldo é um monólogo, uma narrativa autobiográfica, em que o protagonista, à medida que conta as lutas e combates de que participou, sustenta uma reflexão sobre o sentido de suas ações passadas e da coragem como valor máximo da virilidade, portanto de sua própria identidade como pessoa. Tal valor é ostentado em grau maior, paradoxalmente, por aquele guerreiro, Reinaldo, que no final será revelado mulher – o segredo de Diadorim.

Duas das mais famosas personagens femininas da literatura brasileira são projeções de um narrador masculino em primeira pessoa: a Capitu de *Dom Casmurro* (Machado de Assis) e a Madalena de *São Bernardo* (Graciliano Ramos). Quem poderá jamais dizer que conheceu essas mulheres? Todo o acesso que o leitor tem a elas vem do olhar de quem conta a história: Bento Santiago e Paulo Honório. Aquelas personagens, antes de serem "personagens femininas", são personagens dos discursos de seus narradores. E é na dinâmica da relação com as figuras femininas criadas por seus discursos que os próprios personagens masculinos emergem como protagonistas.

"Dom Casmurro" é o apelido de Bento Santiago na maturidade cinquentona. Tanto ele como o Paulo Honório de Graciliano partem para escrever seus livros, suas narrativas autobiográficas, visando a preencher o vazio existencial e aliviar a culpa deixada pela destruição de seus casamentos. São tentativas paralelas de compreender e quiçá justificar (no caso de Bento Santiago) suas próprias vidas, que vão chegando solitárias à etapa crepuscular. No fulcro desses enredos, não o adultério, mas a suspeita dele, motivada por crises alucinadas de ciúmes – claramente injustificados, no caso de Paulo Honório, e que o leitor de *Dom Casmurro* jamais saberá se justificados ou não.

Como disse certa vez o poeta Carlito Azevedo, o drama de Dom Casmurro, ou seja, o enigma relativo a quem seria o pai do filho de sua ex-mulher Capitu, não existiria nos tempos atuais, pois bastaria fazer exame de DNA. A única evidência da suposta traição de Capitu é a semelhança física entre o filho, Ezequiel, e Escobar, o melhor amigo de Bento, suspeito de ser o terceiro vértice do hipotético triângulo. Na narrativa sinuosa que Machado tece pela máscara de seu personagem Bento/Casmurro, em nenhum momento é dada a nós, leitores, segurança absoluta quanto a tal semelhança ser real ou apenas imaginada.

No entanto, esse anacronismo jamais tirará a força do romance, que reside na maneira oscilante como Bento conta sua história. Trata-se de uma acusação contra Capitu ou de uma confissão de arrependimento por uma injustiça cometida? Na verdade, poderíamos dizer que se trata da primeira, mas escrita de tal maneira por Machado que cria no leitor de qualquer época a certeza de que há uma outra verdade escondida nas entrelinhas. Qual será a verdade escondida por Dom Casmurro? Falou-se muito em "enigma de Capitu". Ao tentar desvendá-lo, nos defrontamos com o enigma do próprio acusador. É lícito desconfiar que Dom Casmurro, para além de talvez querer enganar o leitor, esteja ele próprio iludido a respeito de si mesmo. Nesse rocambolesco e sutilíssimo romance, enigmas se superpõem, num jogo vertiginoso de voltas e contravoltas, de sentimentos e sensações contraditórios.

A oscilação do narrador, correspondente na sua violência e rapidez ao *pathos* vertiginoso de uma cena teatral transplantada para o seio de um lar burguês carioca, pode ser observada na sequência de capítulos que, em conjunto, encerra a sucessão enlouquecida de acontecimentos definidora do clímax do romance. Antes dessa sequência, tudo está normal. No fim do ciclo infernal, o casal está separado, Capitu e Ezequiel despachados definitivamente para a Europa, metaforicamente assassinados por Bentinho, que se recusará, nos anos seguintes, a ir ter com a ex-mulher, que lhe pede em cartas que vá vê-la quando viajar. Ele viaja diversas vezes à Europa, mas não a procura.

O inferno de Bentinho e Capitu começa com a morte de Escobar por afogamento, no Capítulo CXXI, "A catástrofe". É bom lembrar aqui que os capítulos de *Dom Casmurro* são todos de curtos a curtíssimos. Na morte do amigo, a emoção de Bentinho é grande. Não são poucos os leitores, assim como alguns críticos, que veem na relação dos dois um conteúdo homoerótico, que seria comprovado em algumas passagens do romance, dentro da lógica veloz e enganadora que caracteriza sua narração do começo ao fim. Certa ou errada a suposição da homossexualidade latente de Bentinho (mais um enigma nesse romance de enigmas, mais uma triangulação nesse enredo de triangulações), o fato é que a morte do amigo tira Bentinho completamente dos eixos e detona o desenlace trágico, virando sua vida pelo avesso, para todo o sempre. No enterro de Escobar, as lágrimas de Bentinho cessam a partir do momento em que sua atenção se fixa, pela primeira vez, na intensidade do olhar lançado pela mulher ao amigo comum, agora defunto.

> A confusão era geral. No meio dela, Capitu olhou alguns instantes para o cadáver tão fixa, tão apaixonadamente fixa, que não admira lhe saltassem algumas lágrimas poucas e caladas...
> As minhas cessaram logo. Fiquei a ver as dela; Capitu enxugou-as depressa, olhando a furto para a gente que estava na sala. Redobrou de carícias para a amiga [Sancha, viúva de Escobar] e quis levá-la; mas o cadáver parece que a retinha também. Momento houve em que os olhos de Capitu fitaram os do defunto quais os da viúva, sem o pranto nem palavras desta, mas grandes e abertos, como a vaga do mar lá fora, como se quisessem tragar também o nadador da manhã.*

Significativamente, esse capítulo, de número CXXII, tem o mesmo título que o Capítulo XXXII, na parte inicial do romance: "Olhos de ressaca". Com isso, observamos que essa metáfora célebre aparece no capítulo em que se inicia e naquele em que começa a terminar a relação amorosa de Bentinho e Capitu. Sim, é célebre a metáfora. Assim como os "lábios de mel" da Iracema de José de Alencar, entraram para o imaginário literário brasileiro os "olhos de ressaca" de Capitu. Tudo é famoso, bem palmilhado e esquadrinhado em se tratando de *Dom Casmurro*, todas as leituras e interpretações já foram feitas, mas sempre vale a pena aplicar o método da leitura atenta (*"close reading"*) para descobrir ou redescobrir a maneira pela qual Machado construía seus enredos com base na exploração da linguagem. Para quem quer "ler como um escri-

---

* Machado de Assis, *Dom Casmurro*, in *Obra completa*. Rio de Janeiro, Nova Aguilar, 4ª ed. 1979, vol.I.

tor", cabe sempre refazer por conta própria os percursos de especialistas mais antigos. Um percurso pessoal de leitura atenta sempre trará algum tipo de novidade em relação a caminhos já palmilhados. A literatura não é feita primordialmente para agradar especialistas pós-graduados, ideia central no livro de Francine Prose. Mas aperfeiçoar a leitura atenta acaba aproximando o leitor amador (aquele que simplesmente ama a literatura) do leitor acadêmico especializado, sem a parafernália de conceitos escolares que este utiliza.

No caso de *Dom Casmurro*, as duas palavras, olhos e ressaca, com as conotações a elas associadas (a ação de olhar, a presença constante do mar, e daí por diante), constituem uma espécie de fio condutor seguro, conferindo unidade e verossimilhança ao caráter vertiginoso e rocambolesco da narrativa, radicalizado na sequência de capítulos que estou aqui chamando de "infernal". Certamente não é à toa que Machado cita Dante mais de uma vez em momentos-chave da história, tendo sido este o poeta que falou do paraíso e do inferno na ordem divina. *Dom Casmurro* fala do paraíso e do inferno que é o amor conjugal.

É nos dois capítulos intitulados "Olhos de ressaca", o do início do livro e o do início do inferno conjugal, que se concretiza o também célebre e muito comentado propósito do narrador Bentinho logo nas primeiras páginas de seu relato: "atar as duas pontas da vida", "pesquisar se a Capitu adulta já estava contida na Capitu adolescente". Nunca é demais lembrar que o namoro dos dois, vizinhos em Matacavalos (hoje rua do Riachuelo, na região central do Rio de Janeiro), começa na adolescência. Para que o casamento possa se realizar, antes é preciso que a mãe de Bentinho aceite liberar-se e liberá-lo da promessa de fazê-lo padre, liberação essa que ocorre por obra e graça das artimanhas conjugadas do agregado José Dias, da própria Capitu e finalmente da intervenção de Escobar, amigo de Bentinho no seminário e autor da sugestão providencial de que dona Glória, a mãe, coloque um menino pobre no lugar do filho para ser ordenado padre.

Mas voltemos às palavras-chave do romance: olhos e ressaca. Vale a pena conferir como elas aparecem no Capítulo XXXII, quando os dois adolescentes, em início de namoro, não podem imaginar o destino que lhes aguarda na vida adulta. Capitu insiste com Bentinho que por sua vez insista com o agregado José Dias para que atue de maneira mais decidida junto a dona Glória, no intuito de demovê-la da ideia de mantê-lo no seminário depois de terminados os estudos colegiais:

— ... Você teime com ele, Bentinho.
— Teimo; hoje mesmo ele há de falar.
— Você jura?
— Juro. Deixe ver os olhos, Capitu.

Tinha-me lembrado a definição que José Dias dera deles, "olhos de cigana oblíqua e dissimulada". Eu não sabia o que era oblíqua, mas dissimulada sabia, e queria ver se se podiam chamar assim. Capitu deixou-se fitar e examinar. Só me perguntava o que era, se nunca os vira; eu nada achei extraordinário; a cor e a doçura eram minhas conhecidas. A demora da contemplação creio que lhe deu outra ideia do meu intento; imaginou que era um pretexto para mirá-los mais de perto, com meus olhos longos, constantes, enfiados neles, e a isto atribuo que entrassem a ficar crescidos, crescidos e sombrios, com tal expressão que...

Retórica dos namorados, dá-me uma comparação exata e poética para dizer o que foram aqueles olhos de Capitu. Não me acode imagem capaz de dizer, sem quebra de dignidade do estilo, o que eles foram e me fizeram. Olhos de ressaca? Vá, de ressaca. É o que me dá ideia daquela feição nova. Traziam não sei que fluido misterioso e enérgico, uma força que arrastava para dentro, como a vaga que se retira da praia, nos dias de ressaca. Para não ser arrastado, agarrei-me às outras partes vizinhas, às orelhas, aos braços, aos cabelos espalhados pelos ombros, mas tão depressa buscava as pupilas, a onda que saía delas vinha crescendo, cava e escura, ameaçando envolver-me, puxar-me e tragar-me. Quantos minutos gastamos naquele jogo? Só os relógios do céu terão marcado esse tempo infinito e breve.

Se o leitor e a leitora derem agora uma olhada naquela passagem anteriormente citada, que relata, muitos anos depois da cena acima, o episódio da morte e do enterro de Escobar, observará que ambas refletem-se simétrica e perfeitamente, como em um espelho. A Capitu adulta já contida na Capitu menina. Pois se na cena acima seus olhos são definidos primeiro como "oblíquos e dissimulados" por José Dias, para em seguida serem definidos em analogia com o mar principalmente como fonte de perigos (a ressaca é o estado ameaçador do mar), também na passagem anterior tínhamos o olhar furtivo de Capitu no velório, como se ela tivesse medo de ser pega em flagrante por alguns dos presentes ("olhando a furto para a gente que estava na sala"), dissimulando assim seus sentimentos, seguindo-se a isso a mesma aproximação metafórica entre olhos bem abertos e ondas do mar: no velório, "os olhos de Capitu fitaram os do defunto ... grandes e abertos, como a vaga do mar lá fora, como se quisesse tragar também o nadador da manhã".

O mar representa o desejo. Que metáfora simples e antiga, retrabalhada de maneira sutil e original por Machado. Quanto mais nos aproximamos dos detalhes do texto em nossa leitura atenta, mais verificamos o grau de consciência do autor na exploração dessa imagem clássica. O caráter erótico da metáfora é claramente enunciado no trecho do Capítulo XXXII citado. Ao contemplar longamente os olhos da então namoradinha, os de Bentinho são descritos como "longos e enfiados" nos dela. E como reação a esse gesto, os dela ficam "crescidos", evocando o intumescimento físico provocado pelo desejo erótico. Mas eles ficam "crescidos e sombrios", instaurando uma zona de ambiguidade que será logo em seguida reforçada pelo complemento escolhido pelo narrador Casmurro para definir aqueles olhos: são olhos "de ressaca", que acendem o desejo, mas que trazem o prenúncio de coisas sombrias. A força fascinante do mar é a força fascinante porém ambígua do desejo erótico: ambas possuem um poder máximo de atratividade, mas podem levar à morte, ao desastre. A atração erótica é como o movimento das ondas do mar, que nos arrastam para um mundo de delícias (o céu, o tempo infinito e breve do êxtase), mas a ressaca de ambas pode levar ao desastre, ao naufrágio, ao afogamento. Através da metáfora dos olhos de ressaca de Capitu, Machado de Assis analisou ficcionalmente em *Dom Casmurro* a dinâmica ambígua do desejo, a ligação perturbadora entre *eros* e *thanatos*, desejo de viver e desejo de morrer. Análise semelhante à de Freud, apesar da distância geográfica e cultural. É pouco provável que Machado conhecesse os trabalhos de Freud, embora certamente acompanhasse os debates de fins do século XIX sobre psicologia e psiquiatria, como atestam contos seus e principalmente a novela *O alienista*, que é basicamente uma paródia desse debate.

Portanto, quando no velório de Escobar Capitu fita o defunto com os olhos "grandes e abertos", o sistema de significados trabalhados por Casmurro já preparara subliminarmente o leitor para a ideia de ser isso o sinal da presença do desejo. Nasce aí a desconfiança, que o relato pretende projetar sobre o leitor. Pode ser que não tenha ocorrido adultério, mas Casmurro quer mostrar que no mínimo tem boas razões para justificar tal acusação.

Assim é se lhe parece, diria o dramaturgo italiano Pirandello. Como disse anteriormente, toda a peça acusatória de Casmurro terá por norte a semelhança física entre o filho Ezequiel e o amigo Escobar. No entanto, nosso exame mais acurado mostra que por trás desse tema existe outro mais determinante, que podemos chamar de teoria ou economia do olhar na narrativa. Na sequência de capítulos do desenlace, que chamei de "infernal", o tema dos olhos e do olhar volta com insistência gritante. Na verdade, muito do desenrolar dramático do enredo é pautado e marcado pelos jogos de olhares. O olhar, segundo Machado, *diz* muito. Todos nós sabemos disso, em nossas vidas cotidianas, mas o interessante é como o autor manipula essa verdade quase banal para obter um rendimento artístico de alta qualidade. Sendo a palavra "olhos" mais que uma simples palavra, por ser metáfora ou imagem ("olhos de ressaca"), ao expandir-se para "jogos de olhares", adquire uma função significativa e estruturadora que vai muito além da mera expressividade. O olhar é gesto, gesto que diz, sobretudo gesto desejante. É como Casmurro afirma no Capítulo CXXXI: "As pessoas valem o que vale a afeição da gente, e é daí que mestre Povo tirou aquele adágio que quem o feio ama bonito lhe parece." Ou seja, vemos nas pessoas aquilo que queremos ver.

✦

Para efeito de contraste, vejamos agora rapidamente como a narrativa da ilusão fantasmagórica que é a crise aguda de ciúmes será encaminhada de maneira distinta por Graciliano Ramos no romance *São Bernardo*. Em lugar dos paradoxos e paroxismos, das entradas e saídas de cena operísticas, das surpreendentes voltas e reviravoltas de minicapítulo a minicapítulo, para não falar da luxúria interpretativa que envolve as cenas e diálogos em *Dom Casmurro*, temos no discurso de Paulo Honório uma apresentação linear e paulatina de Madalena. Se Capitu é desde sempre conhecida de Bento Santiago, por ter sido sua vizinha e namorada de infância, depois esposa, finalmente ex-esposa simbolicamente assassinada, Madalena nunca deixará de ser uma desconhecida para Paulo Honório, mesmo depois que se casam, mesmo depois da crise de ciúmes dele. O suicídio de Madalena (aqui a morte não é simbólica) impedirá que Paulo Honório consiga entendê-la. E o grau de destruição que o desaparecimento da mulher trará sobre sua própria vida, junto com as desventuras políticas e econômicas, o levará a sentir necessidade de escrever. A escrita, para Paulo Honório, representará não só uma tentativa de expiação da culpa, mas também a maneira de recompor sua própria subjetividade desestabilizada.

> Conheci que Madalena era boa em demasia, mas não conheci tudo de uma vez. Ela se revelou pouco a pouco, e nunca se revelou inteiramente. A culpa foi minha, ou antes, a culpa foi desta vida agreste, que me deu uma alma agreste.
>
> E, falando assim, compreendo que perco o tempo. Com efeito, se me escapa o retrato moral de minha mulher, para que serve esta narrativa? Para nada, mas sou forçado a escrever.
>
> Quando os grilos cantam, sento-me aqui à mesa da sala de jantar, bebo café, acendo o cachimbo. Às vezes as ideias não vêm, ou vêm

muito numerosas — e a folha permanece meio escrita, como estava na véspera. Releio algumas linhas, que me desagradam. Não vale a pena tentar corrigi-las. Afasto o papel.

Emoções indefiníveis me agitam — inquietação terrível, desejo doido de voltar, tagarelar novamente com Madalena, como fazíamos todos os dias, a esta hora. Saudade? Não, não é isto: é desespero, raiva, um peso enorme no coração.

Procuro recordar o que dizíamos. Impossível. As minhas palavras eram apenas palavras, reprodução imperfeita de fatos exteriores, e as dela tinham alguma coisa que não consigo exprimir. Para senti-las melhor, eu apagava as luzes, deixava que a sombra nos envolvesse até ficarmos dois vultos indistintos na escuridão.*

A expressão "conheci que" no sentido de "dei-me conta que" soa regionalista ou anacrônica, mas, neste contexto, evoca o processo de conhecimento de Madalena por Paulo Honório, que poderíamos chamar na verdade de "redução do desconhecimento". Apesar de rico e politicamente influente no agreste das Alagoas, região em que se passa o romance, o empresário rural Paulo Honório vem do nada, precariamente educou-se e toma para esposa uma professora relativamente culta, de origem remediada, levando vida modesta na capital. De um lado, pois, a moça urbana, sem posses, porém informada e dotada de opiniões sobre o mundo. De outro, o fazendeiro e capitão de indústria do agreste, acostumado a mandar. O abismo de incompreensão entre os dois transforma suas vidas num inferno de constantes desavenças.

A figura de Paulo Honório tem sido louvada, com razão, por gerações de críticos e leitores como um retrato perfeito do homem de poder dos nossos grotões. Para ele, as preocupações humanitárias e as ruminações intelectuais de Madalena parecem completamente sem sentido. No seu casamento sem amor, a incapacidade de desenvolver um mínimo de comunicação entre os dois mundos produzirá o desenlace final. Na passagem acima, observamos que somente depois do suicídio de Madalena,

---

* Graciliano Ramos, *São Bernardo*. Rio de Janeiro, Record, 83ª ed., 2006.

reação a suas violências, Paulo Honório confusamente percebe algum afeto na relação, sentindo o desejo de ter novamente a companhia dela nos finais de tarde. Esse desejo é enunciado de maneira contraditória, na forma de uma pergunta de si para si: "Saudade? Não, não é isto: é desespero, raiva, um peso enorme no coração." O leitor se pergunta em que a vontade de tagarelar com Madalena não é saudade, mesmo que tingida por outros sentimentos e até, claro, motivada também pelo peso no coração. Nessa passagem, Graciliano coloca seu personagem-narrador no tribunal de julgamento do leitor. Seria ele um ser inteiramente desprovido de afeto? A decisão de escrever mostra que não.

Como em *Dom Casmurro*, a tentativa de fazer o retrato moral da mulher, depois de terminada tragicamente a relação, acaba levando o homem que escreve à necessidade de tematizar (no caso de Bentinho) ou de indagar-se (no caso de Paulo Honório) sobre sua própria identidade. Vimos que, em *Dom Casmurro*, o retrato retrospectivo de Capitu é um estratagema para Bento deixar sem resposta os enigmas que cercam seu próprio comportamento. Já Paulo Honório, menos esperto com palavras que o advogado machadiano, pergunta-se: "se me escapa o retrato moral de minha mulher, para que serve esta narrativa? Para nada, mas sou forçado a escrever." É algo não nomeado, não nomeável, que *força* Paulo Honório a escrever. Trata-se de uma força interna, já não mais o esforço de fazer por escrito o retrato da mulher. Essa é uma força nova, nascida paradoxalmente da fragilidade, da fragilização do ser masculino, lembrando-nos a situação vista no conto de Rubens Figueiredo.

O escrever aparece então ligado no romance de Graciliano à tentativa de explorar o limite da compreensão. E a própria presença de duas perguntas no trecho citado revela a fratura íntima de Paulo Honório. Ali onde existe um oco de comunicação, um núcleo de incompreensão, um "aquilo que não se consegue dizer", ali ocorre a necessidade do escrever, ali situa-se o algo que força alguém a escrever. Paulo Honório rememora o tempo em que Madalena estava viva e o que ele fazia como gesto para tentar captar o mistério que intuía por trás das palavras da mulher: "As minhas palavras eram apenas palavras, reprodução imperfeita de fatos exteriores, e as dela tinham alguma coisa que não consigo exprimir. Para senti-las melhor, eu apagava as luzes, deixava que a sombra nos envolvesse até ficarmos dois vultos indistintos na escuridão." Por contraste com sua própria objetividade (palavras que buscam reproduzir fatos exteriores), o que a fala de Madalena trazia era o elemento da subjetividade, da intimidade, esse elemento sem palavras que pode ser melhor apreciado no escuro, por constituir o escuro mesmo do ser, aquém e além das palavras, puro afeto. Se um ato suicida, como o de Madalena, é sempre um ato de profunda solidão, seu efeito sobre o marido é fazê-lo descobrir essa mesma solidão dentro de si, no sentido de solidão existencial. No decorrer do romance, a vida do casal como convivência de duas solidões vai num crescendo de brigas e desentendimentos até a cena do Capítulo XXXI que desencadeia o final.

Nessa cena, após um momento de recolhimento dentro da capela da fazenda, cai nas mãos de Paulo Honório, trazida pelo vento, a folha perdida de uma carta que ele, de longe, vira Madalena escrever. Lendo o fragmento sem entendê-lo muito bem, chega à conclusão de que a carta seria endereçada a um homem, seu provável amante. Sai da capela. Ao voltar, topa com Madalena, que nesse meio tempo para lá se dirigira, em busca também de recolhimento. É interessante observar o desconcerto irônico de que os dois cônjuges, mais impenetráveis um ao outro do que nunca, tivessem a mesma ideia de ir buscar um porto seguro na capela da fazenda.

Topando com Madalena, folha de papel na mão, Paulo Honório, furioso, faz a acusação. Tem ganas de matá-la, de esganá-la. Madalena reage com calma inusitada e o autoriza a ler o restante da carta, para constatar que nada há ali de desabonador. Com o passar da noite, os dois na igreja, Madalena calma, Paulo Honório também se aquieta. Mas logo se inquieta com o rumo adotado pela conversa. Ela lhe pede perdão, lhe pede que cuide da tia, recrimina-o pelos ciúmes doentios. A cena segue.

... encolhi-me, as mãos pesadas sobre os joelhos. Madalena, com ar meio sério, meio de brincadeira:
— Se eu morrer de repente...
— Que história é essa, mulher? Lembrança fora de propósito.

*Posfácio à moda da casa*

— Por que não? Quem sabe qual há de ser o meu fim? Se eu morrer de repente...

— Acabe com isso, criatura. Para que falar nessas coisas?

— Ofereça os meus vestidos à família de mestre Caetano e à Rosa. Distribua os livros com seu Ribeiro, o Padilha e o Gondim.

Levantei-me, impaciente:

— Que conversa sem jeito!

E agarrei-me a um assunto agradável para afugentar aquelas ideias tristes:

— Estou com vontade de viajar.

Na primeira frase do trecho, atingido pela profunda mágoa revelada pela mulher, a própria linguagem corporal de Paulo Honório evidencia o início de sua transformação. Paulo Honório *se encolhe*, como se se recolhesse para dentro de si mesmo. As mãos, que ao longo do romance denotam sua capacidade e dinamismo de empresário, agora pousam *pesadas* sobre os joelhos. É como se a desistência de viver por parte de Madalena o estivesse contaminando, criando uma zona sombria de comunicação no momento em que a distância entre eles está prestes a se tornar completamente intransponível.

Os dois enveredam por um diálogo de surdos, ele falando na viagem, ela falando dos paus-d'arco floridos na propriedade:

Sentei-me novamente, animei-me, acendi um cigarro.

— Depois da safra. Deixo seu Ribeiro tomando conta da fazenda. Vamos à Bahia. Ou ao Rio. O Rio é melhor. Passamos uns meses descansando, você cura a macacoa do estômago, engorda e se distrai. É bom a gente arejar. A vida inteira nesse buraco, trabalhando como negro! E damos um salto a São Paulo. Valeu?

Madalena, olhando a luz, que tremia, agitando sombras na parede, saiu-se com esta:

— Hoje pela manhã já havia na mata alguns paus-d'arco com flores. Contei uns quatro. Daqui a uma semana estão lindos. É pena que as flores caiam tão depressa.

— Efetivamente, resmunguei procurando relacionar o Rio e São Paulo com os paus-d'arco. E que me diz da viagem?

Madalena tinha os olhos presos na vela:

— Sim, estive rezando. Rezando, propriamente, não, que rezar não sei. Falta de tempo.

Nesse trecho, temos dois bons exemplos da seleção de palavras e expressões através das quais Graciliano Ramos caracteriza tão bem o personagem Paulo Honório, no jeito bruto e direto de dizer as coisas, utilizando gírias ("macacoa") e expressões preconceituosas ("trabalhar como negro"). Em Paulo Honório, o modo de falar já é modo de ser. Modo de ser do homem machista, da praticidade que atropela, cala, esmaga. Nesse diálogo de surdos, pela primeira vez na vida, pensa em Madalena, pensa no bem-estar de Madalena, sugere férias, pensa em sair de sua rotina de empreendedor que passa por cima de tudo e todos para obter mais lucros e mais poder local. Mesmo assim, as férias precisam ser vistas de maneira utilitária: "é bom a gente arejar."

Como se estivesse em outro planeta, Madalena responde falando dos paus-d'arco começando a florir. A fragilidade e a efemeridade das flores. Não seria talvez preciso viajar, para arejar. Quem sabe simplesmente aproveitar a beleza simples das flores, bem ali, à mão dos dois. Em seguida, ela se recolhe. Ele vaga pelas redondezas até o dia amanhecer. De manhã, a notícia pavorosa: Madalena matou-se em seu quarto, de uma overdose de medicamentos. Sobre a escrivaninha, Paulo Honório encontra o restante da carta de que a folha levada pelo vento era um fragmento. Descobre então ("conhece") que a carta era endereçada a ele, e que era a carta de despedida da suicida.

*Para concluir*

Este posfácio encerra-se dando uma volta de parafuso em relação ao tema com que se iniciou, várias páginas atrás. O imperativo da leitura de nossos clássicos e cults. Para nós, falantes da língua brasileira (portuguesa-brasileira), essa leitura não é apenas inestimável. Ela é, de certa forma, ainda mais estimável que a leitura dos estrangeiros. Podemos supor um brasileiro, leitor, amante da literatura, que se satisfaça apenas com a ficção universal, que terá lido em traduções ou no original. Mas quem pretende *ler como um escritor*, na acepção de Francine Prose, não pode prescindir da prata da casa, os lavores da casa.

Nossos ritmos são só nossos, nossas palavras idem. Existe uma lógica do pensar que é nossa. Ela infunde o sopro do possível ao que enunciamos por escrito. Alma da linguagem. Até onde vamos? Ponto sempre em aberto no espaço da criação. Estruturas profundas dos sentimentos, misturadas a palavras e pré-palavras. Se lemos autores estrangeiros, os lemos em traduções, já filtrados pela torção cultural. Uma tradução literária influente é parte da literatura na língua de chegada.

Cada língua tem sua poética. O autor deste posfácio alimenta a esperança de que os exemplos de crônica, conto e romance aqui trabalhados tenham dado ao leitor algum ínfimo lampejo do fundo poético de toda e qualquer prosa ficcional bem-sucedida. Somente a leitura continuada e atenta dos grandes autores brasileiros mergulhará o escritor brasileiro na poética de sua/nossa língua. Língua-mãe, *frátria*.

Por outro lado, como aponta Prose em uma passagem de seu livro, é bom saber outras línguas e fazer o esforço de ler obras ficcionais estrangeiras no idioma original. Isso mostra-se especialmente útil para desenvolver acuidade de leitura. Ao avançar no texto lenta e dificultosamente, com várias idas ao dicionário, a consciência dos detalhes de linguagem e expressão de nossa própria língua, em contraste com a estrangeira, será imensamente produtiva para todos aqueles desejosos de *ler como escritores*.

Ao trabalho, pois, que na esfera das artes trabalhar é sempre, também, fonte de grandes e sutis prazeres.

RIO DE JANEIRO, DEZEMBRO DE 2007

## LIVROS BRASILEIROS PARA LER IMEDIATAMENTE

༄

Abreu, Caio Fernando. *Onde andará Dulce Veiga*
Alencar, José de. *Iracema*
Almeida, Manuel Antonio de. *Memórias de um sargento de milícias*
Amado, Jorge. *Tenda dos milagres*
Andrade, Mário de. *Macunaíma*
Azevedo, Aluísio. *O cortiço*
Buarque de Holanda, Sérgio. *Raízes do Brasil*
Callado, Antonio. *Reflexos do baile*
Cardoso, Lucio. *Crônica da casa assassinada*
Carvalho, Bernardo. *O sol se põe em São Paulo*
Cony, Carlos Heitor. *Quase memória*
Cunha, Euclides da. *Os Sertões*
Denser, Márcia. *Animal dos motéis/ Diana caçadora*
Dourado, Autran. *Ópera dos mortos*
Drummond de Andrade, Carlos. *Prosa completa*
Fagundes Telles, Lygia. *As meninas*
Figueiredo, Rubens. *Barco a seco*
Fonseca, Rubem. *A coleira do cão*
Fonseca, Rubem. *A grande arte*
Freyre, Gilberto. *Casa-grande & senzala*
Guimarães Rosa, João. *A hora e a vez de Augusto Matraga* (in *Sagarana*)
Guimarães Rosa, João. *Grande sertão: veredas*
Guimarães Rosa, João. *O recado do morro* (in *No Urubuquaquá, no Pinhém*)

Hatoum, Milton. *Dois irmãos*
Hilst, Hilda. *Ficções*
João Antônio. *Malagueta, Perus e Bacanaço*
Lima Barreto. *Triste fim de Policarpo Quaresma*
Lins do Rego, José. *Fogo morto*
Lins, Osman. *A rainha dos cárceres da Grécia*
Lisboa, Adriana. *Um beijo de Colombina*
Lispector, Clarice. *A paixão segundo G.H.*
Lispector, Clarice. *Laços de família*
Machado de Assis. *50 contos* (org. John Gledson)
Machado de Assis. *Dom Casmurro*
Machado de Assis. *Memorial de Aires*
Machado, Aníbal. *A morte da porta-estandarte e outras histórias*
Marques Rebelo. *A estrela sobe*
Nabuco, Joaquim. *Minha formação*
Nassar, Raduan. *Lavoura arcaica*
Nava, Pedro. *Baú de ossos*
Noll, João Gilberto. *A fúria do corpo*
Pena, Cornélio. *A menina morta*
Piñon, Nélida. *Fundador*
Pompeia, Raul. *O Ateneu*
Queiroz, Rachel de. *Memorial de Maria Moura*
Ramos, Graciliano. *Memórias do cárcere*
Ramos, Graciliano. *São Bernardo*
Ribeiro, Darcy. *Maíra*
Ribeiro, João Ubaldo. *Viva o povo brasileiro*
Rodrigues, Nelson. *Teatro completo*
Sabino, Fernando. *O encontro marcado*
Sant'Anna, Sérgio. *Um crime delicado*
Santiago, Silviano. *Histórias mal contadas*
Santos, Joaquim Ferreira dos (org.). *As cem melhores crônicas brasileiras*\*

---

\* Nesse volume o leitor encontrará crônicas de todos os grandes mestres brasileiros no gênero, de Machado de Assis a João do Rio e Rubem Braga, de Antonio Maria a Paulo Mendes Campos, de Fernando Sabino a Nelson Rodrigues, Verissimo, Cony e muitos outros.

Scliar, Moacyr. *A mulher que escreveu a Bíblia*
Tavares, Zulmira Ribeiro. *O nome do bispo*
Torres, Antonio. *Essa terra*
Trevisan, Dalton. *O vampiro de Curitiba*
Veiga, José J. *Os cavalinhos de Platiplanto*
Verissimo, Érico. *O tempo e o vento* (trilogia)

# AGRADECIMENTOS

❦

Escrevendo este livro, senti-me muitas vezes como Tom Sawyer pintando a cerca, induzindo espertamente meus amigos e colegas escritores a me ajudar ou, na verdade, a fazer o trabalho por mim. Durante todo o tempo, vali-me de sua experiência e sabedoria, citei-os e contei suas histórias, sem nomeá-los ou lhes dar o devido crédito. Assim, gostaria de agradecer-lhes nominalmente, não só por seus conselhos e sugestões, mas por sua amizade e o apoio que torna possível continuar pintando a cerca. Obrigada a vocês, Russell Banks, Deborah Eisenberg, David Gates, Richard Price, Charles Simic, Scott Spencer e Mark Strand.

## LER E ESCREVER
*uma conversa com Francine Prose*\*

*O título de seu novo livro,* Para ler como um escritor: Um guia para quem gosta de livros e para quem deseja escrevê-los, *indica que seu público é duplo. Por que você decidiu se dirigir tanto a leitores quanto a aspirantes a escritor?*

Se eu realmente tivesse de caracterizar o livro, diria que é sobre o prazer de ler e sobre aprender a escrever. Dei o livro em primeira prova para um jovem escritor maravilhoso, talvez a segunda ou terceira pessoa a vê-lo nesse estágio, e ele o leu e me disse: "É como Harold Bloom, mas escrito por e para seres humanos." Isso me deixou tão feliz. Era o que eu tinha em mente. Isto é — a óbvia paixão de Bloom pela literatura, mas em um nível mais humano, acessível, comprometido; menos rebuscado, mas, eu gostaria de pensar, não especialmente menos inteligente.

*Estou pensando em usá-lo em um de meus cursos de escrita.*

Bem, essa é a minha esperança. Realmente espero que as pessoas o usem em aulas — não apenas pelas razões óbvias. Para mim, escrever esse livro foi um esforço bastante apaixonado. O que espero é que parte dessa pai-

---

\* A entrevista que se segue, conduzida por Jessica Murphy, foi publicada em *The Atlantic online* em 18 de julho de 2006.

xão se comunique. Porque me parece que o mais importante em qualquer discussão sobre leitura e escrita é esse compromisso *intenso* com todo o processo.

*Enquanto me preparava para esta entrevista, notei que você foi entrevistada pelo* The Atlantic *em 1998 por Katie Bolick. Disse nessa conversa que se tornou uma escritora porque era uma leitora ávida e que muitas vezes ficava perplexa com o fato de que alguns de seus alunos que queriam ser escritores não liam — ou não liam apaixonadamente.*

Isso não melhorou nada, deixe que eu lhe diga. De fato, posso olhar para trás e identificar alguns incidentes que me levaram a escrever o livro. Vários deles ocorreram em salas de aula. Em uma ocasião, eu estava num colóquio de pós-graduandos de mestrado em belas-artes (MFA, na sigla em inglês).\* Um aluno me perguntou: "Como se escreve Turguêniev?" E eu pensei: "Opa, temos um problema aqui." Outra vez, em outra sala de aula de pós-graduação, os alunos me perguntaram, como fazem às vezes: "O que você está lendo?" Respondi: "Estou relendo *Crime e castigo*." E tive aquela sensação de não encontrar nenhuma ressonância na sala. Então perguntei: "Algum de vocês leu *Crime e castigo*?" Silêncio. "Algum de vocês leu alguma coisa de Dostoievski?" Mais silêncio. E eram estudantes de pós-graduação.

Não consigo compreender isso inteiramente. Em um nível muito básico, não consigo imaginar por que pessoas quereriam escrever a menos que gostem de ler. Quero dizer, qual seria o sentido? Pelo incrível glamour de um estilo de vida extravagante? Não acredito.

*Você acha que a leitura não está sendo enfatizada o bastante em programas de MFA, ou é alguma coisa que está acontecendo antes disso?*

---

\* Nos Estados Unidos, Master of Fine Arts (MFA) é um curso de pós-graduação na área das artes visuais, plásticas, literárias ou dramáticas. Campos comuns de estudo incluem teatro, escrita criativa, direção de cinema e artes visuais. (N.T.)

Acho que está acontecendo antes disso. Na maioria dos programas de MFA, ou certamente naqueles em que lecionei, costuma haver um seminário de literatura paralelo à oficina de escrita. Uma das coisas tristes que me parecem explicar em parte o declínio do público para a leitura e os livros é que as pessoas não estão sendo incentivadas a ler por prazer. Como digo em algum ponto do livro, os círculos de leitura tiveram tanto um efeito positivo quanto um negativo. Por um lado, levaram as pessoas a ler e a conversar sobre leitura. Mas por outro, quando você está lendo para um círculo de leitura, pensa o tempo todo: *Preciso ter uma opinião e terei de defendê-la para aquelas pessoas*. Toda a noção de ser arrebatado por um livro praticamente deixa de operar.

*Notei que alunos do ensino médio podem ter certa resistência à leitura de algo que lhes é imposto, ao passo que quando descobrem um livro por si mesmos são mais propensos a se empolgar com a leitura e gostar do livro.*

Penso que o problema é em parte que os professores estão recomendando livros que eles próprios acham tediosos para alunos que ficam entediados com eles. E comentam os livros de uma maneira que entedia os alunos. É simplesmente esse ciclo de tédio que se prolonga indefinidamente. Ao passo que ler é a coisa menos tediosa que se pode fazer. É tão cativante, tão infinitamente satisfatório, realmente. A ideia de isso ficar associado a tédio na mente das pessoas é um tanto trágica.

*Isso suscita a questão sobre "como" ler. Muitas pessoas opinaram sobre isso. Joyce Carol Oates, em seu ensaio "To a young writer", aconselha aspirantes a escritor a ler sem planejamento. Elizabeth Bishop, em uma de suas cartas a um jovem escritor, aconselha a ler tudo de certo poeta, depois passar para outro — começando pelo passado e avançando até os contemporâneos. Qual é o seu conselho sobre o "como"?*

Acho que o mais importante — e é isto que digo no livro repetidamente — é a pessoa se concentrar no que tem diretamente diante de si na página; ler especialmente pela linguagem. Com demasiada frequência, estudantes estão sendo ensinados a ler como se a literatura fosse uma espécie de curso de ética ou de educação cívica – ou pior, uma espécie de manual de autoajuda. De fato, o importante é a maneira como o escritor usa a linguagem. Acho que há escritores que seriam mais lidos – e, inversamente, escritores que nunca seriam lidos – se as pessoas realmente observassem quão bem ou quão mal eles escreviam. Na maioria dos casos, eu preferiria ler algo que está lindamente escrito e não aborda grandes temas a ler algo aparentemente mais denso que não tenha um tipo de uso novo e revigorante da linguagem.

*Você inicia* Para ler como um escritor *com a velha e muitas vezes controversa questão: pode a escrita criativa ser ensinada? Poderia expor rapidamente o que você defende no livro e dizer por que, na sua opinião, esta é uma pergunta particularmente difícil de responder?*

Bem, acho que certas coisas podem ser ensinadas. Acho que a edição pode ser ensinada. Depois que você escreveu alguma coisa, é muito difícil avaliar o que fez. Mas a primeira ou a segunda ou a quarta vez que alguém lhe diz: "Veja, você não precisa destas dez palavras; uma será perfeitamente suficiente", ou "Esta frase inteira ou este parágrafo inteiro podem ser cortados", essa é uma experiência de aprendizado, e é certamente a coisa mais importante que pode ser ensinada numa aula de escrita. Penso também que se pode ensinar a escrever através da literatura. Podemos dizer: "Veja, James Joyce escreveu a mais magnífica cena de festa jamais escrita", ou "Tolstoi escreveu a mais maravilhosa cena de corrida de cavalo. E se por acaso você quiser escrever uma cena de festa ou de corrida de cavalo, talvez queira dar uma olhada e ver como gênios fizeram isso e ter uma lição." Mas talento pode ser ensinado? Acho que não.

*Fiquei arrepiada quando li esta passagem em seu livro: "Imagine... Kafka suportando um seminário em que seus colegas o informam que, francamente, a passagem em que o sujeito acorda uma manhã pensando que é um inseto gigante não os convence." Como alguém que passou por um MFA, posso realmente imaginar isso acontecendo. É horrorizante! As pessoas muitas vezes afirmam que um dos perigos do ambiente de oficina literária é que ele produz histórias com a mesma aparência e estilos demasiado parecidos, ou demasiado parecidos com os gostos do instrutor. Já viu isso acontecer? De que maneira evita isso, como professora de escrita?*

Para começar, penso que a ideia de escrever em grupo, ou de aprender a escrever em grupos, é insana. É de fato pura insanidade. Quero dizer, a escrita é um processo muito solitário. Trata-se de ser diferente de tudo o mais – não igual. Assim, se você estiver escrevendo para satisfazer os gostos de um grupo, e presumivelmente você conhece esses gostos depois de algum tempo, isso é realmente muito perigoso. Uma das coisas que faço quando estou dando um curso de literatura a alunos de um MFA – e prefiro de longe dar um curso de literatura a uma oficina de escrita –, é preparar uma lista de leituras baseada em obras-primas que iriam simplesmente murchar e morrer num ambiente de oficina. Coisas como *O primeiro amor*, de Beckett, ou *A metamorfose*, de Kafka. A lista é interminável. Você pode quase ouvir os integrantes da oficina dizendo coisas do tipo: "Acho que deveríamos saber como é a mãe dele." Quando estou dando um desses cursos, não consigo me impedir de dizer as coisas que imagino que seriam ditas sobre os livros numa oficina, e esse tipo de tom queixoso, descontente, insinua-se em minha voz.

*Você aconselharia um jovem escritor a fazer um MFA ou diria que leituras atentas seriam um caminho melhor a seguir?*

Vou lhe dizer muito francamente o que eu aconselharia: se você está recebendo dinheiro ou algum tipo de bolsa, deve fazer o curso sem dúvida nenhuma, porque isso lhe dá dois anos para escrever. São dois anos em que você não tem de servir mesa; dois anos para levar seu trabalho a sério. E se você realmente tiver talento, será muito difícil perdê-lo durante uma oficina. Por outro lado – e talvez eu não devesse dizer isso porque tantos de meus amigos, e eu mesma em vários momentos, dependemos de oficinas para sobreviver –, se você vai gastar dois anos [num programa de MFA] e chegar do outro lado com uma dívida de 80 mil dólares, eu pensaria um milhão de vezes antes de fazer isso. Mas um programa de MFA faz muitas coisas por você. Você forma uma comunidade. Tenho amigos agora, ainda mais velhos que eu, que fizeram a Oficina de Escritores de Iowa antes que eu sequer soubesse o que era uma oficina, que estudaram com John Berryman e Donald Justice e outros grandes escritores, e que fizeram amigos que ainda conservam 40 anos depois. Isso me parece inestimável. Você faz amigos para a vida toda, e encontra pessoas que serão seus leitores muito depois que você sair da oficina – pessoas em cujas vozes e opiniões você confia. Mas isso é muito diferente de levar a sério tudo que todo idiota em sua classe diz.

*Por que você prefere ensinar literatura a orientar uma oficina de escrita?*

Bem, em cursos de literatura o escritor não está na sala. Em muitos casos, o escritor não está mais no mundo, assim Tolstoi não ficará melindrado com o que é dito sobre a sua obra em minha classe. Além disso, só escolho coisas que considero obras-primas e que perduram há centenas de anos por alguma razão. Elas podem ensinar e enchê-lo de desejo de escrever e de ser parte do universo em que tais obras existem, qualquer que ele seja. Além disso, eu também gostaria de saber que, se por qualquer razão – que Deus não o permita –, um aluno sair de um programa de MFA e não se tornar um escritor, ele ainda assim saberá ler melhor como resultado de ter feito o meu curso. Assim, não sinto aquelas pontadas de remorso que às vezes me afligem numa oficina de ficção, ensinando jovens escritores que podem acabar não se tornando escritores.

*Como seus alunos reagem à leitura minuciosa que faz? Em certa altura do seu livro, você menciona que em alguns de seus cursos só percorreu duas páginas numa aula de duas horas, tal a atenção com que as examinava.*

Você pensaria que foi a coisa mais tediosa que já aconteceu. Realmente imaginaria que teria sido a aula mais enfadonha que já teve em toda a sua vida. Mas de fato ela é surpreendentemente animada, porque os alunos "pegam" a coisa imediatamente. Quando você está lendo um conto de John Cheever e considerando o brilho de cada escolha de palavra e quanto cada frase está lhe dizendo sem lhe *dizer*, e — aquela palavra pavorosa — "desempacotando" o que uma frase comunica, há algo de divertido e empolgante nisso. Durante quatro ou cinco semanas no início de cada semestre eu me pego pensando — "Meu Deus, eles são tão inteligentes, eu não imaginava que eram todos tão geniais" — porque é uma coisa que você simplesmente *pega o jeito* de fazer. É uma coisa ótima de ver acontecer em estudantes, alunos de graduação também. É igualmente divertido, se não mais, ensinar alunos de graduação, porque na maioria dos casos eles não foram ensinados a ler dessa maneira e ficam fascinados. Eu ficaria igualmente feliz em dar um curso num lar de idosos, porque não se trata de alguma coisa misteriosa e especial que somente alguém que queira escrever pode fazer. De fato, qualquer pessoa que goste de ler poderia ficar incrivelmente aliviada se lhe dissessem: "Ouça, preste atenção à linguagem. Você não precisa ter essa opinião formidável e não precisa ler isto no intuito de descobrir como o autor meteu os pés pelas mãos de alguma maneira." Trata-se apenas do prazer da linguagem.

*Tive de rir quando estava lendo as muitas cenas de salas de aula de oficina em seu romance* Blue Angel. *Parecia fazer o par perfeito com* Para ler como um escritor.

Bem, você sabe que aquela é uma aula de escrita infernal. É o pior cenário possível. Alguns dos personagens foram baseados em alunos que tive — mas ao longo de muitos anos. Basicamente, peguei os alunos mais difíceis que já tivera e os pus todos na mesma classe, aqueles com maiores transtornos de personalidade, os mais disfuncionais.

*A oficina de escrita e o modo como é estruturada são algo muito fácil de ridicularizar. Quando Swenson, o professor de escrita em* Blue Angel, *está tentando impedir que uma pessoa arranque o coração de outra e diz: "Não, vamos dizer alguma coisa agradável primeiro..."*

Não me lembro se chego a dizer isso claramente no romance, mas há algo de essencialmente sádico em todo o processo. Quero dizer, ficar ali sentado e ter o amor de sua vida — seu trabalho —, algo tão próximo de seu coração e sua alma, simplesmente despedaçado por estranhos...

*E não poder dizer nada.*

Sim... e não poder *dizer* nada. Quem foi que inventou *isso*? É tão cruel. E todo mundo sabe essencialmente que é cruel, mas é uma das muitas coisas que não temos permissão para dizer. Toda essa linguagem de eufemismo surgiu em torno da impossibilidade de ser franco. Você não pode dizer: "Isso simplesmente me matou de tédio." Assim, em vez disso, você diz, em desespero: "Acho que você deveria *mostrar* em vez de *contar*." De onde veio *isso*? Quer dizer, diga isso para Jane Austen!

*Há um vocabulário comum que surge do MFA — o "mostre em vez de contar".*

"De quem é essa história?"

*"Qual é a ocasião?"*

"Que está em jogo aqui para os personagens?"

*Se você entrar num MFA, vai sair com esse vocabulário, mesmo que não se torne necessariamente um escritor melhor.*

Sim, porque o fato é que quando alguém pergunta: "Que está em jogo aqui?", o que quer dizer é: "Por que alguém perderia o seu tempo escrevendo esta bobagem?", mas ninguém vai dizer isso, graças a Deus. Ocasionalmente, dei palestras em conferências de escritores ou lecionei em programas em que dois professores dão aulas juntos. Às vezes é fantástico. Ensinei com Stuart Dybeck, por exemplo, e Diane Johnson, e pensava: "Jesus, eu pagaria para estar nesta oficina, porque ouvir o que esta pessoa tem a dizer sobre escrita é tão fascinante e esclarecedor." Mas outras vezes ensinei com pessoas que apenas repetiam todas as platitudes das oficinas. É uma posição muito difícil, porque você está lá, ouvindo seu colega dizer "De quem é essa história?" e tentando não dizer "Bem, de quem é a história em *Os irmãos Karamazov*?".

*Isso é exatamente o que você faz no Capítulo 10, seu capítulo sobre Tchekhov. Li esse capítulo e pensei: "Isto é tão corajoso." Você fala dos momentos em que sua reação automática seria dar essas regras a um aluno — uma pessoa não pode cometer suicídio sem uma boa razão, ou você não pode mudar de ponto de vista quando lhe dá na veneta — e encontra um conto de Tchekhov que as refuta.*

Regras que surgiram do nada, que simplesmente não têm a ver com coisa alguma.

*Como professora, como você dirige uma oficina? Tem técnicas para se proteger contra essas reações automáticas?*

Tenho. Em vez de dizer algo como: "Acho que deveríamos saber mais sobre como era a mãe dele", tento sugerir exemplos da literatura cujo exame poderia ser útil ao escritor. E há certas coisas sobre ler e escrever que sempre sinto a compulsão de salientar. Por exemplo, muitas vezes me ouço dizendo à classe: "Vejam bem, não somos os terapeutas dos personagens. E não deveríamos funcionar como uma espécie de sessão de terapia de grupo para os personagens do conto; eles são personagens num conto."

*Isso lembra outro desses truísmos de programas de escrita de que você discorda no capítulo final: que o leitor deve simpatizar com os personagens.*

Sim, simpatia pelos personagens não é um requisito.

*Presumivelmente, para que um leitor se esforce para ler um romance inteiro, precisa ter interesse pelo personagem — mas não precisa gostar dele?*

Não sei. Isto é, não sei o que você tem de fazer. Beckett é um exemplo que sempre apresento: você se interessa por Molloy? Não sei. Talvez no sentido de que tudo que ele diz é incrivelmente intrigante, extraordinário, divertido e estranho. Mas isso não é o mesmo que querer sair para tomar um drinque com ele. Você acaba admirando o incrível talento de Beckett para usar a linguagem de modo a expressar uma ideia única, muito particular, arguta e estranha sobre o mundo. Mas isso não é a mesma coisa que se interessar por Molloy.

*Em certa altura do livro você diz: "Descobri como ler uma obra-prima pode lhe fazer querer escrever uma." Deu inúmeros exemplos de passagens em que há escolhas de palavra inspiradas, frases brilhantes, gestos literários e diálogos impressionantes. Gostaria de saber se poderia dar um exemplo de uma obra-prima que realmente a tenha feito querer escrever uma.*

A primeira vez que li *Cem anos de solidão*. Não que jamais pudesse me imaginar escrevendo eu mesma algo tão extraordinário. Mas é difícil ler aquilo sem ficar contagiada pela *alegria* de contar uma história. Quero dizer, ver como é criar todo um mundo e fazer as coisas retornarem e os personagens aparecerem e desaparecerem e o que se pode fazer na página. Aquilo foi uma verdadeira revelação para mim.

Ou ler *Anna Karenina*, em que praticamente cada página traz alguma coisa que você notou sobre caráter e sobre o mundo, ou viu alguém fazer, e que nunca pensou que alguém jamais tivesse notado antes. E cá está esse russo maluco que morreu há tantos anos, captando tudo isso perfeitamente.

*Você abandonou um programa de Ph.D. e praticamente abandonou a vida acadêmica pela vida de romancista-contista/jornalista.*

Nunca olhei para trás.

*O que a fez escolher a vida de escritora em vez da vida acadêmica?*

Não sinto realmente que tive uma escolha. A pós-graduação estava me deixando literalmente louca. Eu queria uma abordagem diferente ao trabalho. Parecia-me simplesmente que a paixão que eu sentia como leitora não era refletida por meus professores e meus futuros colegas. Não sei o que eles estavam fazendo, mas não era o que eu estava fazendo. E não sei como estavam lendo, mas não era da maneira como eu fazia. Quando olho a lista de artigos apresentados numa convenção da Modern Language Association, ainda tenho a mesma sensação, e me pergunto: "Do que essas pessoas estão falando?" Era extremamente alienante, porque em teoria estávamos todos falando sobre os mesmos (como eles diriam) "textos", mas eu realmente, literalmente, não era capaz de entender. Nunca me tive na conta da pessoa mais burra da classe, mas de repente era isso que eu me tornara. Nada do que as pessoas estavam dizendo fazia sentido particular para mim. O que não quer dizer que eu não tenha tido excelentes professores. Tive. O livro é dedicado a três deles, um dos quais foi meu professor tanto na graduação quanto na pós-graduação. Mas eles certamente não eram a maioria.

*Como professora, jornalista e escritora, você vem acompanhando a evolução das coisas há bastante tempo. Ficou impressionada com alguma tendência recente no mundo literário?*

Vou dizer uma coisa. Por uma razão ou por outra, mandam-me muitos livros novos. Não sei o que estão desejando — resenhas ou publicidade, imagino. Assim, vejo muito do que está sendo publicado. E grande parte disso é bastante tedioso. Mas há muita coisa realmente interessante. Volta e meia ouvimos essas previsões sombrias sobre a morte do romance ou a morte da ficção e o fim da cultura literária, blablablá. Mas um amigo meu, o romancista Richard Price, disse que o romance estará presente em nosso funeral. Acho que ele está certo; o romance está vivo e passa bem.

*Que anda lendo ultimamente?*

Como faço muitas resenhas, frequentemente tenho de ler livros mais por dever que por puro prazer, mas deixe-me dar uma olhada em minha mesa e ver o que está sobre ela. Certo, vou lhe dizer o que está sobre minha mesa. *The Collected Works of Jane Bowles*. Uma coletânea de ensaios de Jane Malcolm. O novo livro de Daniel Mendelsohn que acabo de resenhar, chamado *The Lost*, sobre a procura de seus parentes perdidos no Holocausto. *Huckleberry Finn*. Um livro chamado *Stuart: A Life Backwards*, de Alexander Masters, que é uma estranha e esplêndida biografia de um semteto. É isso que está sobre minha mesa. É uma variedade. Mas uma das razões pelas quais estou contente por ter escrito este livro e estou contente por haver uma bibliografia no final é que sempre que alguém nos pede uma recomendação de leitura ou pergunta o que estamos lendo, tudo simplesmente desaparece da mente; simplesmente não conseguimos pensar em um único livro que tenhamos lido.

*É verdade.*

Você conhece essa experiência. Assim, agora eu pelo menos tenho essa lista e posso dizer: "Vá olhar a lista. Não me pergunte. Leia a lista!"

1ª EDIÇÃO [2008] 14 reimpressões

ESTA OBRA FOI COMPOSTA POR LETRA E IMAGEM EM MRS. EAVES E
IMPRESSA EM OFSETE PELA GRÁFICA PAYM SOBRE PAPEL ALTA ALVURA
DA SUZANO S.A. PARA A EDITORA SCHWARCZ EM ABRIL DE 2024

A marca FSC® é a garantia de que a madeira utilizada na fabricação do papel deste livro provém de florestas que foram gerenciadas de maneira ambientalmente correta, socialmente justa e economicamente viável, além de outras fontes de origem controlada.